JN181745

精神科
レジデントマニュアル
第2版

【編集】
三村　將
慶應義塾大学教授・精神・神経科学

【編集協力】
前田貴記
慶應義塾大学専任講師・精神・神経科学

内田裕之
慶應義塾大学准教授・精神・神経科学

藤澤大介
慶應義塾大学准教授・医療安全管理部／
精神・神経科学

中川敦夫
慶應義塾大学病院・臨床研究推進センター・
教育研修部門長

医学書院

精神科レジデントマニュアル
発　行　2017年3月15日　第1版第1刷
　　　　2019年7月1日　第1版第2刷
　　　　2022年3月15日　第2版第1刷©
編　集　三村　將（みむら　まさる）
発行者　株式会社　医学書院
　　　　代表取締役　金原　俊
　　　　〒113-8719　東京都文京区本郷1-28-23
　　　　電話　03-3817-5600(社内案内)
印刷・製本　三報社印刷

ISBN978-4-260-04932-0

● 執筆者一覧 ●

（執筆順）

三村　將	慶應義塾大学教授・精神・神経科学
櫻井　準	杏林大学講師・精神神経科学
平野仁一	慶應義塾大学特任講師・精神・神経科学
片山奈理子	慶應義塾大学助教・精神・神経科学
森長修一	平塚市民病院・精神科・科医長
山縣　文	慶應義塾大学専任講師・精神・神経科学
森　さち子	慶應義塾大学総合政策学部教授/臨床心理学
小野田暁子	慶應義塾大学保健管理センター
田渕　肇	医療法人康生会・理事長
岸本泰士郎	慶應義塾大学医学部特任教授・ヒルズ未来予防医療・ウェルネス共同研究講座
嶋田博之	東日本少年矯正医療・教育センター・保健課長
村松太郎	慶應義塾大学准教授・精神・神経科学
藤澤大介	慶應義塾大学准教授・医療安全管理部/精神・神経科学
白波瀬丈一郎	東京都済生会中央病院健康デザインセンター・センター長
内田裕之	慶應義塾大学准教授・精神・神経科学
新村秀人	東洋英和女学院大学教授・人間科学部/慶應義塾大学特任講師・精神・神経科学
髙宮彰紘	慶應義塾大学助教・精神・神経科学
野田賀大	慶應義塾大学特任准教授・精神・神経科学
船山道隆	足利赤十字病院・神経精神科・部長
川原庸子	玉名病院・精神科
前田貴記	慶應義塾大学専任講師・精神・神経科学
中川敦夫	慶應義塾大学病院・臨床研究推進センター・教育研修部門長
佐渡充洋	慶應義塾大学専任講師・精神・神経科学
是木明宏	下総精神医療センター・精神科

●執筆者一覧●

遠山朋海	久里浜医療センター・精神科
樋口　進	久里浜医療センター・院長
宗　未来	東京歯科大学市川総合病院・准教授・精神科
中尾重嗣	浜田山メンタルクリニック・院長
二宮　朗	慶應義塾大学特任助教・精神・神経科学/慶應義塾大学・ストレス研究センター
工藤由佳	群馬病院・精神科
久江洋企	桜ヶ丘記念病院・副院長
竹内啓善	慶應義塾大学専任講師・精神・神経科学
色本　涼	慶應義塾大学助教・百寿総合研究センター
武井茂樹	慶應義塾大学病院・臨床検査科・神経機能検査室・室長
野村健介	島田療育センター・医務部部長
竹内麻理	慶應義塾大学専任講師・精神・神経科学
細金奈奈	愛育クリニック・副部長・小児精神保健科
佐藤延彦	慶應義塾大学・精神・神経科学
中島振一郎	慶應義塾大学専任講師・精神・神経科学
南　房香	慶應義塾大学助教・精神・神経科学
澤田恭助	東京歯科大学市川総合病院・精神科
濱田秀伯	六番町メンタルクリニック・精神療法センター長
宮島加耶	桜町病院・精神神経科・医長
濱田庸子	慶應義塾大学教授・環境情報学部
友田有希	桜ヶ丘記念病院・精神科
黒江美穂子	慶應義塾大学・精神・神経科学
船木　桂	海神ほっとクリニック・理事/院長
河野佐代子	慶應義塾大学病院・看護部主務
磯上一成	慶應義塾大学病院・薬剤部主任
笠原麻里	駒木野病院・副院長
西園マーハ文	明治学院大学教授・心理学部

第2版 序

2017年3月に発行した『精神科レジデントマニュアル』は，幸いにも多くの読者を得ることができました．発行から約5年が過ぎ，この間精神科を取り巻く社会状況は大きく変化し，また疾患の捉え方や診療面での進歩は目を見張るばかりです．加えて2020年度の臨床研修より精神科での研修が必修となりました．このような変化を踏まえ，このほど本書を改訂する運びとなりました．

改訂にあたっては，「精神科レジデントや若手精神科医が日常的に遭遇する精神症状・疾患や診療場面で直面する諸問題への対応などについて，コンパクトにまとめ，何かあればすぐにその場で参照できる書籍を目指す」という初版の編集方針を踏襲し，実践に役立つ情報を初版以上に簡潔でわかりやすく記載するとともに，各項目のアップデートを図り，内容の充実を目指しました．

大きな変更点としては，近年重要度の高まる精神科リエゾンチームは，精神科研修でも必須とされていることから，初版では小項目の1つであった「コンサルテーション・リエゾン」を第8章として独立した章立てとしました．初版に掲載した「コンサルテーション・リエゾン」に関連する項目を本章にまとめるとともに「薬剤性精神症状」「精神障害のある人の周産期の支援・薬の使い方」の項目を新たに追加しています．

いま現在，2年前から続くCOVID-19がいまだに収束の気配が見えません．人びとの心がじわじわと蝕まれていくなかで，「よき精神科医」の役割はますます重要性を増してきていると感じています．私が本書に込めた思いは，次ページに綴った「初版の序」から変わることはありません．読者の皆さんは今後，精神科医として多くの知識や経験を積み重ねていくことになりますが，一方でよき精神科医とはどのような存在であるかという問いをいつまでも忘れずに持ち続けてほしいと思います．

2022年1月

三村　將

初版 序

今，私の手元に 1 冊の本がある．『果報者ササル―ある田舎医者の物語』[1)]という本である．イングランドの小村で開業していた医師ジョン・ササルの生活と思索が，ジョン・バージャーの文章にジャン・モアの写真を織り交ぜて綴られている．原著の初版が刊行されたのは 1967 年だが，長らく絶版となっており，日本語版が出たのはつい数カ月前である．村松　潔氏の日本語版は大変優れた訳であるが，タイトルの「果報者」の意味は本文をよく読まないとわからない．原題は“A Fortunate Man”である．解説には「治療者とはいかなる存在なのか．他人を癒すことで癒される生，それを限りなく探り究めようとする者の幸福とその代償…」と記されている．

いい医者とはどのような者だろうか？「(ササルが)いい医者だと見なされるのは，患者の心の底に秘められた，口に出されることのない，友愛を感じとりたいという期待に応えているからである．彼は患者たちを認知する．」(p82) ササルは何科のどんな病気でも怪我でも診るが，常に体とこころを診ている．「患者に話しかけたりその話を聞いたりするとき，取り違えをすこしでも減らすために，彼は両手で触診しているかのように見える．そして，患者に手をふれて診察しているときには，会話をしているかのように見える．」(p83)

本書『精神科レジデントマニュアル』の読者の多くは，初期研修医，精神科を志す後期研修医(専修医)，あるいは精神保健指定医・精神科専門医を目指す精神科専攻医など，卒業後まもない若手医師であろう．あるいは医学生かもしれない．本書はわれわれ慶應義塾大学医学部精神・神経科学教室のスタッフ陣がそれぞれの専門領域について，毎年の新入局者に行うクルズスなどの指導をまとめた内容となっている．これらの若い人々にとって，1 つひとつの章が精神科臨床を学ぶ上で重要なメッセージとなることを確信している．しかし，本書を繙く前に，まず医師とは，いい医師とは，そしていい精神科医とはどのような存在なのか，改めて考えてみてもらいたい．

日本医療研究開発機構理事長の末松　誠氏（前慶應義塾大学医学部長）は3つのLIFEということを述べている．同じLIFEという言葉に，生命，生活，そして人生という3つの意味があると．医師は患者の生命を預かる職業であるが，生活と人生にも関わっていることを忘れてはいけない．ことに精神科医はもっとも患者の生活と人生に深く関わることになる．

人生は謎に満ちている．ジョン・ササル自身は妻の死から1年と少し経った1982年8月，診療をやめてから数カ月後に拳銃自殺した．あとがきには「彼の人生の謎は深まったが，暗くなったわけではない」と記されている．精神科の患者や家族と向き合うということは常にその人の人生を考えることに他ならない．

2017年2月

三村　將

1）Berger J, Mohr J（著），村松　潔（訳）：果報者ササル―ある田舎医者の物語．みすず書房，2016

目次

第7章 疾患 167

凡例

◇本書で用いる用語

▶本書で取り上げる精神疾患の名称については原則『DSM-5 精神疾患の診断・統計マニュアル』(医学書院, 2014)に準拠した.

▶その他の精神科関連の用字用語は, 及ぶ限り『精神神経学用語集 改訂6版』(新興医学出版社, 2008)に則っている.

◇処方例

▶処方例はその疾患の治療で用いられる代表的な薬剤の一部を例示したものであり, 原則として,「薬剤名(商品名)」「投与量」「用法」を記している.

▶記載例

●**処方例**(代表的な薬剤の一部を以下に挙げる)

- セルトラリン(ジェイゾロフト®) 50 mg/日 1日1回 夕食後
- エスシタロプラム(レクサプロ®) 10 mg/日 1日1回 夕食後

▶昨今の薬剤を取り巻く状況に配慮し, 薬剤の保険適用外使用については「(保険適用外)」として及ぶ限り記した. なお,「(保険適用外)」はその使用を推奨するものではなく, またその有無によって保険適用か否かを保証するものでもないことに留意されたい.

▶実際の処方に際しては, 読者諸氏で薬剤添付文書や文献にあたるなどして慎重に投与していただきたい.

第1章

精神科診療における7つの心得

精神科診療における７つの心得

Seven Tips for Psychiatric Practice

point

- 診察は待合室から始まる．
- 患者の椅子を定位置に戻せ．
- ポケットには聴診器と打腱器を．
- 傾聴はゼロポジションで．
- 主観的体験への配慮を心掛ける．
- 「生きていても仕方ない」にどう答えるか．
- 常に親切な医師であれ．

▶本章ではまず，筆者自身が毎年入局してくる後期研修医(専修医)に向けて最初に行うクルズス(講義)の内容を箇条書きにまとめた．

▶7つの心得を通じて，精神科診療の基本的考え方について述べる．

❶診察は待合室から始まる

▶診察室内での問診だけが精神科診療ではない．むしろ診察は待合室から始まっている．待合室での患者の様子が情報として得られるようにしておくとよい．

▶診察を待っている間(たいていはかなり待たされている)，イライラしているか，緊張しているか，居眠りしているか……など．場合によっては職員にクレームをつけていることもある．

▶家族・同伴者との関係にも気を配る．離れているか，くっついているか．黙っているか，話し続けているか．

▶待合室にいるときと診察室の中とで態度にギャップがあるかどうかにも注意．

▶診察室に入室する様子も観察し，歩行障害がないか確認．

▶服装や持ち物は患者の嗜好性を示す非常に重要なアイテムである．

▶当然ながら，紹介状や問診票の記載内容には細心の注意を払う．その他，あらゆる情報リソースを動員して，患者の全体像，人物像を描き出すように試みる．

- 心理検査においては，検査結果のみならず，受検態度や言動にも気を配る．

❷患者の椅子を定位置に戻せ

- 筆者はいつも診察に際して患者の椅子を定位置に置く．
- 患者と診察者との間には適切な位置関係というものがある．だいたい斜め45°の角度，自分自身が「心地よい」と感じる距離に患者の椅子を置く．
- この医師-患者関係の「距離」から極端に椅子を近づけてくる患者は要注意．おそらく常に近い距離で他者と接していると考えられ，診察者にも無意識のうちに近い距離を求めてくることがある．
- 診察者の椅子をそっと遠ざけるなど，患者との物理的距離を一定に保つことは，医師-患者関係を安定させることに役に立つ．近づけすぎていると，少し離そうとしただけで患者は突き放されたと感じることがある．
- COVID-19など，感染症が懸念される状況では，患者との距離は長めにとり，感染予防に配慮する．

❸ポケットには聴診器と打腱器を

- たとえ精神科であっても，まず身体診察を行うことは基本．白衣のポケットには常に聴診器と打腱器を入れておくべき．
- 患者の身体所見をとることで，単に身体的問題をチェックできるのみならず，患者に「触れる」メリットがある．
- 話しながら脈をとる，筋緊張を診るといったことは患者とのラポールの形成にも寄与するところが大きい．
- 身体診察時には消毒の励行など，感染予防に気を配る．
- 自分なりの身体所見-神経学的所見-神経心理学的所見-精神現症のとらえ方に習熟しておく．これらを段階的かつ包括的に行っていくことを心掛ける．

❹傾聴はゼロポジションで

- 意味のある「傾聴」には熟練が必要．傾聴はゼロポジションで行い，先入観をもたない，評価しない，否定しない態度が重要．
- BeckmanとFrankel[1)]は初診患者が主訴などを話し始めてから

医師が遮るまでの時間は平均わずか18秒だと述べている.

- 患者に自由に話をしてもらうとエンドレスになるのではないかと思われるが，実際は医師が全く話を遮らなかった場合，78%の患者は2分以内に話を終えたと報告されている.
- よく話を聞いてくれる医師は寡黙な医師である．多くの患者は自分で話すうちに自然に解決策が見つかってくる．十分話した段階で適切な指導を行うと効果的.

❺主観的体験への配慮を心掛ける

- 精神科の症状の多くは幻覚や妄想，痛みなど主観的体験.
- 痛む，違和感がある，だるい，重い，しびれる，ぼやける，かすむ，ふらつくといった，いわゆる不定愁訴も主観的体験に入る.
- これらはMUS(medically unexplained symptoms)と呼ばれている．これらの症状の多くは克服することより共存していくことを考えるほうが現実的.
- 「そんなはずないでしょう」は禁句．「(幻視に対して)私には見えませんが……」「あなたはそう感じたのですね」といった言い方が受け入れられやすい.
- 温かい相づちやうなずき，相手の言葉をそのまま繰り返す「共感的態度」も効果的.

❻「生きていても仕方ない」にどう答えるか

- 例えば自殺企図で救急に搬送された患者から「どうして死なせてくれなかったのか」と言われたら，どう答えるのか.
- コンサルテーション・リエゾンや緩和ケア，終末期医療の場面でも，「これ以上生きていても仕方ない」と話す患者は少なくない.
- なぜ死のうとしてはいけないのかという問いに対して，ただ1つの正答というものはない．むしろ医師1人ひとりが自分なりの答えをもっているべきである.
- 死のうとしている患者，死ぬしかないと考えている患者に「あなた，死ぬのはやめなさい」と言うことは，とりもなおさず医師自身の人生観，死生観を問われていることになる.

❼常に親切な医師であれ

- 帚木蓬生の小説『カシスの舞い』の終章に主人公の恩師ムーラン教授の言葉として，患者になすべきことは「名医としてではなく，親切な医者としてのサーヴィス」であるという台詞が出てくる．
- 「患者に親切であり得るために猛勉強もした」という台詞もある．
- 患者に親切な医師であるためには，科学的エビデンスを含め，標準的な診断と治療の技術を身につけていなければならない．
- また，親切であるということは必ずしも患者の言う通りの治療を意味しない．時には患者に厳しく接することもあれば，患者の意に反して処方を断るような場合もある．
- 主治医としては，患者がどのようにしたら心の平和を得られるのか，その人らしさを発揮していけるのかを考えるのが基本である．

［引用文献］

1) Beckman HB, Frankel RM : The effect of physician behavior on the collection of data. Ann Intern Med 101 : 692-696, 1984

［Further Reading］

- 三村　將，仲秋秀太郎，古茶大樹(編)：老年期うつ病ハンドブック．診断と治療社，2009
- 三村　將，山鳥　重，河村　満：認知症の「みかた」．医学書院，2009

（三村　將）

第2章

シチュエーションに応じた対応のコツ

当直—精神科救急

On-call Psychiatric Emergency

point

- 初診患者の精神科救急対応では，器質因を除外しながら，緊急性の高い病態・疾患から対応する．
- かかりつけ患者の当直対応では，当直で対応すべき問題か次回の主治医外来で対応すべき問題かを検討する．

初診患者の対応

診療の流れ

- 器質因の除外
- 自殺リスクの評価
- 精神運動興奮の対応

器質性疾患の除外

- 大事な病歴は，経過の早さ．「昨日から急に見当違いなことを叫び暴れる」といった急性の変化は，まず器質因がある可能性を考慮．
- 精神疾患と鑑別が必要になる器質的な病態のほとんどは，意識障害．特に意識の質的な障害(意識変容)は精神疾患に間違われやすい．意識障害の原因はAIUEO-TIPS(表 2-1)で鑑別．
- 感覚性失語も，言葉が理解できず見当違いなことを言うように見えるため，精神疾患と間違われやすい．急性発症の感覚性失語はまず脳卒中を疑う．
- ステロイドなどの薬剤も精神症状を引き起こすため，薬剤歴も聴取(表 2-2)．処方開始や増量から2週間以内が起こりやすい．それぞれの薬で起こりやすい症状は異なるが，「どんな精神症状も起こりうる」と考えたほうが，見落としが少ない．
- 病歴聴取(飲酒歴，服薬歴を含む)，バイタルサイン測定，身体診察，血液検査(アンモニア，甲状腺機能を含む)，画像検査などでこれら器質因を除外．
- 器質因の可能性が高い場合は，注意深い観察の上，早期に他科や他院にコンサルト．

自殺リスクの評価

- 最近の自殺企図を聴取．

表 2-1　AIUEO-TIPS

Alcohol アルコール(酩酊)
Insulin 低血糖/高血糖
Uremia 尿毒症
Electrolyte 電解質(Na，K，Mg，Ca)
Encephalopathy 肝性脳症(アンモニア)
Endocrine 内分泌(甲状腺クリーゼ，副腎クリーゼ，下垂体出血)
Oxygen 低酸素
Overdose 薬剤〔違法薬物，治療薬(表 2-2)〕
Trauma 外傷(硬膜下血腫)
Temperature 低体温/高体温(熱中症)
Infection 感染
Psychiatry 精神疾患
Stroke 脳血管障害
SAH くも膜下出血
Shock ショック
Seizure てんかん発作

表 2-2　薬剤性精神障害の原因となる薬

- **精神症状の発現頻度が高い薬**
  ステロイド，インターフェロン，抗パーキンソン病薬，抗てんかん薬，抗コリン薬，モルヒネ製剤，ジギタリス製剤，リドカイン，メチルドパ，向精神薬
- **精神症状の発現頻度はそれほど高くないが，使用頻度が高い薬**
  β遮断薬，抗菌薬，H_2受容体拮抗薬，非ステロイド性抗炎症薬(NSAIDs)

▶ 自殺企図があれば，背景の悩みは何か，どんな手段で自殺企図をしたか(縊頸，飛び降り，過量服薬など)，企図したことを今どう考えているか，今後また自殺を試みてしまいそうか，背景の悩みはどうすれば解決するか，などを聴取．

▶ はっきりとした自殺企図がなくても，「消えてしまいたい」「眠ったまま目が覚めなければいいのに」という言葉で自殺念慮を表現することも考慮．

▶ 自殺企図や自殺念慮について話すときは，落ち着いて話せる環境を心掛ける．十分に時間をかけ，支持的な態度で傾聴．

▶ 自殺念慮が切迫していれば，診断や病歴などもふまえながら，家族への連絡や入院を検討．

▶切迫した自殺念慮がなく現実的な対処方法を考えていれば，帰宅も検討．帰宅時には家族に自殺企図のリスクを十分説明してできるだけ付き添ってもらう．

▶本人には「いのちの電話」などの電話相談について，家族には緊急時の医療機関案内サービスや警察への連絡について，情報を提供．紹介状を作成し，早期に改めて精神科を受診してもらう．

▶自殺企図が幻覚・妄想に基づくケースや，現実味がなく表層的に「全く問題ありません」と繰り返すケースなどでは，再発の危険がある．家族と相談しながら入院も検討．

◇精神運動興奮の対応

▶頻度が高いのは，統合失調症の幻覚・妄想状態，双極性障害の躁状態，各種疾患の興奮状態．

▶安全が確保された状態で複数の人数によって対応する．1対1では診察しない．

▶訴えを否定しないようにしながら，興奮している理由から聞き，現在の状態像を判断する．いつから続いているか，以前にも似たようなことがあったか，などこれまでの経過を聞き，診断を考える．

▶話をしても落ち着かなければ，入院を検討．いずれの疾患でも鎮静が必要なため，抗精神病薬の投与を検討．

●処方例（代表的な薬剤の一部を以下に挙げる）

- リスペリドン（リスパダール®）　3 mg/日　1日1回　夕食後
- オランザピン（ジプレキサ®）　10 mg/日　1日1回　夕食後

▶拒薬して必要な治療が行えないようであれば，点滴加療を検討．

▶やむを得ない場合は，精神保健指定医の診察で行動制限(▶p19)．

●処方例（注射例）

- 維持液　1,500 mL/日　持続静注
- ハロペリドール（セレネース®）　5 mg/日　維持液1本に混注

●かかりつけ患者の対応

▶大事なのは，最近の変化．カルテでこれまでの症状や服薬を確認した上で，前回の受診から新たに現れた変化を聞く．

▶自殺企図や精神運動興奮は，初診患者と同様に対応．

▶薬の副作用として，アレルギー反応（特に気分安定薬による皮

疹)，抗精神病薬によるジストニア，抗うつ薬によるセロトニン症候群，炭酸リチウムの初期中毒症状が出ている場合は，原因薬剤の中止とそれぞれの副作用に対する治療を検討．それ以外の副作用が出ている場合は，その程度をふまえて次回外来まで継続すべきかどうかを判断．

- 「いつもの変動内の症状」「症状は徐々に悪くなっているが外来で相談できている」など待てる内容であれば，次回の主治医外来につなげる．その際，不調時の対応方法を患者に確認して共有．もし適切な対応方法をもっていなければ，今後同様な状態になったときにどうすべきか，外来で相談するように勧める．
- 患者の訴えを傾聴して支持的に接する姿勢が原則だが，上記のような主治医外来で相談・対応すべきことはその旨を伝え，当直帯の受診に過度に慣れさせないようにする．

（櫻井　準）

外来①―初診

Outpatient-First Visit

point

- 病歴聴取や他覚的評価を十分に行う．
- 必ず暫定診断をつける．決して印象だけで治療を決めない．
- 本書や治療ガイドラインを参考にして，患者と相談しながら治療方針を決める．

●病歴聴取

▶まず患者の主訴とその経過について，なるべく口を挟まず傾聴．さらに鑑別診断を考えながら，病歴や症状の詳細を確認．

▶仕事，外出，人間関係など，生活での支障を聴取．

▶既往歴を聞く際は，内服薬も尋ねる〔前項表2-2(▶p9)の薬や，向精神薬と相互作用のある薬に注意〕．

▶家族歴を聞く際は，家族の状況も尋ねる(特に離婚，介護，ひきこもりなど本人が問題に思っている事柄)．

▶生活歴(表2-3)は重要．生い立ちがわかるように．

▶最終的に診断をつけて患者に説明．本人の希望を参考にしながら，治療案を提示し，相談して治療方針を決める．

●他覚的所見

▶精神科のカルテでSOAP(Subject, Object, Assessment, Plan)のOに記載すべき他覚的所見は，以下のように分けると考えやすい．

①視覚的所見(容姿，服装，表情，化粧，態度など)
②聴覚的所見(声量，言葉づかい，反応の早さなど)
③診察室外の情報(食事量，睡眠時間など)

▶リストカット痕，吐きダコ，歩行状態なども診断の一助．

▶同じ文言でも，患者の訴え方や態度でそのニュアンスは異なる．

表2-3　生活歴の項目

出身地，成育した家庭状況，学業歴(成績，得意科目，苦手科目)，交友関係(友人の多寡，いじめの有無)，職歴(業種，役職)，結婚，挙児，家庭生活，同居者，趣味，飲酒，喫煙，違法薬物使用

鑑別診断

- まず器質因と薬剤性精神障害を除外(▶p8). 認知症の鑑別時も治療可能な認知症(treatable dementia, 表 2-4)を除外. そして以下のように分けると考えやすい.

◆「何かおかしい」と感じる疾患

- **せん妄**：急性発症で日内変動のある意識障害.
- **統合失調症**：幻聴, 妄想, まとまりのない言動.
- **妄想性障害**：特定の妄想. 機能は保たれる.
- **双極性障害の躁状態**：高揚気分, 多弁, 過活動.
- **アルツハイマー病**：緩徐進行性の認知機能低下.
- **血管性認知症**：病因に脳血管障害. 麻痺や感覚障害に併発.
- **前頭側頭型認知症**：脱抑制などの行動障害, 言語障害.
- **レビー小体型認知症**：パーキンソン症状, 幻視.

◆気分の落ち込みがメインの疾患

- **うつ病**：In SAD CAGES(表 2-5)の症状.
- **双極性障害のうつ状態**：過去の躁病エピソード.
- **適応障害**：直接的なストレス因による抑うつ.
- **持続性抑うつ障害(気分変調症)**：漫然と続く軽度のうつ.

表 2-4　代表的な treatable dementia

- **頭部 MRI でわかる疾患**：正常圧水頭症, 脳腫瘍, 慢性硬膜下血腫
- **ビタミン欠乏**：B_1 欠乏, B_{12} 欠乏, ニコチン酸欠乏, 葉酸欠乏
- **うつ状態**：うつ病, 甲状腺機能低下症

表 2-5　うつ病の症状：In SAD CAGES

Interest	興味の喪失
Sleep	睡眠障害
Appetite	食欲変化, 体重変化
Depressed mood	抑うつ気分
Concentration	集中力低下
Activity	精神運動焦燥, 制止
Guilt	自責
Energy	気力低下
Suicide	自殺念慮

◆**過度な反応や症状が出ている疾患**

- **不安症**：過剰な不安．全般性，社交性など．
- **パニック症**：動悸，呼吸苦，死の恐怖などの発作の繰り返し．
- **心的外傷後ストレス障害(PTSD)・急性ストレス障害**：心的外傷に起因．
- **強迫症**：手洗い，鍵閉めなどの繰り返し．
- **身体症状症**：身体症状の持続．
- **変換症/転換性障害**：歩行障害，失声など，随意運動や感覚機能の変化．
- **解離症**：自分が自分であるという感覚の喪失．

◆**その他の特徴的な疾患**

- **物質関連障害**：アルコール，薬剤などの乱用，依存，中毒，離脱．
- **摂食障害**：食事摂取に関する障害．
- **てんかん性精神病**：てんかんに起因する意識障害，幻覚など．

◆**背景に考える疾患**

- **パーソナリティ障害**：偏った感情，認知，対人関係．
- **自閉スペクトラム症**：情緒や対人関係の欠陥，こだわり．
- **注意欠如・多動症(ADHD)**：不注意，多動，衝動性．
- **知的能力障害**：知的機能の問題．

（櫻井　準）

外来②―再診

Outpatient-Follow-up Visit

point

- 良好な医師-患者関係を常に心掛ける.
- 短期的な見通しと長期的な見通しの両方をもって治療する.

●再診全体

- ▶挨拶と笑顔を心掛ける. 患者が安心するだけでなく, 診療に余裕ができる.
- ▶治療意欲が低い人もできる限り脱落させないように工夫する. 例えば, 予約を調整して待ち時間を減らす, 目を合わせて話す, 患者の努力を積極的にほめるなど.
- ▶患者のニーズを聴取し, 最終的な治療目標を決め, それまでの見通しを伝える. 治療目標を設定することで, 全体的な方針がぶれにくくなる. 同時に, 短期的な目標を示し, スモールステップで治療に取り組む.
- ▶症状がたくさんあるケースや非典型的な経過では, 治療の標的症状を意識.
- ▶患者・家族の希望にできる限り応える. 一方で, 患者・家族の希望と行う医療に隔たりが生じた場合は, 医療行為を行う理由ならびにメリット・デメリットを説明し, 解決点を探す.

●初診から数回目までの診察

- ▶前回診察からの変化を聞く. 「よくなった」「悪くなった」だけの答えに対しては, 「どこが」よくなった/悪くなったか, さらに「どうして」よくなった/悪くなったか, 本人の解釈を聞く.
- ▶内服状況や行動面の取り組みなど, 自宅で取り組んだ治療の状況を聞き, 成果をほめる. 「全く外出できなかった」など結果がいまひとつでも, まずは「それほどつらいのに今日は来院してくださったのですね」などと受け入れ, 次にうまくいかなかった理由を聞く.
- ▶眠気や胃腸症状など, 早期に現れる副作用の有無をふまえて, 薬物療法の次の一手を検討.

- 抗てんかん薬や気分安定薬は，トラフ血中濃度を測定して用量を調整．該当薬が朝食後に処方されていて，午前の外来で採血をする場合は，「朝食後の薬は内服せずに持参して，採血後に内服してください」などとあらかじめお願いしておく．

初診から数カ月経過後の診察

- 患者の訴えに共感し，支持的に接する．時に，患者の気持ちを言語化する，楽しい話をしたり笑わせたりする，自分の経験を共有して話題を深める，といったことも行う．
- 治療目標の達成状況を確認し，改めて治療効果を評価．ジスキネジアや月経異常など，時間が経ってから現れる副作用の有無を聴取．これらをふまえて，変薬や増強療法も含めた適切な薬物療法を検討．
- 改善に乏しい場合は，障害になっている問題(服薬アドヒアランス，パーソナリティ，神経発達症群，認知の歪み，家族関係など)を評価し，必要に応じて治療的なアプローチを実施．診断の見落としもいま一度確認．
- 状態が安定し，薬剤も一定になっていれば，患者と相談して，最大4週間程度まで通院間隔を調整．多くの抗不安薬・睡眠薬は最大30日分までしか処方できないことに留意．
- 全身状態や薬物による副作用を評価するため，半年～1年に1回程度，血液検査を実施．血中モニタリングが必要な薬では，2～3カ月に1回程度，薬物血中濃度を測定．

寛解後の診察

- 不調時にどのような対応が効果的であったか，経過を振り返って思い出してもらい，症状再燃時に対応できるよう覚えておいてもらう．
- 薬剤の減量や中止については，本人・家族に再発のリスクを伝え，希望やニーズをふまえて検討．

悪化時の対応

- 経過をふまえて，症状の揺れか再燃かを判断．再燃であれば治療方針の変更も考慮．
- 抗精神病薬によるディスフォリア(何とも言えない不快な気分)

や抗うつ薬によるセロトニン症候群など，副作用が症状悪化のように見えることもある．

●関連する制度・記載が求められる書類（▶p83，304，345）

- ▶**自立支援医療（精神通院医療）**：医療費支給制度．世帯収入に応じて負担減．
- ▶**精神障害者保健福祉手帳**：精神障害で長期に生活の支障がある患者に対して交付．1〜3級．税控除，生活保護費加算，各種料金割引，雇用斡旋などが受けられる．精神科初診から6カ月以降に取得可能．
- ▶**障害年金**：手帳と同様の患者が対象．障害基礎年金（1〜2級），障害厚生年金（1〜3級）．等級に応じた額の年金が2カ月ごとに支給される．
- ▶**傷病手当金（健康保険）**：病気休職中に保険者から支給される手当金．最長1年6カ月受給可能．
- ▶**障害者総合支援法による障害福祉サービス（自立支援医療以外）**：障害者の自立を支援するための介護，就労支援，地域生活支援などのサービス．
- ▶**介護保険**：介護負担を減らすための制度．要支援1〜2，要介護1〜5の各要介護度に応じたサービスを受けられる．
- ▶**訪問看護**：看護師が患者宅を訪ねて健康状態を管理．
- ▶**診断書**：休職・復職の通知など，外部機関と連絡をとる際に発行．

（櫻井　準）

閉鎖病棟

Closed Ward

point

- 閉鎖病棟には精神症状ならびに行動上の問題が重篤な症例が入院する.
- さらなる行動制限が必要なこともある.

定義

▶精神科病院にて病棟の出入口に常時施錠がなされ，入院患者の自由な移動が制限される病棟.

閉鎖病棟に入院する患者

▶閉鎖病棟に入院する患者は診断によらず，一般的に開放病棟に比較して精神症状ならびに行動上の問題が重篤な患者が多い.急性期では精神運動興奮や昏迷状態，慢性期では多飲や他患への迷惑行為を呈する患者などが適応となる.

▶閉鎖病棟への入院は，精神保健福祉法で規定される医療保護入院あるいは措置入院が多い(▶p302，303).

▶任意入院の場合でも，任意入院患者本人の意思により開放処遇が制限される環境に入院させることもありうるが，この場合には開放処遇制限にあたらないとされている.患者本人の意思で閉鎖病棟に入院することは可能である.この場合は本人の意思による閉鎖環境への入院である旨の書面を得なければならない.

▶開放病棟で任意入院中の患者であっても，病状悪化により閉鎖処遇での入院が必要となることは多い.例えば，即時の医療保護入院への入院形態変更が困難で，開放処遇を制限しなければその医療または保護をはかることが著しく困難であると医師が判断する場合には，任意入院者の開放処遇の制限が行われ閉鎖病棟に入院となる.

▶任意入院者の開放処遇の制限は，精神保健指定医に限定されずに医師の判断によって始められるが，その後概ね72時間以内に，精神保健指定医が当該任意入院者の診察を行い医療保護入院などに変更する必要がある.

●興奮状態にある患者への対応

- 閉鎖病棟では，精神運動興奮やせん妄を呈するなどの暴力的になりうる患者が入院する．
- 興奮を呈する患者を診察する際には，治療者自身を守ることは大事であり，このために①複数対応をする，②場合によっては診察を打ち切ることを躊躇しない，③危険な要素を排除する（白衣のポケットのボールペン，ネームタグ，首からかける医療用 PHS などは外しておく），④過剰な行動を避けて，落ち着いた対応を心掛ける．
- 不運にも暴力行為に遭遇した場合には，上級医への報告，薬物療法の再考，行動制限の施行を考慮．

●行動制限

- 行動制限には上記の任意入院中の開放処遇制限に加えて，隔離，身体拘束，通信面会の制限がある．いずれも行動に制限をかけるという行為の特性上閉鎖病棟で行われることが多い．

◆隔離

- 内側から患者本人の意思によっては出ることができない部屋の中へ 1 人だけ入室させることにより当該患者を他の患者から遮断する行動の制限をいい，12 時間を超えるものに限る．
- 病状から，本人ならびに周囲の者に危険が及ぶ可能性が著しく高く，隔離以外の方法ではその危険を回避することが著しく困難と判断されたときに行われる．
- 12 時間を超える隔離は精神保健指定医しか行うことができないが，12 時間以内の隔離は医師が必要と判断すれば精神保健指定医でなくても施行可能．ただし，精神保健指定医でない医師が 12 時間を超えない隔離を連続させて実質的に長時間の隔離を行うことはできない．このため，12 時間を超えて隔離を行う必要性が生じる場合には，速やかに上級医である精神保健指定医に診察を依頼．
- 入院患者本人の意思により閉鎖環境の部屋に入室させることもありうる．この場合には隔離にあたらないとされているが，本人の意思による入室である旨の書面を得なければならない．
- 隔離の理由は急性期病棟では精神運動興奮や暴力行為などの精神症状によるものが多いが，慢性期病棟では迷惑行為や多飲など療養生活上の問題が多くなる．

- 行動制限の期間は急性期治療病棟では非常に短期間なのに対し，療養病棟など慢性期の病棟では長期化することもある．
- 隔離を施行した状況では患者の飛び出しや，医療者を対象とした暴力行為が引き起こされる可能性が存在する．暴力行為などが想定される症例では，入室時は1人では対応しないよう心掛け，入室前には患者の様子を十分に観察した上で入室する．入室中も患者の様子をしっかり観察し，安全を確保することは重要．
- 隔離中は少なくとも毎日1回の診察が必要．

◆身体拘束

- 衣類または綿入り帯などを使用して，一時的に当該患者の身体を拘束し，その運動を抑制する行動の制限．
- 患者の生命の保護および身体損傷を防ぐためにやむを得ず行う行動の制限であり，医療または保護をはかる上で代替する方法がない場合に行う．
- 精神保健指定医でない医師の判断では施行できず，精神保健指定医が診察の上で必要と判断しなければ行うことができない．
- 多くの場合，胴，上肢，下肢，肩などの部位を拘束するが，患者の病状に応じて最も制限の少ない方法で行う必要がある．
- 身体拘束を行う際は，深部静脈血栓の形成や肺塞栓に注意が必要であり，これらの予防のための処置が必要．
- 身体拘束中は頻回な診察が必要．

◆通信面会の制限

- 「精神科病院入院患者の院外にある者との通信及び来院者との面会は，患者と家族，地域社会等との接触を保ち，医療上も重要な意義を有するとともに，患者の人権の観点からも重要な意義を有するものであり，原則として自由に行われることが必要である」とされており，通信面会を制限するには一段と慎重であるべき．
- 一方で，パーソナリティ障害や摂食障害の治療においては面会や電話が病状や治療効果に影響することもあり，通信面会の制限が治療上必要となることも多い．このため，通信面会の制限について検討する場合には，上級医に相談の上で決定する．

●行うことのできない行動制限

- ▶信書の発受の制限.
- ▶人権擁護に関する行政機関の職員ならびに患者の代理人である弁護士との電話制限.
- ▶人権擁護に関する行政機関の職員ならびに患者の代理人である弁護士および患者または保護者の依頼により，患者の代理人とする弁護士との面会制限.

［Further Reading］

- 精神保健福祉研究会(監)：四訂　精神保健福祉法詳解. 中央法規出版, 2016
- 永井良三(シリーズ総監修)，笠井清登，三村　將，村井俊哉，他(編)：精神科研修ノート，改訂第2版. 診断と治療社，2016

(平野仁一)

開放病棟

Open Ward

point

- 開放病棟には閉鎖病棟に比較して行動上の問題が目立たない症例が入院することが多い.
- 開放病棟への入院は，必ずしも精神症状が軽微ということを意味しない.

定義

▶精神科病院にて，病棟の出入口が日中は施錠されない状態となり，入院患者や面会者が自由に出入りできる病棟.

開放病棟に入院する患者

▶開放病棟は閉鎖病棟に比較して，行動上の問題が目立たない症例が入院することが多いが，必ずしも精神症状が軽微ということを意味しない.

▶任意入院者は，原則として，開放的な環境での処遇(本人の求めに応じ，夜間を除いて病院の出入りが自由に可能な処遇)が認められているため，任意入院で行動制限のない患者が開放病棟の入院対象となっていることが多い.

▶医療保護入院であっても，開放病棟に入院することはある.

▶閉鎖病棟と異なり，開放病棟では疾患や治療上の特性に応じて施設ごとに病棟が分けられていることも多い(例：うつ病などを主な対象としたストレスケア病棟など).

開放病棟で起こりうる問題への対応

▶パーソナリティ障害患者が休養を目的として開放病棟に入院した際には，患者の内的空想が病棟内で行動化として表出され，他の患者が巻き込まれ病棟内の人間関係が混乱することもある．このような場合は医療者が適切に介入し，他の患者が安心して休養できる環境を提供する必要がある.

▶慢性期の統合失調症患者が主な入院対象となっている開放病棟では多職種による地域への退院促進の取り組みが行われており，医師の積極的な参加も必要.

▶開放病棟では，開放処遇を提供している病棟の特性上無断離院が起こることもある．無断離院は，当該病院のマニュアルなどに従い対処．

▶開放病棟への入院は必ずしも精神症状が軽微ということを意味しない．持ち込み物品などのチェックはしっかりと行う．

▶開放病棟に限らず，チーム医療に基づいて他職種と連携しながら治療にあたる．

▶看護記録は，医師には見せることのない様子が記載されていることも多く，治療において重要．

▶看護師などと定期的にカンファレンスを行うなど，情報や治療方針を共有すること．

●問題が起こった場合の対応

▶開放病棟で無断離院や，患者同士のトラブルなどが起きた際には，その理由や深刻さ，切迫性をそのつど評価してケースごとに検討する必要がある．判断に迷った場合は上級医に相談することを躊躇してはならない．

▶閉鎖処遇での加療が必要とされた場合，任意入院中の開放処遇制限や医療保護入院への変更を検討する．また，逆に入院環境下よりも外来加療のほうが適切と判断される場合もある．

[Further Reading]

・精神保健福祉研究会(監)：四訂　精神保健福祉法詳解．中央法規出版，2016

・永井良三(シリーズ総監修)，笠井清登，三村　將，村井俊哉，他(編)：精神科研修ノート，改訂第2版．診断と治療社，2016

(平野仁一)

家族対応

Family Support

point

- 家族の協力は，患者の治療において重要な役割を担う．
- 家族の不安や動揺に寄り添い，十分な時間をかけ家族の話を聞き，信頼関係の構築に努める．
- 患者の疾患についての正しい知識を伝え，治療状況が理解できるように丁寧に繰り返し説明し，家族の協力が得られるように努力する．

精神科患者の家族

- 疾患によっては患者本人から病状や日常生活の様子を知ることができないため，家族からの情報は診断や治療選択にも大変有用．
- 身内が精神疾患をもつことがわかった時点で，家族は困惑し，不安定な心理状態となる．
- 「もう治らないのでは」「こうなったのは家族のせいではないか」「もう関わりたくない」「患者の精神力が弱いせいだ」など，様々な思いが交錯し動揺する．
- 社会生活や日常生活に援助が必要な場合や服薬管理など，治療にあたって家族の協力が重要となることも多い．

家族との治療関係

- 患者との適切な治療関係を構築することと同じように，家族とも良好な関係を築く努力をする．
- 初診から可能な限り早い段階で，十分な時間をとり家族の悩みや思いを聞くとともに，疾患についての理解を尋ねる．
- 幻覚・妄想状態や自傷他害のおそれのある措置入院などの際は，家族も何日も眠れず，憔悴しきっていることも多い．「ご家族も大変でしたね」など家族を気遣う言葉をかけることが大切．
- 家族関係が発症，再発，悪化に関わっているように見えることがあるが，良好な関係が築けるまで指摘することは避ける．

家族への説明

- 家族への説明は患者の同意を得た上で行う．

- 患者に対する説明と同様に下記について正しい情報を伝え，協力を得る努力をする．
- 病状，疾患の特徴，治療法を含めた治療方針，病状によっては入院の必要性とその期間，予後など．
- 特に寛解，治癒に至る期間(治療を必要とする期間)の予測を告げることは，家族の信頼を得るために重要．
- 家族に対する被害妄想など，疾患のために患者が家族に不信感をもち，関係が悪化している場合もある．その場合は，患者を責めるのではなく，治療すべき疾患があること，その疾患の特徴を家族にも繰り返し説明する．
- 家族の不安を減らし，家族が患者へ思いやりをもって適切に関わることができるように援助する．
- 家族も不安で動揺しているため，治療は焦らず時間をかけて，治療を受ける同伴者としてつきあうことが大切と伝える．
- 治療開始後も，患者の状態や治療の経過について，きめ細かく家族に報告し，家族の同意を得ることが大切．
- 疾患によっては家族会など精神疾患患者の家族に対する支援団体を案内することも有用(▶p138，224，225，227)．
- 治療を終結する場合は，再発時に予想される徴候(不眠など)を患者とともに家族に伝え，徴候を認めたら速やかに再受診するように指示しておく．
- 患者の病的な行動に対して感情的な表現を強く示す家族(high expressed emotion，▶p83)は統合失調症の再燃率を高める．
- 精神障害の治療にはそのような家族を対象とする精神療法(家族療法)や家族心理教育も有効．

◆家族心理教育

- 心理教育は，疾患についての症状，経過，治療，社会資源，日常的対応などを集中的かつ系統的に伝える教育的部分を含む援助法．
- 家族心理教育は，心理教育に家族セッションを組み合わせたプログラム．
- 家族セッションは，患者との間で日常的に生じる困りごとや，様々な問題に対して問題解決技能の向上を目指す認知行動療法(CBT)的なセッション．
- 家族心理教育には再発や再入院の予防効果が認められている．

▶また，家族の困難が軽減され，治療の同伴者，協力者としての家族の力を発揮させる効果が期待される．

［Further Reading］

- 山内俊雄，小島卓也，倉知正佳，他(編)：専門医をめざす人の精神医学，第3版．医学書院，2011
- 大熊輝雄(原著)，「現代臨床精神医学」第12版改訂委員会(編)：現代臨床精神医学，改訂第12版．金原出版，2013

（片山奈理子）

子どもの診察

Psychiatric examination for children

point

- 最優先は信頼関係構築.
- 話す内容よりも，態度や行動に注目する.
- 個体，家族力動，社会生活という３つの視点を忘れない.
- “日にち薬”を活用する.

＊以下，主として小学校低学年までの年齢を想定し，“親”という単語は一番近しい養育者を意図する.

初診の始め方～中盤まで

- 問診票や母子手帳，通知表などの事前情報は，あくまで事実関係を確認する程度にとどめ，先入観をもたないよう注意する(特に最近の通知表の記載はあまり参考にならないことが多い).
- 診察室に呼び入れ，簡単に自己紹介をしてから，まずは子どものほうにアプローチし，「この場の主役は自分なんだ」と意識してもらう.
- 理由を知らされないまま，または不本意に連れて来られていることが多いため，なぜここに来たか尋ねてみる. どんな回答であれ，ここは安全で，危険な行為以外は基本的に何をしてもよい場所であることを伝える.
- 親が子どものことを心配しているか，逆にうんざりしているか，また，自発的に来院したか，関係者に促されて嫌々来院しているかをとらえる. 医療に対して，すでにネガティブな感情を抱いている可能性を考慮する.
- 医師の表情や態度に敏感なことが多いことを意識する. 笑顔を浮かべ(マスクを付けていると，より表情が読みにくいことに注意)，柔らかい雰囲気を作り，適切な声かけ(共感，称賛など)を心掛ける. 親子の味方，少なくとも敵ではないという印象を与えたい.
- 親子のそれぞれに対し，診察にたどり着くまでの苦労(多くは長期間待機している)や葛藤を慮った言葉かけをする.

- 親子同席で始めることが多いため，二者の交流の様子をよく観察する．相互の言動や態度，スキンシップの仕方などから，その関係性を推し量る．
- 病歴聴取の過程で，子どもと親のみならず，周囲の環境を含めた機能的評価と，その相互反応を推察する．

初診の終わり方

- 双方からの聴取および行動観察により，暫定的でも構わないので，見立てと助言を伝える．子どもには，体験に根差し，実感できるようなわかりやすい表現を工夫して伝えたい．場合によっては，想像以上に親の感情を揺さぶるため要注意．
- 適宜，身体検査や心理検査を提案し，施行する．
- 非薬物療法，薬物療法，医療機関以外でできる支援などについて説明する．治療や支援を行う目的は，あくまでほどほどの自尊心の(再)形成のためであり，過大な期待を抱かせすぎない．
- 質問や感想，意見を述べてもらう機会を設ける．
- 親子にとって救いとなる励ましやねぎらいの言葉をかけ，また，今後の参考になる情報などを伝え，来てよかったと感じてもらえる診察にする．確実に次の受診につながるような，通院する動機づけとなるような面接の終わり方をしたい．
- 初診を通して，子ども，親との信頼関係をいかに良好に構築するかが肝要．
- 初診時点での評価には限界があるため，生命に関わるようなクリティカルな危険を見逃さず，関係継続が確保できれば十分と心得る．

再診以降

- 親子がそれぞれの懸念を話題にできるように，その関係性の改善，維持に努める．
- 問題解決に向けた親と子それぞれの対処行動(しばしば子どもの場合は問題行動ととらえられがち)をその場で冷静に共有することで，お互いの認識のギャップを埋める．そして，いわゆる“問題行動”の意味，志向性について考えていく．
- 評価尺度/アセスメントツールを用いて，診断根拠の肉づけを行う．

- 身体/精神発達過程における症状の変化＋環境(家庭，園，学校など)との関係性および相互作用，という二軸で考える．
- 必要に応じて，園や学校，行政・福祉関係者との情報共有や支援連携の機会をもちたい．
- 成長，発達する存在であるので，適切な関わりを続けながら，焦らず経過を見守る．
- 根気強く，真摯に向き合う姿勢自体が，親子にとっての助けになる．
- 時間が最良の治療薬となりうる．
- 親がきちんと休みをとっているか，余暇を楽しんでいるかなど，余裕をもった生活ができているかさりげなく確認する．

●診察中のポイント・留意事項

- 子どもは言葉による説明が稚拙なため，断片的であったり，抽象的な内容になったりしがちである．
- 比較的自然でかつ簡単に答えやすいようなもの(年齢，園や学校の名前など)から質問し始め，徐々にオープンクエスチョンに．うまく表出できるように配慮し，「ふつう」「わかんない」といった言葉でやり取りを終わらせない．
- 話よりも，遊びに本質が表れることもある．行動観察を重視する．積極的に遊びを取り入れる．例えば，興味を惹きそうな玩具を渡し，その扱い方や興味，関心の程度，手渡した人物への反応や注意の向け方などが参考になる．
- 表出する症状は，非特異的かつ変化しやすく，環境の影響を受けやすい．葛藤処理能が発展途上であるため，心理社会的要因の把握が重要．
- 親の話を聞く中で，子どもに関する情報が信頼に値するものかどうかを吟味する．時系列が混乱していないか，主観的な情報と客観的な情報を分別できているか，前後の文脈で矛盾が生じていないか，など．
- 発達歴や成育歴を聴取する際は，事実も重要だが，語る親が子どもをどのようにとらえているか，情緒的なつながりや豊かな関係性をイメージできるか，といったことを念頭におく．
- 親が対処してきたやり方に対する批判や否定は慎む．修正したほうがよい点については，非難されたと感じられないように控えめに指摘する.

- ▶親から聴取している間, 子どもにも目配りをする. できれば, 他のスタッフに子どもの相手をしてもらい, 後でその様子を聞くと参考になることが多い.
- ▶親が何を話しているか気になる子から, 全く注意を払わずに遊びに没頭する子まで様々である.
- ▶医師以外のスタッフが相手をした際に違いがあれば, それは1つの所見となる.
- ▶診察室内でみられるのは親子のほんの一部の姿でしかなく, 医師ができることは限られていることを自覚し, 1つの見方に拘泥せず, 謙虚に関わることを忘れない.

[Further Reading]

・ 山崎晃資, 牛島定信, 栗田　広, 他(編):現代 児童青年精神医学, 第2版. 永井書店, 2012

(森長修一)

第3章

検査，評価

画像検査

Brain Imaging Test

point

- 脳 CT/MRI は器質性精神疾患の除外(脳出血，梗塞，脳炎など)目的に使用するケースが多い．
- 脳血流 SPECT は，MRI と合わせて，認知症の鑑別に使用されることが多い．

基本的な考え方

▶ 精神科領域では疾患の確定診断に画像検査が用いられることはなく，脳腫瘍，脳血管性病変，頭部外傷，正常圧水頭症や占拠性病変などの精神症状を呈する外因性精神疾患の除外診断に用いられる．

コンピューター断層撮影法(CT)

▶ 脳 CT(computed tomography)は X 線を脳に直接投射したとき，検出器が感知する脳領域を通過した放射線量の情報から，相対的な X 線吸収値の分布像を再構成する方法．

▶ 脳 MRI と比較すると撮影時間が短く，安静を保つのが難しい患者でも施行が可能．

▶ 急性期の脳出血の検出に強い．脳出血ではよほど小さなものでない限り超急性期から血腫が明確な高吸収域として確認できること，石灰化病変の描出が可能であることなどが利点．

磁気共鳴画像(MRI)

▶ 脳 MRI(magnetic resonance imaging)は，磁性をもつ原子核である水素原子が磁場に影響された際の動き〔核磁気共鳴(nuclear magnetic resonance：NMR)〕を情報化する診断法．

▶ 脳組織の水素原子核密度の主要な成分である水分含有量は組織間で大差はないが，組織により T_1 と T_2 値が異なるため，検査では T_1 強調画像と T_2 強調画像を撮像するのが一般的．

▶ 炎症や腫瘍など一般的に活動的な病変では水分含有量が増加するため，T_1 強調画像で低信号，T_2 強調画像で高信号を示す．

▶ また，T_1 強調画像で高信号は出血，脂肪組織，高蛋白など，T_2

強調画像で低信号は出血，鉄沈着など，高信号は囊胞，神経鞘腫，海綿状血腫などの病態が考えられる．

- 近年は，標準脳座標を用いて，健常データベースと統計学的に比較し，個人の側頭葉内側領域の萎縮の程度を評価するVSRAD(voxel-based specific regional analysis system for Alzheimer's disease)というソフトが開発され，アルツハイマー病の初期とその他の認知症の鑑別診断の補助に用いられている．

単一光子放射断層撮影(SPECT)

- 脳血流SPECT(single photon emission computed tomography)は，放射性核種のうち単一光子放射体(^{133}Xe，^{123}I-IMP，^{99m}Tc-HM PAO，^{99m}Tc-ECDなど)を体内へ投与し，断層面の放射性核種分布を調べ，局所脳血流を測定し，低侵襲性に脳機能を評価できる．
- 精神科領域では，特に認知症の早期診断や鑑別診断に有用．
- アルツハイマー病では，頭頂葉外側領域や後部帯状回，楔前部にて特異的に血流の低下を認める．
- 前頭側頭型認知症では，前頭葉から側頭葉に血流低下がみられる．
- レビー小体型認知症では，頭頂葉外側領域に加えて，後頭葉皮質，特に内側領域での血流低下がみられる．
- 血管性認知症では，多くの場合，病変部位に相当する領域や機能低下している領域での局所脳血流低下を示す．
- 精神科疾患においては，脳血流低下の変化が軽度であり，SPECT検査の原画像から異常所見を正確に評価することが困難なケースが多い．そのため，健常データベースと統計学的に比較をするeZIS(easy Z-score imaging system)や3D-SSP(three-dimensional stereotactic surface projection)といった解析手法を用いて評価することが多い．

（山縣　文）

血液検査

Blood Test

point

- 精神科領域において，血液検査(生化学，血球算定)を行う意義は，①薬物治療における副作用の定期的な確認，②器質性精神疾患の除外診断，③診断や治療効果判定のためのバイオマーカーとしての役割が挙げられる．
- 本項では①について概説する．

●薬物治療の副作用確認のための血液検査

◆肝機能・腎機能検査

- 精神科領域で使用される薬剤においても一般の薬剤と同様に肝機能や腎機能に負荷がかかる．
- 特に，一般の薬剤と比べ長期間服用するケースが多く，定期的に肝機能・腎機能をモニタリングすることが推奨される．
- トランスアミナーゼやALP，γ-GTPの上昇がみられた場合は薬剤性肝障害の可能性を検討し，被疑薬の減量または変薬を行う．気分安定薬のバルプロ酸(デパケン®)やカルバマゼピン(テグレトール®)も定期的に肝機能検査を行うことが推奨される．
- 腎機能障害は，炭酸リチウム(リーマス®)において特に問題となる．重度のリチウム中毒では，急性腎不全を生じる可能性もある．そのため，2～3カ月に1回，リチウム血中濃度および腎機能を評価する．

◆顆粒球減少症，無顆粒球症

- 原因として，薬剤の毒性により骨髄における顆粒球の産生が低下する場合と，薬剤に対する免疫反応により顆粒球の破壊が亢進する場合の2種類がある．
- 末梢血好中球が1,500/μL以下に減少した場合には顆粒球減少症，末梢血好中球が500/μL以下に減少した場合を無顆粒球症と呼ぶ．
- クロザピン(クロザリル®)やカルバマゼピンにおいて顆粒球減少症の発生が報告されている．

◆水中毒

- 一因として，抗精神病薬がもつ抗コリン作用による口渇が考えられる．腎臓の処理能力を超えるほどの病的多飲にて低 Na 血症や低 K 血症となり，意識障害やけいれんなどの水中毒の症状が現れる．

- 急激に電解質補正を行うと橋中心髄鞘崩壊症を引き起こす危険性があり補正は緩徐に行う必要がある．低 Na 血症では 24 時間で 10 mEq/L 以下とする．また，水中毒は高い頻度で横紋筋融解症を併発するため，血清 CK 値も確認する．
- 抗精神病薬や抗うつ薬，カルバマゼピンは，副作用として抗利尿ホルモン不適合分泌症候群（SIADH）も引き起こすが，これも水中毒の原因となりうる．

◆脂質異常症，糖尿病

- 体重増加，脂質異常症，糖尿病は一部の抗精神病薬の代表的な副作用である．
- 特にクロザピン，オランザピン（ジプレキサ®），クエチアピン（セロクエル®）で多くみられ，リスペリドン（リスパダール®）でも認める．さらに気分障害や統合失調症といった疾患自体が肥満やメタボリック症候群のリスクを高めるという報告もある．
- 糖尿病を予防するためには，定期的な血糖値のモニタリングが重要．
- 抗精神病薬の投与前と投与 12 週間後に空腹時血糖を測定し，その後も定期的に測定することが推奨される．
- さらに口渇，多飲，多尿，体重減少などの糖尿病に典型的な症状がみられた場合は，糖尿病診断基準に基づいて血液検査（空腹時血糖，HbA1c など），経口ブドウ糖負荷試験を行う．

（山縣　文）

脳波検査

Electroencephalography (EEG)

point

- 脳波検査の目的は，精神症状の背景にある意識水準の推移の評価や発作症状を呈する疾患の鑑別診断にある．

意識水準の評価，鑑別診断のための脳波検査

▸ 脳波は脳の神経細胞の自発的電気的活動を頭皮上の電極から記録したもの．目的は脳波による意識水準の変動の評価や神経疾患の診断であり，高い時間的解像度(ミリ秒)をもつため，機能的神経疾患群(特にてんかん)，代謝性脳症，意識障害の診断に必要不可欠な検査法．

▸ 脳腫瘍，脳血管障害などの局在病変を有する疾患では，MRI や CT などの脳画像診断のほうが明らかに有用．しかし，脳機能評価のために脳波検査は不可欠．

安静時脳波

▸ 正常脳波は，安静覚醒閉眼時 100 μV 以下(多くは 40〜50 μV)の α 波(8〜13 Hz，成人では通常 10〜11 Hz 前後)が頭頂から後頭部優位に連続的に律動的に出現する．

▸ **脳波周波数**：δ 波 0.5〜3 Hz(徐波)，θ 波 4〜7 Hz(徐波)，α 波 8〜13 Hz，β 波 14 Hz 以上(速波)．

▸ **振幅**：1 つの波の山から下ろした垂線が谷と谷を結ぶ線に至るまでの長さ．低振幅(20 μV 未満)，中振幅(20〜80 μV)，高振幅(80 μV 以上)．

▸ 成人正常脳波は，①安静覚醒時に著明な徐波がない，②突発波がない，③著明な左右差がない，振幅に 20% 以上，周波数に 10% 以上の差がない，④賦活脳波に異常波がない，⑤ α 波は後頭部優位の分布を示す．

賦活脳波

▸ **開閉眼賦活(eye opening)**：開眼により α 波の抑制がみられる．α 波の抑制が不十分なときは，眠気が強いか意識水準が低下している可能性がある．

▶ **過呼吸賦活(hyper ventilation)**：閉眼の状態で1分間に20〜30回の割合で3分間過呼吸を行わせる賦活法．正常小児の大多数と成人の一部では，ビルドアップ(高振幅徐波化)が2〜3分で出現．大事なことは過呼吸中止後のビルドアップの持続時間．2分以上持続する場合は異常とする．

▶ **閃光刺激賦活(photic stimulation)**：発光部を眼前15〜30 cmに固定し，両眼均等に照射．原則として10秒間の刺激，10秒間の休止，刺激頻度は1〜30 Hzを選択して実施．両側後頭部において閃光刺激に同期，または2倍(あるいは1/2)の周波数の波形が出現する光駆動(photic driving)がみられる．正常者においても出現する生理的な反応．

睡眠脳波

▶ てんかん精査では睡眠賦活脳波検査は不可欠．睡眠によって異常波の出現率は高くなり，睡眠時のみにおいて異常波が出現する場合もある．特に側頭葉てんかんでは入眠時に異常波が出現しやすい．

▶ 各睡眠段階に対応して出現する波形は，瘤波(hump wave)または頭蓋頂鋭波(vertex sharp wave)，紡錘波(spindle wave)など．

▶ 脳波検査では異常波の出現率が高まるstage Ⅰからstage Ⅱまでを中心に記録．睡眠がさらに深くなって振幅の大きい徐波が優位になる時期やREM段階には異常波の出現は少なくなる．

異常脳波

▶ 異常脳波の詳細については他の成書を参照されたい．ここでは，代表的な異常脳波を列挙するにとどめる(表3-1)．

表 3-1　異常脳波とその臨床的相関

所見	臨床的相関
てんかん性放電	各所見に応じたてんかん発作型，あるいはてんかん症候群を示唆する．
連続性不規則徐波，局所性	当該領域における器質的な障害を示唆する．
連続性不規則徐波，びまん性（δ昏睡，θ昏睡，α昏睡，β昏睡，紡錘波昏睡）	臨床的に急性期の昏迷あるいは昏睡状態でこの所見を得た場合は，急性の高度の脳機能障害を示唆する．α昏睡は無酸素性脳症や橋病変，β昏睡は薬物中毒との関連があり，紡錘波昏睡は比較的予後良好とみなされる．
速波の局所性の振幅低下	該当部位の皮質の器質的障害を示唆する．
三相波	中等度の代謝性脳症で出現し，特に肝不全での出現率が高い．10 歳以下では出現せず．
周期性同期性放電（全般性周期性放電）	クロイツフェルト-ヤコブ病（CJD）や，亜急性硬化性全脳炎（SSPE）において，短周期および長周期放電として認めることが多いが，急性無酸素性脳症，まれにビンスワンガー病でも出現する．
周期性一側てんかん性放電（PLEDs）	急性の皮質および白質の破壊性病変，あるいは部分てんかん重積状態を反映する．
バースト・サプレッション	高度の急性無酸素性脳症あるいは中毒性脳症を反映して，通常は予後不良のことが多い．
全般性の振幅低下	臨床的に昏睡状態の患者においては，高度のびまん性脳障害を反映して，通常は予後不良のことが多い．
電気的大脳無活動	臨床的に脳死の状態に対応する．

〔人見健文，池田昭夫：所見の解釈と脳波レポートの作成．日本臨床神経生理学会（編）：モノグラフ　臨床脳波を基礎から学ぶ人のために　第 2 版．p68，診断と治療社，2019 より許可を得て一部改変〕

〔Further Reading〕

- 大熊輝雄，松岡洋夫，上埜高志，他：臨床脳波学，第 6 版．医学書院，2016

（山縣　文）

脳脊髄液検査

Cerebrospinal Fluid Examination

point

- 中枢神経系の炎症の診断・治療評価として，また免疫介在性の中枢神経・末梢神経疾患の診断，腫瘍などの評価として細胞診などで用いられる．
- 精神科領域では，進行麻痺の診断，精神徴候に加えて運動感覚症状や失語，失行，失認などの大脳半球巣症状が認められたときに器質性疾患を疑い本検査を行う．

炎症性・器質性疾患を疑った際の脳脊髄液検査

▶ 髄膜炎，脳炎，脳膿瘍が疑われたときには積極的に行う．

▶ 項部硬直やケルニッヒ徴候を認めないからといって髄膜炎や脳炎が否定されたわけではない．

▶ ギラン・バレー症候群などの免疫介在性の末梢神経障害はもちろんだが，くも膜下出血が完全に否定できない場合や多発性硬化症などの脱髄性疾患でも適応．

▶ 腰椎穿刺を行う前には必ず頭部CTを施行し，眼底検査にてうっ血乳頭の有無(頭蓋内圧亢進の有無)，局所麻酔のアレルギーの有無を確認する．

▶ 穿刺部位に感染がある場合，出血傾向が強いとき，脊椎変形が強く針挿入が困難なときは原則として禁忌．

検査項目と検査法

外観

▶ 無色透明．血性の場合は遠沈し透明になれば早期の出血であり，くも膜下出血を否定できれば，穿刺時出血の可能性が高い．

▶ 混濁は細菌性髄膜炎などによる白血球増多を示唆し，淡い黄色(キサントクロミー)は陳旧性の出血か蛋白増加を示唆する．

脳脊髄液圧

▶ 側臥位では初圧は100±50 mmH_2O であり，200 mmH_2O 以上は高値，40 mmH_2O 以下は明らかに低値と考える．

細胞数

▶ 正常では単核球(リンパ球，単球)が5/μL以下であり，多核球はまずみられない．細胞数が 10/μL 以上は異常とされている．

▶ リンパ球の増多はウイルス性髄膜炎，真菌性髄膜炎，結核性髄膜炎，進行麻痺，脊髄癆，多発性硬化症で認められる．多核球の増多は細菌性脊髄炎で，がん性髄膜炎では腫瘍細胞がみられる．

◆蛋白

▶ 脳脊髄液中の総蛋白は 10～40 mg/dL で，組成は血清とほぼ同様で主成分はアルブミンである．蛋白増加の原因としては，以下の 3 つが挙げられる．

▶ ①**グロブリンの単独増加**：多発性硬化症などの中枢神経系実質の炎症転帰を反映するもの．

▶ ②**アルブミン，グロブリンの同時増加**：脳炎など炎症による滲出転帰を反映するもの．

▶ ③**アルブミンの単独増加**：ギラン・バレー症候群などの血液脳脊髄液関門の蛋白透過性亢進を反映するもの．

▶ 炎症反応の評価として，IgG index を算出するのが望ましい(基準値：0.73 以下)．IgG index＝(脳脊髄液 IgG/血清 IgG)/(髄液アルブミン/血清アルブミン)．

◆糖

▶ 脳脊髄液の糖は血清の 60～70％であり，おおよそ 45～75 mg/dL である．ただし，血糖が 150 mg/dL 以上の場合は，もう少し割合が低くなるので糖尿病患者の場合は気をつける．

▶ 糖は細菌性髄膜炎，真菌性髄膜炎，結核性髄膜炎，がん性髄膜炎で低値を示す．

▶ ウイルス性髄膜炎では基本的には減少しないが，エコー，ムンプス，単純ヘルペス，帯状疱疹などのウイルス感染では低下することがある．

（山縣　文）

心理検査

Psychological Testing

point

- 心理検査の実施にあたり，心理検査の果たす役割とその意味を知る．
- 検査バッテリーを組むために，心理検査の種類と特徴を理解する．

能力や心理的特性を明らかにする心理検査

▶ 心理検査とは，被検者に一定の条件のもとで一定の課題を課しその応答や課題解決の過程における行動の特徴から，個人の能力やパーソナリティなどの心理的特性を明らかにするもの．

▶ 患者の病態的側面のみならず，健康な側面も評価できる．

▶ 検査の目的としては以下のようなものがある．

①**発達状態，知能，記銘力の測定**：心身の発達状態，その遅滞や低下の度合い，知能の程度とその低下の度合い，さらに個人の知的機能におけるばらつきなどの特徴，記銘力低下の程度をはかるものがある．

②**精神医学的診断への寄与**：精神科医療場面で，特に鑑別診断，病態診断のための情報を提供する（境界例水準か精神病水準か，心因性か脳器質性か，発達障害か統合失調症かなど）．

③**治療方針選択への寄与**：種々の検査から得た情報は，治療の基本方針を決める助けとなる（例：内的な問題について心理療法が有効かどうかなど）．

④**再検査による治療効果の測定**：治療前に行った検査結果と比較し，治療後の機能回復の程度や心理的変化などを見る．

⑤**精神鑑定**：刑事事件を起こした犯罪者の精神鑑定，あるいは成年後見の認定のために行う．

種類と特徴

▶ 被検者がもつ特性の，異なる水準・側面が反映されるように，質の異なる複数の検査を組み合わせること（検査バッテリー）によって，より立体的に人物像を描き出すことができる．

▶ **知能検査**：個別式における代表的なものとして，ウェクスラー知能検査〔例：成人用 WAIS-IV（適用年齢は 16〜90 歳），児童用 WISC-Ⅳ(5〜16 歳)，幼児用 WPPSI(2 歳 6 カ月〜7 歳 3 カ月)〕，田中-ビネ式知能検査Ⅴ(2 歳〜)などがある．

- **精神発達検査**：心身の発達の度合いが発達年齢・発達指数で表される検査(新版 K 式発達検査など)や，学習障害や ADHD，自閉スペクトラム症のスクリーニング検査(例：LDI-R，ADHD-RS，AQ など)がある．また，ADHD の特性の程度を，自己記入式と観察者評価式の 2 種類から評価する検査(CAARS)や，発達障害の特性の程度と要支援度について，レーダーチャートを用いて，5 段階で評価する検査(MSPA)などが代表的である．そのほかにも，青年・成人感覚プロファイル，ASRS，PARS-TR など，心理教育的サポートに有用な検査がある．
- **認知機能検査**：全般的なものとして，ミニメンタルステート検査(MMSE)，改訂長谷川式簡易知能評価スケール(HDS-R)，ADAS-Jcog，JART，COGNISTAT，MoCA-J，コース立方体組み合わせテストなどがある．記憶検査として，改訂版ウェクスラー記憶検査(WMS-R)，ROCFT，RAVLT，S-PA，三宅式記銘力テスト，ベントン視覚記銘検査などは鑑別にも有効である．
- **精神症状の評価検査**：不安，抑うつなどの精神状態を把握する検査(例：MAS，STAI，HADS)は，一般内科やがん患者にも使用されている．また，うつ病や神経症の発見にも有効な検査(例：CES-D，GHQ)がある．
- **パーソナリティ検査**：パーソナリティ検査には，①質問紙法(例：MMPI，Y-G 性格検査，CMI，新版 TEG)，②投映(影)法〔例：ロールシャッハテスト，TAT，SCT，P-F スタディ，描画テスト(バウムテスト，HTP テスト，風景構成法，その他)〕，③作業検査法(例：内田-クレペリン精神作業検査)がある．

〔Further Reading〕

- 森さち子：心理検査について教えて？　上島国利，平島奈津子(編)：全科に必要な精神的ケア Q&A─これでトラブル解決！　pp8-9，総合医学社，2006
- 山内俊雄，鹿島晴雄(総編集)：精神・心理機能評価ハンドブック．中山書店，2015
- 津川律子，遠藤裕乃(編)：心理的アセスメント．野島一彦，繁桝算男(監)：公認心理師の基礎と実践 第 14 巻．遠見書房，2019

(森さち子，小野田暁子)

神経心理学的検査

Neuropsychological Examination

point

- 検査がもつ意味を正しく理解して結果を慎重に評価する.
- 適切に検査を選択して，患者の負担を最小限にする.

知的活動を評価する神経心理学的検査

▶神経心理学的検査とは，理解・判断・記憶・論理などの知的活動に関する脳機能の評価を行うための検査.

▶外来の診察場面において数分程度でできる簡便なものから，いくつもの下位検査を組み合わせた検査バッテリーまで，様々な種類がある.

検査を実施する際の注意

▶神経心理学的検査を実施する際には，まず患者の意識障害の有無を確認．ごく軽度の意識障害は「思考のまとまりや注意力は問題ないか」「多幸的であったり，易刺激的であったり，情動の変化はないか」「睡眠・覚醒リズムはどうか」「見当識が保たれているか」などから確認.

▶うつ，疲労といった精神状態にも留意する．特に高齢者の場合にはうつ状態を合併していることも多く，検査により疲労しやすい傾向があり，実際の認知機能よりも低い結果が出ることがある.

▶さらに高齢者は感覚器や運動器の障害や他の身体合併症があることも多く，検査結果に大きく影響する可能性がある.

▶検査の手順や手続きは重要な意味をもつ．ちょっとした説明不足や言葉の欠如が，結果に大きな影響を及ぼす.

代表的な神経心理学的検査

◇認知症スクリーニング検査

▶改訂長谷川式簡易知能評価スケール(HDS-R)(▶p342)

▶ミニメンタルステート検査(MMSE)

▶アルツハイマー病評価尺度日本語版(ADAS-Jcog)

▶日本語版モントリオール認知アセスメント(MoCA-J)(▶p343)

◆知能検査

▶ウェクスラー成人用知能検査(第4版)(WAIS-Ⅳ)

▶レーブン色彩マトリックス検査(RCPM)

◆記憶検査

▶改訂版ウェクスラー記憶検査(WMS-R)

▶リバーミード行動記憶検査(RBMT)

◆遂行機能検査

▶遂行機能障害症候群の行動評価法(BADS)

▶ウィスコンシンカード分類検査(WCST)

◆その他の検査バッテリー

▶標準失語症検査(SLTA)

▶標準注意検査法(CAT)

▶標準高次視知覚検査(VPTA)

▶標準高次動作性検査改訂版(SPTA)

●検査評価のポイント

▶検査結果がもつ意味をよく考える．例えば患者の遂行機能検査の成績低下は，必ずしも遂行機能障害によらず，単に記憶障害を反映しているだけかもしれない．

▶意欲や集中力の維持など，様々な要因が検査結果に影響する可能性があることにも留意する．

▶検査を繰り返し行う際は，学習効果の影響を考慮．

[Further Reading]

• M. D. レザック(著)，鹿島晴雄(監修)，三村　將，村松太郎(監訳)：レザック神経心理学的検査集成．創造出版，2011

(田渕　肇)

評価尺度

Rating Scale

point

- 治療開始時には評価尺度を用いて重症度を評価.
- 毎回の診察時に詳細な評価を行うのは困難だが(簡易な自記式の評価であれば可能)，治療の節目にはレーティングを行い症状変化の定量化に努める.
- 臨床試験の論文を読み解く際，その研究にどの程度の重症度の患者が組み入れられたのか感覚的に理解できるようにする.

定義と役割

- 治療開始時には評価尺度を用いて重症度を評価.
- 毎回の診察時に詳細な評価を行うのは困難だが，治療の節目にはレーティングを行い症状変化の定量化に努める.
- 簡易な自記式などの評価であれば，外来通院時に施行することは可能であり，積極的に利用すべき.
- 多くの評価尺度は，重症度を数値化することで客観性を保証しようとするもの．このため，評価尺度の利用にあたっては恣意的な判断を行わず，標準的な評点の仕方を成書や講習を通じて理解するよう心掛ける.
- 評価方法には，患者自身による自記式のもの，家族など周囲の人間が行うもの，評価者が面接を通じて行うもの，一定の課題を用いて行うものなどがある.
- ターゲットとなる疾患や症状によっても分類される．例えば，疾患の重症度(幻覚・妄想，抑うつ気分)を定量するもの，知能や認知機能を評価するもの，副作用の程度を定量するものなど.
- 定量的評価(検査スコアとして数値化され，基準と比較して評価される)，定性的評価(柔軟性や可変性をもった検査課題が用いられ，結果は現象的な記述となる)という分類もある.

種類

- 以下，ターゲットとする症状や疾患ごとに代表的な評価尺度を記す．ここには書き尽くせないため，症例に応じた適切な評価尺度については成書を参照(*は巻末の付録1に掲載したもの).

- **知能機能の評価**：ウェクスラー成人知能検査(第4版)(WAIS-Ⅳ)，知的機能の簡易評価日本語版(JART)，ウェクスラー児童用知能検査(第4版)(WISC-Ⅳ)，田中-ビネ式知能検査Ⅴ
- **記憶機能の評価**：レイ聴覚性言語学習検査(RAVLT)，改訂版ウェクスラー記憶検査(WMS-R)，リバーミード行動記憶検査(RBMT)
- **その他の高次脳機能の評価法**：標準失語症検査(SLTA)，標準高次動作性検査改訂版(SPTA)，標準高次視知覚検査(VPTA)，標準注意検査法(CAT)，遂行機能障害症候群の行動評価法(BADS)，ウィスコンシンカード分類検査(WCST)，ストループ課題，流暢性テスト，Trail Making Test，アイオワギャンブリング課題(IGT)
- **パーソナリティの評価法**：東大式エゴグラム，矢田部-ギルフォード(Y-G)性格検査，文章完成テスト(SCT)，ロールシャッハテスト，バウムテスト
- **社会機能**：全体的機能評価(GAF)，個人的・社会的機能遂行度尺度(PSP)
- **不安**：ハミルトン不安評価尺度(HAM-A)，状態-特性不安検査(STAI)
- **パニック症**：パニック障害重症度評価尺度(PDSS)
- **社交不安症**：リーボヴィッツ社交不安尺度(LSAS)
- **強迫症**：イェール-ブラウン強迫尺度(Y-BOCS)，モーズレイ強迫尺度(MOCI)
- **自閉症，ADHD**：自閉症スペクトラム指数(AQ)，小児自閉症評価尺度(CARS)，自閉症診断観察検査(ADOS)，自閉症診断面接改訂版(ADI-R)，PARS-TR，コナーズ成人用ADHD評価尺度(CAARS)，ADHD Rating Scale-Ⅳ
- **気分障害**：ハミルトンうつ病評価尺度(HAM-D)(▶p338)*，モンゴメリ-アスベルグうつ病評価尺度(MADRS)，PHQ-9，自己記入式簡易抑うつ症状尺度(QIDS-SR)，ベック抑うつ尺度(BDI)，ヤング躁病評価尺度(YMRS)，気分障害質問紙(MDQ)
- **統合失調症**：陽性・陰性症状評価尺度(PANSS)，簡易精神症状評価尺度(BPRS)，陽性症状評価尺度(SAPS)，陰性症状評価尺度(SANS)
- **せん妄**：せん妄評価尺度(DRS)，CAM(Confusion Assessment

Method)，MDAS(Memorial Delirium Assessment Scale)

- **認知症**：アルツハイマー病評価尺度(ADAS)，ミニメンタルステート検査(MMSE)，改訂長谷川式簡易知能評価スケール(HDS-R) (▶p342) *，時計描画テスト(CDT)，モントリオール認知アセスメント(MoCA) (▶p343) *
- **アルコール**：CAGE，アルコール使用障害同定テスト(AUDIT)
- **副作用**：薬原性錐体外路症状評価尺度(DIEPSS)，バーンズ・アカシジア尺度(BAS)，異常不随意運動評価尺度(AIMS)，シンプソン-アンガス錐体外路系副作用評価尺度(SAS)，UKU副作用評価尺度
- **全般性評価**：臨床的全般改善度(CGI) (▶p344) *

[Further Reading]

- 山内俊雄，鹿島晴雄(編)：精神・心理機能評価ハンドブック．中山書店，2015

（岸本泰士郎）

第4章

診断

予診

Preliminary Examination

point

- 基本的な作業は医療面接と同様.
- 一定時間内に作業を終えられるように，面接の場を適切にコントロールする.
- エピソードの有無に留意しながら経過を聴取し，まとめる.
- 情報源を明記する.
- 患者が語った言葉を専門用語に変えずにそのまま記載する.

目的

▶基本的には予診で行うことは，客観的臨床能力試験(OSCE)の医療面接と同様である．しかし，試験と臨床現場との違いや，身体科とは異なる精神科特有の難しさもいくつかあるだろう．

▶予診の目的は，主に次の2つに集約される．1つは初診を効果的に進めるという医療的な目的，もう1つは予診を行う者の教育的な目的．

▶医療的な目的を果たそうとすれば自然と教育的な目的も果たされることが多いため，本項では医療的な目的にとって重要と思われることを主に記載し，教育的な目的に関することはところどころに補足して述べる．

▶医療的な目的のためには，一定の時間内に予診を仕上げることが重要．予診に時間がかかりすぎて，本診(初診)の時間が不十分になるのでは本末転倒である．予診は，診察の場を適切にコントロールする練習でもある．

進め方

▶どれくらい予診に時間をかけられるのかがわからない場合は初診医に確認．記録をまとめるのに要する時間を考慮して，予診にあてられる時間を計算しておき，挨拶と自己紹介をした後に予診に使える時間を患者にも告げておく．お互いが見える位置に時計を配置しておくのもよい．

▶「オープンクエスチョンの後，患者が自発的に語ることを遮らずに聞く」というのが医療面接での教科書的な対応かもしれないが，それだと臨床の現場では収拾がつかなくなることが少なくない．

- オープンクエスチョンで始めるのはよいが，話が脱線したり，詳細すぎる説明を続けたりする場合は，「詳しいことは本診でお話しいただいて，ここでは大まかな経過だけ教えてください」と穏やかな口調で介入したほうがよい．
- どのような情報を予診に求めるかは初診医によって様々だろうが，概ね次のようなことだろう．「元来どのくらい機能できていた人に，いつどのような症状や問題が生じて，どのようにそれに対応してきたのか」．
- その他，既往歴や家族歴などの情報も重要であるが，自記式の問診票などにすでに記載されている場合は省略してもよい．
- 実際の面接の順序としては，「いつどのような症状や問題が生じたか」ということから聞くことになるだろう．
- 症状や問題が何回か反復するエピソードを形成しているのか，初回のエピソードで受診しているのか，それとも明確なエピソードは形成せず長期間ずっと遷延しているのか，そうした経過がわかりやすく記載されていると初診が進めやすい．
- 幼少期から問題が持続しているのであれば神経発達症の可能性が高くなるし，思春期頃から現在(成人期)に至るまで幅広い領域にわたって問題が持続しているのであれば，パーソナリティの問題がある可能性が高くなる．
- 症状や問題がエピソードを形成しているのかどうか判別しにくいときには，「元来どのくらい機能できていたのか」を問診していくと役立つ．よかった時期には仕事や学業にどれくらい従事できていたか，人間関係はどうだったか，趣味や楽しみはもてていたか，よかった時期はどれくらいの期間だったかを尋ねる．
- うつ病エピソード中の患者など，現実的な自己評価が困難になっている患者では，実際には良好に機能できていた時期があってもそれを否定することがある．こうしたケースでは家族など他の関係者から聴取したほうが正確な情報が得られる．
- このことは，予診の場に誰を入れるかという問題と関係する．いずれにしても，誰が語ったことなのか，情報源を明確に記載しておくことが重要．
- 予診に慣れてくれば患者本人と関係者で一堂に会して話を聞い

たほうが短時間で有用な情報をまとめやすいだろうが，慣れないうちは人数を限ったほうが話を進めやすい．

- 対立関係にある人たちを入れると話が混乱する傾向があるので，自ら望んで来院した人だけに絞って予診を行うのでもよい．
- ただ，こうした情報は面接してみないとわからないことがほとんどなので，実際には来院した人たち一同から聞くことが多いだろう．
- 診療録を記載する際には，患者や家族が語った表現を専門用語に書き換えたりせず，そのまま記載したほうが情報としての価値が高い．
- 予定した時間になったら情報が不十分でも予診は終わりにする．後は本診に任せればよい．十分な予診ができなかったということも，患者に関する重要な情報の1つになる．

予診後の初診陪席

- 予診後の初診陪席で生じた疑問は積極的に初診医に尋ねる．これは教育的な目的のみならず，医療的な目的にも重要．
- 陪席者からの質問を受けて，別の鑑別診断を初診医が思いついたり，次回以降の診察で評価すべき点が明らかになったりすることが少なくない．患者と担当医にとって，陪席者の入る初診は第三者の視点が入る貴重な機会である．

（嶋田博之）

面接の進め方

How to Proceed with the Interview

point

- 精神科面接では診断過程と治療過程とが分かち難く同時進行している.
- 診断過程では，鑑別診断を考えることと，人を見ることの両立をはかる.
- 自分が理解したことを患者に確認することで，診断過程と治療過程との調和をはかる.
- 多方面からのフィードバックを活用しながら，自分なりの面接スタイルを築き，それに磨きをかけていく.

診断のための面接

▶面接の進め方は十人十色であり，決まった方法があるわけではないが，その目指すところは，「目の前にいる患者がどのような人なのか？」をより詳細に理解することだといえる.

▶「病ではなく人を見る」ことが，精神科では身体科に勝るとも劣らず重要．もちろん，逆に「人ばかり見すぎて，病を見落とす」ことにも注意が必要.

▶症状や問題から入って，その後少しずつその人がどのように生活しているのかという情報を膨らませていくことが多いと思うが，逆に日常生活から話題にしていく方法でもよい．最終的には，横断面の情報と，縦断面の情報を把握できるようにしたい.

▶横断面の情報とは，その人が現在どのように生活している人なのかということであり，縦断面の情報とは，その人がこれまでどのように生きてきた人なのかということである.

▶横断面の情報は，その人の24時間の生活がどのようであるかが手にとるように立体的に見えるところまでいくのが理想.

▶朝起きるときの場所，周りの風景，身体の状態，気分，考えること，そして起きてからとる行動，誰とどのように接触するか．そうした24時間を自分が疑似体験できそうになるくらいを目標として，重要と思われるところから少しずつ情報を蓄積していく.

▶筆者はしばしば自宅の見取り図や，職場の組織階層を図にして書いてもらう．

- すべての症例で上記のレベルの把握を達成する必要があるわけではない．あくまで，面接という道のりを進んでいくときに遠くに見据える目印である．
- 縦断面の情報とは，そうした横断面が過去からどのように変遷してきて現在に至っているかである．
- 患者本人が生まれてから後のことが主になるだろうが，患者が生まれる以前の周囲の状況，特に家族の状況というのもアセスメントの範疇に入ってくる．一般的には患者の祖父母世代くらいまでがアセスメントの目標に含められることが多い．
- そうした情報を集めていくと同時に，それらがどのように有機的につながるかを検討．縦断的情報が横断的情報とどのようにつながるか，縦断的および横断的情報から把握できるその患者の人となりが，症状や問題とどのようにつながっているか，そうした全体像を完成させようとする中で，次に得るべき不足していたピースが明確になってくる．
- 本人からの情報だけでピースがすべて揃うことはない．全体像が見えたような気がしたときでも，家族や関係者から話を聞いてみると異なる視点が得られる．
- 可能な限り色々な情報源から情報を求めて，評価が多面的になるように心掛ける．

●治療のための面接

- 本項は「診断」の章に掲載されているが，精神科面接は「治療」の主要な手段の1つでもある．
- 身体科の医療では，まず診断を行い，次に治療に移るというイメージがあると思うが，精神科医療では診断と治療とが分かち難く同時に進行していく．
- いくら医師のほうが「はじめは診断」というつもりで患者に会っていても，それは治療的に何らかの意味をもっている．効果的/治療的に作用しているかもしれないし，副作用的/反治療的に作用しているかもしれない．
- 診断と治療を並行させて面接するということは複雑な作業に見えるが，考えようによっては簡単にもなる．
- 診断では患者のことを理解しようとするわけだが，患者が他者との間に共通理解を築き上げる体験や，「自分のことを理解してもらえた」と体験することはたいてい治療的に働くのだから，患者を理解しようと面接していけば自然に診断と治療が同時進行していくことになる．

- ただ，医師が理解できたと思うことと，患者が理解されたと思うこととはイコールではないという点には注意が必要．自分が理解できたと感じるところで終わりにせず，実際に自分がどれくらい理解できているのかを患者に確認する作業まで進める．
- 理解を共有することに付け加えて，体験を共有することも治療的に重要．これは一般的には「患者に共感を示す」といわれることが多い．
- 具体的には，「それは～でしたね」などと患者に声をかける．この際，患者に自分の体験が共有されたと感じられるか否かは，言葉の中身よりも，表情や声のトーンなど非言語的な要素のほうが鍵となる．
- 過去の出来事や現在の生活状況についてだけでなく，診察室内で今まさに起きている関係性やコミュニケーションについても，患者がどのように体験しているかを確認したり共感を示したりすることが時に必要となる．これは特に，患者が診療に対して否定的な感情を抱いていると予想されるときに重要となる．

面接のスキルを磨く

- 繰り返しになるが，面接の進め方は十人十色．上述した点などに留意しながら，後は自分なりの面接スタイルを築き，それに磨きをかけていく．その過程には，同僚や指導者からのフィードバックや支えが不可欠だろう．
- 患者からの言語的なフィードバックや，言外の反応も重要．上述したような理解の確認は，その求め方の1つといえる．
- 同僚や指導者の面接を見ることも貴重な学びの機会となる．経験が浅いうちのほうが陪席させてもらう機会を求めやすいので，経験が浅いうちに様々な面接スタイルに触れる機会をもっておくとよい．

（嶋田博之）

従来診断

Conventional Diagnosis

point

- 原因に基づく診断・分類.
- 医学の目的が治療であり，最も有効な治療が原因療法である以上，従来診断は本来あるべき診断方法であり，理想の診断体系.
- 他方，精神疾患の原因は遺伝と環境が複雑に関与しており，臨床場面で原因を特定することは不可能に近いこともしばしばある.
- したがって臨床においては従来診断と操作的診断(▶p58)の適度な併用が現実的.

いわゆる従来診断

◆概念

- 「従来用いられていた診断」が従来診断であり，明確な定義や基準は存在しない．表 4-1 は妥当と思われる一例．
- シュナイダーの体系(表 4-2)は，その理念において，いわゆる従来診断と共通している．

◆問題点

- **主観問題**：心因と内因の区別は，評価者の主観に左右される．
- **客観問題①**：心因と内因の区別は，心因の有無やその患者にとっての意味などの判断が，把握可能な客観的情報の量に左右される．
- **客観問題②**：外因か外因でないかは客観所見で決定されるが，その所見の有無の判断はその時代の画像診断などのテクノロジーのレベルに左右される．
- 以上のような解決困難な問題があることが，従来診断の大きな欠点．

了解概念

- 従来診断の鍵として，了解概念を挙げることができる．これは端的にいえば，その患者の心の動きを健常な心理的反応の延長とみなせるか(＝了解できるか)ということ．
- 了解できる場合には，表 4-2 のシュナイダーの体系に従えば，心的あり方の異常変種に分類され，真の疾病ではないとみなす

表 4-1　いわゆる従来診断

心因	神経症，心因反応
外因	器質性精神疾患，症状性精神疾患
内因	統合失調症，双極性障害

※外因は器質因または身体因と呼ばれることもある．

表 4-2　シュナイダーの体系（網掛け内は表 4-1 との対応）

Ⅰ　心的あり方の異常変種	
心因	異常知能素質 異常パーソナリティ 異常体験反応
Ⅱ　疾病（および奇形）の結果	
外因	急性：意識障害 慢性：パーソナリティ解体（先天性：パーソナリティ低格）および認知症 ［中毒，進行麻痺，ほかの感染症，脳奇形，脳外傷，脳動脈硬化症，老年期脳疾患，ほかの脳疾患，真性てんかん］
内因	循環病（躁うつ病） 統合失調症

〔Schneider K：Klinische Psychopathologie. 15. Auflage. Georg Thieme Verlag, Stuttgart, New York, 2007/クルト・シュナイダー（著），針間博彦（訳）：新版　臨床精神病理学，原著第 15 版．文光堂，2007 より一部改変〕©Georg Thieme Verlag KG

のがシュナイダーの考え方．

▶ 精神の病とは何かを考える上でも，了解概念は重要なポイントであり，その意味でも従来診断のもつ意義は今も大きい．

（村松太郎）

操作的診断

Operational Diagnosis

point

- 観察される症状に基づく診断で，代表的な診断基準としてDSM-5とICD-11がある.
- 精神疾患の診断は症状が最重要視されるのが現実である以上，操作的診断は実用的な診断方法.
- 他方，原因論を原則として排しているため，同じ診断名の中に複数の疾患が混合しており，医学において最も重要な治療法と診断名との対応は甘い.
- したがって臨床においては操作的診断と従来診断の適度な併用が現実的.

DSM-5

- 米国精神医学会が作成.
- Diagnostic and Statistical Manual of Mental Disorders の第5版.
- 大分類を表4-3に示した.

ICD-11

- WHO が作成.
- International Classification of Diseases の第11版.
- 大分類を表4-4に示した.

診断基準使用上の注意

- 手軽なチェックリストとして用いてはならない.
- 精神科面接と精神病理学の基本を身につけて初めて正しく使用することができる.
- 信頼性は高いが妥当性は低いという特性をもつ(信頼性とは，複数の評価者による診断の一致度を指し，妥当性とは診断と本質の一致度を指す).
- わが国においては，研究ではDSM，臨床ではICDが用いられることが多い.
- 原因論を原則として排していることは，医学の診断体系としては致命的ともいえる問題点だが，現代の精神医学には原因論に

表 4-3　DSM-5(2013)における大分類

- Neurodevelopmental Disorders：神経発達症群/神経発達障害群
- Schizophrenia Spectrum and Other Psychotic Disorders：統合失調症スペクトラム障害および他の精神病性障害群
- Bipolar and Related Disorders：双極性障害および関連障害群
- Depressive Disorders：抑うつ障害群
- Anxiety Disorders：不安症群/不安障害群
- Obsessive-Compulsive and Related Disorders：強迫症および関連症群/強迫性障害および関連障害群
- Trauma- and Stressor-Related Disorders：心的外傷およびストレス因関連障害群
- Dissociative Disorders：解離症群/解離性障害群
- Somatic Symptom and Related Disorders：身体症状症および関連症群
- Feeding and Eating Disorders：食行動障害および摂食障害群
- Elimination Disorders：排泄症群
- Sleep-Wake Disorders：睡眠-覚醒障害群
- Sexual Dysfunctions：性機能不全群
- Gender Dysphoria：性別違和
- Disruptive, Impulse-Control, and Conduct Disorders：秩序破壊的・衝動制御・素行症群
- Substance-Related and Addictive Disorders：物質関連障害および嗜癖性障害群
- Neurocognitive Disorders：神経認知障害群
- Personality Disorders：パーソナリティ障害群
- Paraphilic Disorders：パラフィリア障害群
- Other Mental Disorders：他の精神疾患群
- Medication-Induced Movement Disorders and Other Adverse Effects of Medication：医薬品誘発性運動症群および他の医薬品有害作用
- Other Conditions That May Be a Focus of Clinical Attention：臨床的関与の対象となることのある他の状態

基づいた信頼性の高い診断が不可能であるという現実を直視しなければならない．現代の診断基準の限界は，現代の精神医学の限界なのである．

▶ 操作的診断を正確に用いるためには，診断基準の完全版を一度は精読する必要がある．簡易型だけを用いれば，操作的診断の問題点が身につくばかりである．

表 4-4　ICD-11 (2018) における大分類

- Neurodevelopmental disorders：神経発達症群
- Schizophrenia or other primary psychotic disorders：統合失調症または他の一次性精神症群
- Mood disorders：気分症群
- Anxiety or fear-related disorders：不安または恐怖関連症群
- Obsessive-compulsive and related disorders：強迫症または関連症群
- Disorders specifically associated with stress：ストレス特異関連症群
- Dissociative disorders：解離症群
- Feeding or eating disorders：食行動症または摂食症群
- Elimination disorders：排泄症群
- Disorders of bodily distress or bodily experience：身体的苦痛症または身体的体験症群
- Disorders due to substance use or addictive disorders：物質使用症または嗜癖行動症群
- Disorders due to addictive behaviours：嗜癖行動症群
- Impulse control disorders：衝動制御症群
- Disruptive behavior or dissocial disorders：秩序破壊的または非社会的行動症群
- Personality disorders and related traits：パーソナリティ症および関連特性群
- Paraphilic disorders：パラフィリア症群
- Factitious disorders：作為症群
- Neurocognitive disorders：神経認知障害群

病名・用語の和訳は 2022 年 2 月時点のもの．
確定ではなく，今後，変更が加わる可能性がある．

（村松太郎）

第5章

治療

精神療法

Psychotherapy

point

- 支持・傾聴が精神科診療の基本であるが，支持的精神療法に含まれる技法のいくつかは，日常診療でも役立つ可能性が高い．
- 治療同盟，共感，治療目標の共有と協力がすべての精神療法に共通する治療的因子．
- 診断・病態に応じた様々な精神療法があり，最新のエビデンスに基づいて最適な選択を行う．

精神療法とは

- 広義の精神療法は，わが国では「患者の話に耳を傾け，温かく接し，適度な助言を行う」こと(いわゆる支持・傾聴)を指すことが多い(「通院精神療法」が一例)が，支持・傾聴・助言は，本来は精神科診療で当たり前の行為であり，これらは国際的には「支持的な対応」「心理教育」などに該当する．
- 狭義の精神療法とは，厳密には一定の治療理論に沿って行う構造化された精神療法(一定の時間のセッションを一定の期間行う精神療法)を意味する．

身につけるべき精神療法の素養

- 診断・病態に応じて様々な精神療法があり，最新のエビデンスに基づいて最適な治療を選択する必要がある．
- 日本精神神経学会は，精神科専門医の研修課程で「施行できる」ようになるべき精神療法として支持的精神療法，「(症例によって指導医の下で)経験すべき」精神療法として精神力動的精神療法および患者・家族への疾患教育，「理解できる」ようになるべき精神療法として，認知行動療法(CBT)，森田療法，内観療法，集団力動を挙げている．
- 米国のレジデント研修では，支持的精神療法，CBT，精神力動的精神療法を必須化している．

広義の精神療法のポイント

- 基本的な医療面接，医療コミュニケーションが前提．そこには，非言語的なコミュニケーション(身だしなみ，態度，口調)や，クローズドクエスチョンでなくオープンクエスチョン(患者が自由に話せる)で対話を始めることなどが含まれる．

- 様々な精神療法に共通する治療的因子として下記の治療同盟，共感，治療目標の共有と協力，がある．

◆治療同盟

- 患者と治療者の良好な協力関係のこと．以下の3つが含まれる．
  ①**情緒的側面**：信頼感，好感，敬意，いたわりを感じられる関係性．
  ②**認知的側面**：治療目標の共有と協力(後述)．
  ③**パートナー感覚**：患者と治療者の両者が責任感と積極性をもって治療に臨むこと．

◆共感

- 患者の体験(気持ち，考え，意図など)を理解し，言葉として伝えること．
- 患者の心の動きに“調律を合わせた”対応．
  ①**情緒的共感**：相手と同じような気持ちになる．
  ②**認知的共感**：相手の立場に立ち，気持ちや考えを理解する．
  ③**行動的共感**：理解を言動で伝える．

◆治療目標の共有と協力

- 患者の問題(困りごと)と目標(問題がどうなってほしいか，自分がどうなりたいか)を話し合い，解決に向けた方針を共有する．
- 丁寧な問診，情報の整理，アセスメントと治療計画の説明などを通じて，共有と協力を深める．

●支持的精神療法

◆基本概念

- (諸説あるが)以下のように定義づけられる．
- 症状を改善し，自己評価・自我機能・適応スキルの維持・再獲得・改善などの直接的な手法を用いる力動的な治療法．
- 治療者は患者に敬意と関心を向け，患者と目標を共有し，知識と専門スキルを活かして，患者の情動反応，行動パターン，対人関係がより適応的なものとなるよう手助けする．

◆適応

- ほかの精神療法と比較して，患者に洞察や積極的関与を求める側面が薄いため，治療意欲や自我機能が十分でない患者にも適している．
- 特に，①急性ストレスへの危機介入や，②慢性障害者の適応スキルと心理機能の向上，に有用．
- 他の精神療法が明らかに適応となる場合には，そちらを優先する(例：うつ病に対するCBT)．

◆治療の構造

- 治療初期は治療同盟の形成を重視．第2〜3セッション前後で情報を統合し，見立てと治療目標を患者と共有する．
- 治療中期は，後述の技法を用いて目標達成を目指す．患者は，治療者の支持的な対応に触れることにより，過去に経験した対人関係における傷つきを癒し，他者に対する信頼を再獲得できる(“修正情動体験”)．
- 当初の治療目標が達成されたところで治療は終結する．
- 1セッションの時間や頻度は固定したほうが，患者の安心感につながりやすいが，他の精神療法よりも柔軟に対応する．

◆技法

- 表5-1参照．治療同盟の構築は，治療者が患者に関心や共感を示し，患者の日常生活などについて話し合うことを通じて行わ

表5-1　支持的精神療法の目的と技法

目的	具体的な技法の例
治療同盟の構築	関心・共感・理解の明示，支持的なコメント，患者主体の会話
自己評価の構築	称賛，保証，励まし，ノーマライジング，一般化
スキルの構築-適応的行動	助言，適応的行動のモデリング，心理教育，事前指導
不安の低減と予防	問題に名前をつける，アジェンダ(課題)の共有，ノーマライジング，リフレーミング，合理化
気づきの拡大	明確化，直面化，解釈

〔Winston A，Rosenthal RN，Pinsker H(著)，大野　裕，堀越　勝，中野有美(監訳)：動画で学ぶ　支持的精神療法入門．医学書院，2015．p68より作成〕

れる．会話の主役は患者で，治療者は支持的または応答的に対応する．患者の自己理解や自己評価を尋ねることも役立つ．

▶ 称賛，保証，励ましは，患者の自己評価を高める上で役立つ．

▶ **称賛**：患者の具体的な言動に対して行う．根拠のない称賛は白々しく，却って信頼を損ねる．患者自身が気づいていない苦労・努力に光をあてることも有意義である．

【称賛の例】

治療者｜頑張ってますね．

患　者｜仕事もしていない自分が頑張っていると思えません．

治療者｜仕事探しも含めて，努力されていると思ったのです．

患　者｜たしかにそうですね．以前の自分ならもっと早く諦めていたので，それに比べれば頑張っているのかもしれません．

▶ **保証**：患者の考えや行動が適切であると認めたり，患者の心配事が心配には及ばないと伝えたりすること．根拠のない保証は信頼を損ねるが，将来への対処法を教示したり一緒に考えたりすることが保証として役立つ．

▶ **ノーマライジング(normalizing)**：患者の体験が，正常でもっともなものと伝えること．助言を添えて用いる．

【ノーマライジングの例】

患　者｜親の介護が大変で，いっそ早く死んでくれたら，などと考えて，自分はひどい人間だと落ち込むのです．

治療者｜介護は重労働ですから，そのようなお気持ちは無理もないことと思います(ノーマライズ)．世間でも介護疲れにまつわる悲しい事件などがありますものね(一般化)．そうならないために，もう少し休養をとれる方法を一緒に考えていきませんか？(助言)

▶ 助言，心理教育，事前指導(患者が遭遇しうる問題について，面談の中でシミュレーションやリハーサルをすること)などを通じて，患者の適応的行動を育成する．

▶ 具体的な問題解決についての助言だけでなく，問題解決技法やコミュニケーション技法など，一般的な技法を伝えられるとよい．

▶ **モデリング**：治療者自身が好例となること．自身の体験例を話したり，診察で模範的な言動を示したりする．

【モデリングの例】

患　者｜昨日はやる気が出なくて仕事を休みました．やめてしまおうかと投げやりな気持ちです．

治療者｜うーん……私も仕事に行く気がしない日がありますけど，仕事を終えた後の爽快感とかを思い出しながら，エイヤって家を出るかなぁ．そして，こうして待っていてくださる患者さんの顔を見ると，休まないでよかった，と思うのですよ．

さて，仕事に行く気がしない日もあるとは思いますが，どういう工夫をしたら，仕事に行くハードルが下げられるか話し合いませんか？（治療者は，自分を例にしてさりげなく対処法を示したり，患者の投げやりな言葉に共感的になりすぎず，やるべきことはやるという目的志向的な態度を示したりしている）

▶ **問題に名前をつける**：自己コントロール感を高め，不安の低減に役立つ．

【問題に名前をつける例】

患　者｜過食嘔吐のときは自分をコントロールできないです．そわそわと落ち着かなくて……そのうち食べ物のことで頭がいっぱいになり，気づいたら過食嘔吐しているのです．

治療者｜それは苦しいですね．そういう過食につながる一連の状況に何か名前をつけてみることはできますか？

患　者｜なんか“スイッチが入る”って感じです……．

治療者｜なるほど．ではその“スイッチ”の引き金になる状況と，そこでできる対処を一緒に考えてみませんか？

▶ **リフレーミング，合理化**：物事や行動を違った角度から眺めたり，違った意義を見つけたりすること．

【リフレーミングの例】

患　者｜模試でD判定でした．あんなに頑張って勉強したのに．

治療者｜残念でしたね．試験の内容はどうだったのですか？

患　者｜過去問にない，全く勉強していない範囲が出たんです．

治療者｜それは想定外ですね．本試ではどうなのでしょう？

患　者｜本番でもそういうことがあるかもしれませんね．

治療者｜勉強した範囲の成績はどうでしたか？

患　者｜勉強したところはちゃんと点がとれました．

治療者｜では今回の模試では，本試験に向けて何を勉強すればいいかわかったこと(課題の共有)と，勉強すれば成績は伸びることが証明された，と言えますか？(リフレーミング)

▶明確化，直面化，解釈は，患者の気づきを広げる技法．後者2つは批判的にならないよう注意が必要．患者の受け入れを確かめながら，押しつけにならないよう配慮する．

▶**明確化**：患者が言ったことの要約・言い換え・整理によって問題の焦点を明確にすること．

▶**直面化**：患者が十分に意識していなかったり，回避・防衛していたりした気持ち・思考・行動に注意を向けさせること．

▶**解釈**：患者の真意や行動の意図に関する治療者の考えを，患者に伝えること．

【明確化，直面化の例】

患　者｜仕事について色々と考えてしまって……自分は役に立っているのかとか，自分がやりたかったことって何だっけとか，ここまでして続ける必要があるのかとか…….

治療者｜今の仕事に意味が見出せない，という感じでしょうか？(明確化)

患　者｜そうです．

治療者｜難しい問題ですね．仕事に意味が見出せない，しかし，やめたら生活に困りますものね(直面化)．○○さんにとって今重要な問題は，仕事の意義でしょうか？　それとも本当の問題は，職場のストレスにどう対処していいかわからないことでしょうか？　というのも，以前も「仕事に意義が見出せない」と仕事をやめたことがおありでしたが，後で振り返ったら職場のストレスが問題だったということがあったと思いますので……どう思いますか？(解釈)

● 認知行動療法(cognitive behavioral therapy：CBT)

◇基本概念

▶CBT(認知療法)は，人間の気分が，認知(物事のとらえ方や考え方)や行動によって影響を受けるという理解に基づき，認知や行動のあり方を患者とともに検討・修正することを通じて，問題解決，機能的な行動の獲得，気分の改善を目指す精神療法．

◇適応と治療効果

▶様々な病態に有効性が実証されている．例えば，うつ病，不安症，強迫症に対しては薬物療法と同等(再発予防効果は薬物療法以上)で，統合失調症や双極性障害に対しても，薬物療法との併用により生活の質(QOL)向上や再発予防に有効．

▶個人療法も集団療法もある．

▶疾患ごとに進め方が若干異なり，疾患ごとのマニュアルに習熟する必要がある．

▶わが国では，うつ病，パニック症，社交不安症，心的外傷後ストレス障害(PTSD)，強迫症，摂食障害に対して，CBT に習熟した医師または一定の要件を満たした看護師が，一連の治療計画を作成し，患者に説明を行った上でマニュアルに沿って 30 分以上実施した場合に 16 回まで診療報酬を請求できる．

▶厚生労働省 Web サイトからマニュアルがダウンロード可能．

◇うつ病の CBT

❶ 認知理論，治療形態

▶自己・世界・将来に対する非現実的な悲観的認知(うつ病の認知の三徴)が，抑うつの誘因・維持因子になっている．

▶その認知過程(“認知のかたより”)を同定・検証する．

▶1 セッション(30～60 分)×10～25 回(診療報酬の適用は 16 回まで)．治療の初期段階や重症例ではまず下記の行動的技法を用い，認知的技法はそれに続くことが多い．

❷ 行動的技法(行動活性化)

▶低活動でいることで喜びや達成感を得られないことが抑うつを持続させる．段階的に患者を行動づけし，その結果得られた気分の変化をモニタリングさせる．

❸ 認知的技法

▶認知再構成法(コラム法：表 5-2)などを用いながら，①心理教育，②問題事項の同定，③認知(自動思考)への気づき，④自動思考の妥当性の検証，⑤かたよった認知を現実適応的な認知に置き換える，というプロセスを行う．

▶以下，コラム法の具体的な進め方を示す．

▶第 1 のコラムに生活内の出来事を記し，「そのときどんな気分でしたか？」「どんな考えやイメージが頭に浮かびましたか？」

表 5-2　コラム法—非機能的思考記録表の例

1. 状況	会社で私を残して事務職のみんなが上司と食事会に行った.
2. 気分	イライラ(70%), 焦り(65%), 悲しい(80%)
3. 自動思考(ホットな思考に◎)(確信度%)	◎自分は嫌われている(80%). 仲間はずれにされている(80%). 自分は仕事が遅いだめな人間だ(70%).
4. 根拠	食事会に行けず, 残業していた. 仕事が進まない.
5. 反証	ほかの事務職の同僚も何人か残業していた. たしかに仕事は締め切りもあり忙しかった.
6. バランス思考プラン(確信度%)	仕事は締め切りもあり忙しかったので, 私に気を遣ったのではないか(50%). 信頼されているからこそ仕事が多いのだ(65%).
7. 気分の変化	イライラ(40%), 焦り(30%), 悲しい(25%), やる気(20%)

などと尋ねて，そのときの気分と自動思考とを第 2，3 コラムに記録.

- 次に，自動思考への根拠と反証を挙げながら，代わりとなる現実適応的なバランスのとれた思考を導く(第 4～6 コラム).
- 「以前同じような状況に陥ったときはどう対処しましたか？」「もしほかの人が同じ状況にいたら，どのようにアドバイスしますか？」など，視点を変える質問が有用.
- 日常生活の中で，自動思考を検証するような実験的な行動(行動実験)を行うこともある.
- このようにして代わりとなる考えを導き，その結果どのように気分が改善したかを第 7 コラムに記載.

◆不安症の CBT

- 不安症は，危険への過剰認識と，不適切なコーピングによる問題の持続である.
- 例えば，パニック症では身体症状を過度に危険と解釈し(“心臓発作で死んでしまう”)，不適切な注意行動(身体症状に注意を向けすぎる)や回避行動(発作が起こりそうな状況を避ける)が,危険の認識を持続させる．

- 不安症のCBTでは，心理教育（不安症のメカニズム），認知再構成（症状に関する認知の修正），注意訓練（注意の向けどころの調整），段階的曝露（回避している状況に段階的に接していく）などの技法を一定の手順で行う．

◇CBTの特徴

- 治療者は患者に考えを押しつけないよう，患者が自分の力で認知を発見・修正できるよう，伴走者のようなスタンスをとる．
- 患者自身が答えを発見できるよう，治療者は質問による誘導（ソクラテス的質問法）を行う．
- セッションとセッションの間には，話し合った内容に関連するホームワークを課す．それによって治療を週1回のセッションの時間に限局するのではなく，患者の生活全体に拡張でき，患者の体験に即した介入を行える．治療は教室での講義，ホームワークは実習にたとえることができる．

●精神力動的精神療法

◇基本概念

- S. フロイトの精神分析に端を発し，理論的進歩や現代的なニーズに合わせて発展してきた精神療法．
- 患者の外界認識や対人関係は，遺伝的素因に加えて幼少期の重要な他者（親などの身近な人物）との関係から形成され，それが治療者と患者の関係に展開するということを前提に，患者と治療者との相互関係（①転移，②逆転移，③抵抗，④防衛機制）を，タイミングを見ながら解釈・共有することで治療を進める．

①**転移**：幼少期の重要な他者との関係性パターンが，治療者との間で繰り返されること．

②**逆転移**：治療者が患者に対して抱く感情・認識・行動．治療者は逆転移を抑えるのではなく，それに気づき，患者理解の手掛かりとする．

③**抵抗**：治療での生産的対話を阻むように見える患者の言動（沈黙，表面的なことばかりの会話，遅刻，服薬不遵守，治療者への非難など）．患者は，これまでの対人関係のあり方が，治療によって新しい関係に変化することに対して両価的で葛藤を抱く．それはこれまでの対人関係は，非機能的側面もあ

りながら，患者が生きていく上で必要があって身につけてきたものだからである．

④**防衛機制**：患者の精神の内的平穏が脅かされたときに，安心感や自尊感情を維持するために(多くは無意識的に)患者がとる行動．適応的なものからしばしば非適応的なものまである．

◆治療適応

- 伝統ある精神療法だが，エビデンスの確立はまだ不十分．他の精神療法が明らかに適応となる場合にはそれを優先する．
- 幼少期の体験の影響が大きいと考えられる病態(パーソナリティ障害が中心)が主たる適応と考えられることが多い．
- 患者が自己洞察・自己理解に関心がない場合には適応外．

◆治療の進め方

- 数回の診断的面接の後，治療に導入する．
- 治療構造(セッションの時間・頻度)の堅守が重要．
- 基本的には，患者には，自分の物語を自分自身のやり方で語ってもらう．
- 治療者の目的は，患者と治療者との間に何が再現されているか(転移，逆転移，抵抗，防衛機制)を理解し，解釈を伝えることを通じて，患者の洞察を深めること．
- 患者が治療者とどのように関わるかを手掛かりに，患者の過去や現在の関係性に関する患者の困難を理解する．面接開始以前から(例：予約のとり方，面接室入室前の様子など)，転移と逆転移は動き始める．

●森田療法

◆基本概念

- 森田療法は，森田正馬(まさたけ)によって創始された神経症に対する精神療法．近年は慢性うつ病や心身症などにも広く応用されている．
- 「とらわれの機制」と呼ばれる心理的メカニズムを想定している．
- 「とらわれの機制」には「精神交互作用」「思想の矛盾」が含まれる．
- **精神交互作用**：例)偶然に起きた動悸に対して，神経質傾向の人は強い不安を覚えて心臓に注意を集中し，その結果ますます感覚が鋭敏になり，さらに不安がつのって一層の動悸がもたらされる．
- **思想の矛盾**：例)感情や身体感覚を「こうあるべき」「こうあって

はならない」という思想でコントロールしようとすることから不可能を可能にしようとする葛藤が生じる．

◇治療の進め方

- ▶症状へのとらわれから脱して「あるがまま」の心の姿勢を獲得できるよう援助する．
- ▶「あるがまま」の姿勢とは，不安や症状を排除しようとする行動や心のやりくり「はからい」をやめ，そのままにしておく態度を養うことである．さらに，不安の裏にある，よりよく生きていきたいという欲望(生の欲望)を建設的な行動として発揮していく．
- ▶こうした行動を通して，自分を受け入れ自分らしい生き方を実現することが森田療法の最終的な目標となる．
- ▶森田療法は，当初，入院治療が基本であったが，今日では，入院・外来・自助グループ，というような多様な形態で行われている．

●内観療法

◇基本概念

- ▶内観療法は，1940 年代に吉本伊信(いしん)が「身調べ」という浄土真宗の修行法をもとに開発した自己洞察法「内観」を 1960 年代から医療へ応用した治療法である．
- ▶症状や問題行動に敢えて焦点をあてず(症状不問)，患者の固定化した視点を転換させることにより治療効果を生み，治療の結果，認知が修正され，精神・身体症状の改善のみならず行動や生活・生き方が変わる点が特徴である．
- ▶近年，自然と対立する西洋的な二元論の限界が問われるようになり，東洋の知恵として改めて注目が集まっている．

◇治療の進め方

- ▶内観研修所に 1 週間宿泊する「集中内観」を基本とする．
- ▶内観者は，和室を屏風で区切った四隅にこもり，これまで自分に関わりの深かった人たち(母，父，配偶者，兄弟・姉妹，恩師・先輩・後輩など)に対し，過去の自分の言動を，内観 3 項目(①してもらったこと，②して返せたこと，③ご迷惑かけたこと)に基づき 3〜5 年ごとに省みる作業を行う．
- ▶1〜2 時間ごとに面接者が訪れ，その時間に調べた内容を 3〜5

分間の面接により検証する．

- 1 週間の「集中内観」を終えた後は，日常生活へ戻るが，「日常内観」として自主的に「内観」を行うことが勧められる．

●精神療法のトレーニング

- 自ら実践する機会は少なくても，他職種と連携して診療にあたる上で，精神療法の概略は理解しておくことが望ましい．
- 1 回でも構造化した精神療法を経験すると，一般診療にも技法を応用しやすくなる．
- CBT は，厚生労働省が研修を提供している．

5 治療

［Further Reading］

- Winston A, Rosenthal RN, Pinsker H（著），大野　裕，堀越　勝，中野有美（監訳）：動画で学ぶ　支持的精神療法入門．医学書院，2015
- ジュディス・S・ベック（著），伊藤絵美，神村栄一，藤澤大介（訳）：認知行動療法実践ガイド—基礎から応用まで，第 2 版．星和書店，2015
- グレン・O・ギャバード（著），狩野力八郎（監訳），池田暁史（訳）：精神力動的精神療法　基本テキスト．岩崎学術出版社，2012
- 北西憲二：はじめての森田療法．講談社，2016
- 長山恵一，清水康弘：内観法　実践の仕組みと理論．日本評論社，2006

（藤澤大介，白波瀬丈一郎）

薬物療法

Psychopharmacotherapy

point

- 薬物療法は，精神療法・作業療法・デイケアなど様々な治療と組み合わせることで，薬の本来の効果を十分に発揮させ，患者の自己治癒能力を賦活するように心掛ける必要がある．
- 薬物療法は，不適切な使用により症状の改善の妨げになることもあり，副作用を慎重に観察する必要がある．

● 薬物療法を用いる際の注意点

▶ 処方する前に，薬を使わない治療法がないか考える．薬物療法を必要としない疾患は多い．医師が“薬物療法依存”に陥る危険性がある．

▶ 必要量を単剤投与．多くの場合，単剤投与で治療可能．多剤投与は絶対悪ではないが，いかなるときも正当な理由があるべき．

▶ 焦らずに待つ．向精神薬は十分な効果発現に時間がかかることが少なくない．ほかの治療スタッフともこの立場を共有すべき．

▶ いかなる副作用も起こりうる．どんな奇妙な症状でも副作用を鑑別診断に入れる．

▶ 患者の背景を考える．身体疾患，既往，体型，年齢などを考慮．

▶ 薬物が効かない場合は，深追いせずに，診断を見直すことも大切．

▶ 多面的に患者に関する情報を集める．他職種の治療スタッフや家族からも情報を集める．

▶ 治療の明確なゴールを設定し，ダラダラと治療しない．効かない薬は見切りをつける．

▶ 脳と心の両方を見る．薬物療法は脳を介して心に働きかけるものでもある．

▶ 薬物療法の必要性を患者に丁寧に説明する．副作用も適切に説明する．

● 副作用の分類

▶ 向精神薬の副作用は，①その薬物が本来標的としている臓器(つまり脳)とは違う場所で作用してしまう“迷子型”，②脳にはたどり着いたが標的としていない受容体に作用してしまう“勘違い型”，③生体側の拒絶によるアレルギー反応という“自傷他害型”，の3つのタイプに分けられる．

- “迷子型”の代表格は便秘，口渇などの消化器症状．首から下の副作用は多くの場合この型に分類できる．
- “勘違い型”では意識障害，眠気，認知機能障害をはじめ，幻覚・妄想，抑うつなど，すべての精神活動において副作用が現れうる．
- “自傷他害型”では肝機能障害，皮膚障害などが例として挙げられる．致死的な場合も少なくないため，十分な注意が必要である．
- 副作用の出方には個人差がある．これは，薬物動態学(pharmacokinetics)，薬力学(pharmacodynamics)にのっとり，向精神薬がどのように体内で振る舞うかを考えると理解しやすい．
- 副作用を減らすためにも，必要最小限の数・量で治療を進める必要がある．
- 想定される副作用を前もって適度に説明しておくことによって，患者は心の準備ができるため，服薬の遵守は高まる．
- 心電図や採血などの数値に基づく検査はもちろん重要であるが，問診，視診，触診などを通じて実際の症状を正確に把握して副作用のチェックを行う．

●抗うつ薬

- 主要なものに，選択的セロトニン再取り込み阻害薬(selective serotonin reuptake inhibitor：SSRI)，セロトニン・ノルアドレナリン再取り込み阻害薬(serotonin noradrenaline reuptake inhibitor：SNRI)，三環系抗うつ薬，四環系抗うつ薬などがある．
- SSRIには以下のものがある．
  ①セルトラリン(ジェイゾロフト®)
  ②エスシタロプラム(レクサプロ®)
  ③パロキセチン(パキシル®)
  ④フルボキサミン(ルボックス®，デプロメール®)
- SNRIには以下のものがある．

①デュロキセチン(サインバルタ®)
②ベンラファキシン(イフェクサーSR®)
③ミルナシプラン(トレドミン®)

- そのほかには，ミルタザピン(リフレックス®，レメロン®)，ボルチオキセチン(トリンテリックス®)がある．
- うつ病治療では，副作用が比較的少ないSSRI，SNRI，ミルタザピン(リフレックス®，レメロン®)，ボルチオキセチン(トリンテリックス®)などが第一選択薬となる．
- 不安症にも使用される．
- 投与初期に，不安，焦燥，衝動性，不眠などを特徴とする，アクチベーション症候群を引き起こすことがある．自傷行為に至ることもあり，疑わしい場合は当該薬剤を中止するのが望ましい．
- 効果が最も強いのは三環系抗うつ薬であるが，副作用が多く，過量服薬により致死性の心室性不整脈が生じる危険性があるため，使用する際には注意を要する．
- 最初の効果判定には，治療用量到達後，少なくとも2週間をかけることが望ましい．

抗精神病薬

- 定型抗精神病薬，非定型抗精神病薬に分類されることが多い．
- 非定型抗精神病薬の従来の定義は，「錐体外路症状を惹起しにくい抗精神病薬」である．
- すべての抗精神病薬の抗精神病作用は，ドパミン神経系の遮断・減弱作用を共通の作用機序として有する．
- 非定型抗精神病薬は定型抗精神病薬に比べ運動系副作用は少ないが，リスペリドン(リスパダール®)などはホルモン系副作用，オランザピン(ジプレキサ®)やクエチアピン(セロクエル®)などは代謝系副作用を起こすことがある．
- クロザピン(クロザリル®)は，治療抵抗性(複数の抗精神病薬が無効)の統合失調症に対する適応を唯一有する抗精神病薬．クロザピンは，無顆粒球症などの副作用を起こすことがあり，頻回のモニタリングが必要なため，指定の医療機関でのみ使用可能．
- 統合失調症に対する薬物治療の第一選択薬として，非定型抗精神病薬を推奨する治療ガイドラインは多いが，副作用の評価を十分に行う必要がある.

- 悪性症候群は，抗精神病薬の投与により引き起こされる重篤の副作用で，高熱，発汗，筋固縮，意識障害，腎不全などに特徴づけられる．疑わしい場合は，被疑薬を中止し，十分な補液とともに，必要に応じてダントロレン(ダントリウム®)を投与.
- 抗精神病薬の多剤併用治療が蔓延しているが，むしろ症状の悪化を招くこともある．用量と治療効果の関係は完全に証明されていないが，効果が不十分な場合，副作用が出ない限り単剤で十分な量まで増量することが望ましい.
- 統合失調症だけでなく，双極性障害，重症うつ病にも使用される.
- 持効性注射剤(デポ剤)は，患者の服薬アドヒアランスを高める上で重要であり，本薬剤による再発率は低い．単に服薬アドヒアランスの不良な患者に投与するだけではなく，社会復帰を目指している，もしくは社会復帰した患者を，服薬の煩わしさから解放するという長所もある.

5 治療

●気分安定薬

- 双極性障害だけでなく，抗うつ薬の効果が不十分なうつ病，気分症状を呈する統合失調症などに使用されることもある.
- 炭酸リチウム(リーマス®)，バルプロ酸(デパケン®)，ラモトリギン(ラミクタール®)，カルバマゼピン(テグレトール®)，ルラシドン(ラツーダ®)などがある.
- 最も効果が検証されて，かつ有効な薬剤は炭酸リチウムである.
- リチウムは，高濃度で中毒症状を起こすことがあり，用量調整中は週に1回，維持期は2～3カ月に1回，血中濃度を測定する(▶p182).
- リチウムは非ステロイド性抗炎症薬(NSAIDs)との併用で，腎排泄が阻害され，血中濃度が上昇することがあるため，基本的にはNSAIDsは炭酸リチウムと併用しない．どうしても必要な場合には，リチウムの血中濃度を比較的上昇させないとされるアセトアミノフェンを使用する.
- リチウム中毒の初期症状(悪心，嘔吐，傾眠，振戦など)を認めた際は，血中濃度測定の結果を待たずに，リチウム中毒を想定して迅速に対応(補液と利尿，人工透析)する．ただし，ループ利尿薬，サイアザイド系利尿降圧薬は，リチウムの腎排泄を阻害するので使用しない．
- ラモトリギンは，急速に増量すると重篤な皮膚障害を引き起こすことがあり，添付文書に記載された通り，慎重に増量する．

抗不安薬

- 使用する前に，薬物療法が必要な不安症状か検討．話を傾聴することにより軽減する不安も多い．
- 短時間，中時間，長時間作用型に大別される．
- ベンゾジアゼピン系抗不安薬は，ふらつき，健忘，依存，転倒など様々な副作用が起こりうるので，副作用を十分に観察する必要がある．
- ベンゾジアゼピン系抗不安薬は，重症筋無力症，急性狭隅角緑内障に対して禁忌．
- ロラゼパム(ワイパックス®)は，肝臓のシトクロムP450による代謝を受けず，肝機能障害の際にも比較的使用しやすい．
- 半減期の短い薬剤は頓用に適しているが，依存を形成しやすいとされている．
- 副作用を考慮して，症状が安定した場合，減量や中止を常に考慮する．
- ベンゾジアゼピン系抗不安薬の減量や中止は患者が抵抗感を示すことが少なくないが，副作用の軽減など，そのメリットを丁寧に説明することが大切．
- ベンゾジアゼピン系抗不安薬以外にも，セロトニン$_{1A}$受容体部分作動薬であるタンドスピロン(セディール®)も使用可能．重症筋無力症，急性狭隅角緑内障に対して禁忌ではない．

睡眠薬

- 使用する前に，生活習慣を十分に聴取し，生活指導を行う．それにより改善する不眠も多い．
- 超短時間，短時間，中時間，長時間作用型に大別される．
- 就寝直前ではなく，30～60分前に服用するよう促す．
- 副作用が強まるため，アルコールとの併用を避けるよう指導．
- 長時間作用型は翌日の持ち越し効果が強い．
- ベンゾジアゼピン系睡眠薬は，ふらつき，健忘，依存，転倒など様々な副作用が起こりうるので，副作用を十分に観察する必要がある．

- 短時間作用型のロルメタゼパム(エバミール®，ロラメット®)は，肝臓のシトクロムP450による代謝を受けないため，肝機能障害の際にも比較的使用しやすい．
- ベンゾジアゼピン系睡眠薬は，副作用を考慮して，症状が安定した場合，減量や中止を常に考慮する．
- 睡眠薬の減量や中止は患者が抵抗感を示すことが少なくないが，副作用の軽減など，そのメリットを丁寧に説明することが大切．
- ベンゾジアゼピン系睡眠薬・非ベンゾジアゼピン系睡眠薬は，重症筋無力症，急性狭隅角緑内障に対して禁忌．
- メラトニン受容体作動薬であるラメルテオン(ロゼレム®)は，ベンゾジアゼピン系睡眠薬にみられる，ふらつき，健忘，依存などの副作用は少ない．
- オレキシン受容体拮抗薬であるスボレキサント(ベルソムラ®)，レンボレキサント(デエビゴ®)は，ベンゾジアゼピン系睡眠薬にみられる，ふらつき，健忘，依存などの副作用は少ない．一方で，悪夢などの副作用が生じることがある．

●特殊な患者群への薬物療法

◆肝機能・腎機能障害

- できる限り少ない用量を用いる．添付文書に記載されている最小用量より少ない量から開始するのが望ましい．
- できる限り少ない種類の薬剤を用いる．
- できる限り緩徐に増量．
- 肝機能障害がある場合，肝臓のシトクロムP450による代謝を受けない薬剤が好ましい．

◆妊娠中

- 妊娠初期には，リスクよりベネフィットが上回らない限り，薬剤を中止．
- 薬物療法が必要な場合は，既知の危険性が少ない薬剤を，できる限り少ない量で必要な期間のみ投与．
- 本人だけでなく，可能な限り家族も交えて方針を決定する．

◆授乳期

- 薬剤の母乳への移行は薬剤間の差が大きく，最新のデータを確認する．
- 本人および家族が母乳哺育を希望する場合，本人および子のリスクとベネフィットを慎重に考慮する．
- 薬剤服用中に母乳哺育をする場合は，母乳中の薬物濃度が低くなる時間帯に搾乳したものを飲ませる方法もある．あらかじめ産科や薬剤師にコンサルトして，十分に議論する．

◆高齢者

- できる限り少ない用量を用いる．添付文書に記載されている最小用量より少ない量から開始するのが望ましい．
- できる限り少ない種類の薬剤を用いる．
- できる限り緩徐に増量．
- 抗コリン作用，鎮静作用の強い薬剤の使用はできる限り控える．
- 認知機能低下を認める際は，服用方法，薬剤管理方法を家族にも説明する．

［Further Reading］

- Taylor DM, Barnes TRE, Young AH(著)，内田裕之，鈴木健文，三村　將(監訳)：モーズレイ処方ガイドライン　第13版　日本語版．ワイリー・パブリッシング・ジャパン，2019
- 日本臨床精神神経薬理学会専門医制度委員会(編)：専門医のための臨床精神神経薬理学テキスト．星和書店，2021
- 林　昌洋，佐藤孝道，北川浩明(編)：実践　妊娠と薬，第2版．じほう，2010
- Neuroscience-based Nomenclature(NbN)Taskforce：NbN-2., 2021 https://nbn2r.com/

（内田裕之）

精神科リハビリテーション

Psychiatric Rehabilitation

point

- 精神疾患(特に統合失調症)では，回復期においても症状と後遺障害が併存する．
- 精神科リハビリテーションの目標は，「自分らしさ」を回復し，再発を予防することである．
- 精神科リハビリテーションや社会資源を用い，どのような障害に対しどのような介入・支援ができるのかを理解し，看護師(Ns)，作業療法士(OT)，精神保健福祉士(PSW)，臨床心理士(CP)/公認心理師(CPP)など多職種と協働して適切な介入・支援を行う．

5 治療

精神障害と精神科リハビリテーション

- 統合失調症では，適切な薬物療法が行われても残存症状や後遺障害により，下記のような生活障害と呼ばれる社会生活上の困難が残ることがある．
- **生活障害**：人づきあい・気配りなどの社会生活技能，調理などの作業遂行能力，安定性や持続性，動機づけの乏しさなど．
- 生活障害を改善して「自分らしさ」を回復し，再発を予防することが，精神科リハビリテーションの目標である．

生活機能(障害)の分類と精神科リハビリテーション(図5-1)

- WHOの国際生活機能分類(International Classification of Functioning：ICF)では，健康状態(障害)を①機能障害，②活動制限(生活障害)，③参加制約(社会障害)に分類し，背景因子として環境因子と個人因子を挙げている．
- 障害に対してはリハビリテーション，環境因子に対してはノーマライゼーション[※1]，個人因子に対してはエンパワメント[※2]というアプローチがある．

※1 ノーマライゼーション：ソーシャルインクルージョン(社会的包摂)ともいう．障害者にもできるだけ一般健常者に近い生活(住居，雇用，教育)を保障する．

※2 エンパワメント：当事者の病理性よりもストレングス(強み)に注目し，当事者の自己決定を重視し，治療にも能動的に参画するように促す．

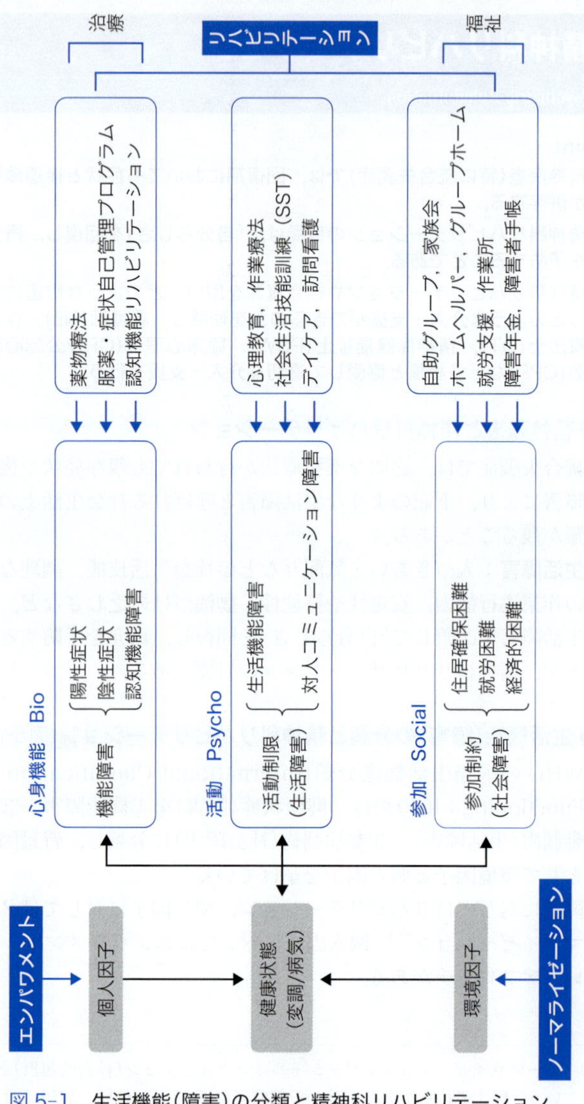

図 5-1　生活機能(障害)の分類と精神科リハビリテーション

▶ 精神障害の理解と介入・支援には心身機能，活動，参加と多岐にわたる多元的な視点が必要である．

● 精神科リハビリテーション・社会資源の種類

◆ 退院支援と包括的地域ケア

▶ わが国では，人口当たりの精神科病床数が多く，精神症状は消退しているにもかかわらず，社会や家族の受け入れが整わないためやむなく入院を継続している社会的入院や長期入院が多いと指摘されてきた．

▶ 近年，ノーマライゼーションの理念に基づき，退院促進が求められている．

▶ その方法として，統合型地域精神科治療プログラム(optimal treatment project：OTP)や包括型地域生活支援プログラム(assertive community treatment：ACT)がある．

▶ OTP では，多職種チームが継続的に評価し，心理教育，ストレスマネジメント，認知行動療法(CBT)，訪問サービス，就労支援，早期介入などの治療プログラムを行う．

▶ ACT では，多職種チーム(スタッフ 1 人に利用者 10 人まで)が利用者の生活の場に積極的に訪問し，必要な保健，医療，福祉サービスを柔軟に提供(無期限に 365 日 24 時間対応)．

▶ 国は，高齢化と認知症増加に対応すべく進めてきた包括的地域ケアシステムに，精神疾患への対応も含めた「精神障害にも対応した地域包括ケアシステム」の構築を掲げている．

◆ 心理教育

▶ 精神疾患の再発予防を目的に，家族を治療協力者に位置づけ，疾病理解や知識を増やすことで家族の負担を軽減するとともに，感情表出※3などの家族の不適切な対応を改善する援助．

▶ 内容は次のようなものがある．

▶ 疾患・治療法(治療薬の薬理作用，副作用)に関する正しい知識の提供．

▶ 脆弱性-ストレスモデル※4を用いた理解．

※3 感情表出(expressed emotion：EE)：過干渉で患者の言動を非難したり，感情的に巻き込まれるような同居家族との接触時間が長いと，統合失調症の再発率が高い．

5 治療

▶症状への対処スキル・対人コミュニケーションスキル・問題解決技法の向上.
▶早期警告サイン(再発の前駆症状)の共有とストレスを最小化するための早期介入，社会資源に関する情報提供.

◆社会生活技能訓練

▶社会生活技能訓練(social skill training：SST)は，日常生活に必要な対人コミュニケーションスキル，対処スキル，精神障害の自己管理スキルの獲得を促す援助プログラム．参加者は8名前後，治療者は2名で行う.
▶場面を想定して実際に演じるロールプレイング，スタッフや他の参加者の手本を見て学ぶモデリング，「ほめて伸ばす」正のフィードバックなど，学習理論に基づく治療技法を集めた学習パッケージ.

◆デイケア

▶病状が不安定であったり生活障害のため社会参加できていなかったりする在宅の精神障害者に対し，週に数日，1日6時間，治療的に構成された集団活動の場と食事を提供するのがデイケア(ショートケアは1日3時間，ナイトケアは夕方からの4時間，デイナイトケアは1日10時間).
▶活動プログラムとして，スポーツ，レクリエーション(カラオケ，遠足など)，作業療法(手芸，園芸，料理など)，SST，ミーティング(集団療法)，心理教育などを行う.

◆訪問看護

▶精神症状は地域生活が可能な程度に改善しているが，家族などの支援が得られず，食事・金銭管理などの日常生活課題や，通院・服薬の継続に援助が必要な患者に対して行うアウトリーチサービス.
▶診療報酬上，週3回まで可能(退院後3カ月以内は週5回まで可能)．長期入院患者の退院準備に退院前訪問指導を行うこともある.

※4 脆弱性–ストレスモデル：社会認知・情動認知の障害などからなる元来の発症脆弱性に心理社会的ストレスが加わり，本人の対処能力を超えたときに精神病症状が出現するとする病態モデル．脆弱性については薬物治療が，ストレスには対処法の習得が有効.

◆ホームヘルパー

- 精神疾患により通院中で，障害者総合支援法(▶p304)の障害支援区分 1〜6 と認定された人に，市区町村がホームヘルパーを派遣し，家事(炊事，掃除，買物，服薬など)を援助(介護給付).

◆グループホーム

- 退院後の居住先がない人，一人暮らしに不安のある人が，世話人の援助(食事などの介護，服薬指導，金銭管理)を受けながら 2〜10 人で共同生活する．利用料の 1 割は自己負担，家賃と食費は自己負担.

◆就労支援

- デイケアを終了した人や，社会適応能力は比較的高いが一般就労が困難な人が対象.
- 障害者総合支援法(▶p304)では，一般就労を目指す就労移行支援と，一般就労が困難な人に働く場を提供して訓練する就労継続支援がある.
- 就労継続支援はさらに A 型(事業所に雇用されて最低賃金程度の給料)と B 型(雇用契約はせず少額の工賃)に分かれる.
- 障害者雇用(精神障害者保健福祉手帳が必要)を活用すると就労のチャンスが広がる.

◆リワークプログラム

- 精神障害(主にうつ病)により長期休業している人を復職させ，再発を防ぐためのプログラム.
- 週 4〜6 回，オフィスワークを想定した読み書き，パソコン作業，体操，リラクゼーション，再発予防のための心理教育などのプログラムを行う.

◆早期介入

- 明らかな精神病症状が出現してから精神科治療が始まるまでの期間を精神病未治療期間(duration of untreated psychosis：DUP)と呼ぶ.
- DUP は各国で平均 1 年程度といわれ，回復や予後の改善のため DUP の短縮が課題.
- DUP 短縮には，精神疾患の正しい知識の普及啓発とアンチ・スティグマ(差別偏見をなくす)キャンペーン，学校・職場のメンタルヘルスやプライマリケア担当者への専門家教育，精神科医療サービスへのアクセスを容易にする工夫などが必要.

◇自助グループ

▶依存症などからの回復を目指す当事者グループとして，アルコール依存(AA，断酒会)，薬物依存(ダルク，NA)，ギャンブル依存(GA)，摂食障害(OA)，虐待，不安症(生活の発見会)などのグループがある(▶p224，227).

◇家族会

▶精神疾患をもつ当事者の家族が開いている集まり．互いに悩みを相談する，病気や社会資源について学習する，制度改善につき関係機関に働きかけるといった活動も行う．全国規模としては全国精神保健福祉会連合会(みんなねっと)がある．

(新村秀人)

電気けいれん療法

Electroconvulsive Therapy (ECT)

point

- 電気けいれん療法(ECT)に，絶対的禁忌はない．ECT が有効な精神疾患は多く，実施判断は「診断」だけでなく臨床的に推奨される「状況」の把握が重要．
- 迅速で確実な改善を要する状況では ECT が第一選択の治療となりうる．
- 有効性と副作用のバランスを考えた施行法(電極配置や治療頻度)を個別に検討する．

5 治療

ECT とは

▶ ECT とは，頭部への電気刺激で脳に発作活動を誘発し，様々な生物学的効果を介して臨床症状の改善を得る治療法．

▶ 麻酔学の発展により，骨折などを避けるための筋弛緩薬を使用し，それに伴う不安を軽減するための静脈麻酔薬を併用するようになっている．現在は全身麻酔下で行う．

ECT の導入判断(状況と適応)

▶ ECT の導入に際しては「診断」だけでなく，臨床的に推奨される「状況」(①迅速で確実な改善を要する場合，②その他)の把握が重要．

▶ ①は他の治療に先立ちECTが第一選択として考慮される．具体的な状況は，自殺の危険が高い，拒食・低栄養・脱水などによる身体状態の不良，昏迷，激越など．

▶ ②は，薬物療法で改善しない，有害事象で薬物療法を継続できない，相対的な安全性が他の治療より高いと判断される(高齢，妊娠など)，過去の治療歴から他の治療よりも ECT で良好な反応が期待される，患者自身の希望など．

▶ ECT が有効な精神疾患は，うつ病，双極性障害(うつ状態，躁状態)，統合失調症など幅広い．緊張病に対して ECT は非常に有効．

▶ ECT はパーキンソン病(運動症状と精神症状)，悪性症候群，難治性てんかん，慢性疼痛などにも有効．

▸ うつ病において，高齢，精神病症状，短いエピソードの３つは良好な治療反応予測因子．ただしこれらの特徴がない症例にも高い有効性が期待できる．

● リスク

▸ 絶対的禁忌はない．
▸ ECT の実施に伴う死亡は 10 万件に２件程度と非常に少ない．
▸ 急性期を経たばかりの心血管疾患や脳血管障害，リスクの高い動脈瘤や血管奇形，頭蓋内圧亢進をもたらす脳占拠性病変，重度の呼吸器疾患のある症例は注意を要する．
▸ 重篤な有害事象は心血管系合併症．循環動態の急激な変動を抑える薬剤の使用，アトロピンの使用の判断などは麻酔科医と相談し個別に検討する．
▸ ECT による認知機能障害は一過性で ECT 終了２週以内に改善．逆向健忘は数カ月で改善．認知機能障害の程度は治療手技の工夫で低減可能．
▸ 頻度の高い頭痛，筋肉痛，悪心が自然軽快しない場合は適切な内服薬で対処可能．
▸ 発作後せん妄が著しく，拘束や鎮静を要することが続く場合には，治療頻度を減らす，電極配置を変更する，内服薬の見直しをするなどで対処．

● 実施におけるコツと注意点（内服薬の整理）

▸ 発作閾値を上昇させるベンゾジアゼピン系薬剤，気分安定薬の内服は ECT 開始前に極力中止するが，てんかんに対する処方の場合は継続という選択肢もありうる．炭酸リチウムは ECT 前日はスキップか中止する．抗うつ薬，抗精神病薬は継続可能．
▸ 頓服指示は抗うつ薬，抗精神病薬，発作閾値を上げない睡眠薬から選択．

● 実施におけるコツと注意点（治療手技と治療コース）

▸ ECT の有効性と副作用は治療手技に大きく影響される．
▸ 電極配置は BT（Bitemporal），BF（Bifrontal），RUL（Right Unilateral）がある（図 5-2）．
▸ 迅速で確実な効果発現を要する症例には，年齢の 1/2 の値の刺

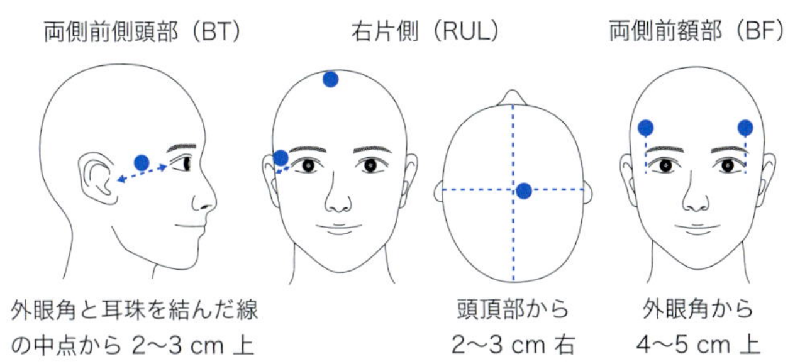

図 5-2　電極配置

激出力(%)による BT/BF.

- それ以外の状況や認知機能障害発現リスクを極力抑えたい症例には RUL.
- RUL では初回に発作閾値を測定し，2 回目からは発作閾値の 2.5〜6 倍の刺激量で刺激．6 回目までに改善が乏しい場合は BT/BF に変更.
- ECT 施行時は発作誘発の有無だけでなく，「適切な発作」が誘発されたかどうかの評価が重要.
- 「適切な発作」は，①規則的で対称性の高振幅棘徐波が，②少なくとも脳波上 20 秒続き，③発作後抑制良好で，④交感神経の反応がみられる.
- すべてを満たす必要はないが，いずれも認めない場合は不適切な発作で，刺激量を上げる必要あり.
- 発作不発/不適切な発作時は同一セッションで 1.5 倍程度刺激量を上げて再刺激．遅れて発作が出る可能性/発作不応期に配慮して，30〜60 秒換気してから行う.
- 通常は筋弛緩薬が十分に効いたタイミングで刺激する．適切な発作が誘発されにくい場合は麻酔科医に過換気を依頼しながら刺激のタイミングを遅らせる.
- 発作時間は長ければ長いほうがよいわけではない．180 秒以上になりそうなときは麻酔薬やベンゾジアゼピン系薬剤の静脈内投与で発作を止める.
- 急性期 ECT の 1 コース内のセッション頻度は週 2〜3 回．総回数は治療反応性(通常は改善がプラトーに達するまで)と有害事象の程度で臨床的に決定.

- 治療コース終了後に再燃・再発を繰り返す症例には維持ECTとしてセッション間隔を延ばしていく方法をとる. 寛解維持が目的なので症状がない時期に行う.
- 必要な維持ECTの間隔は1〜8週に1回と症例により異なる.

[Further Reading]

1) 本橋伸高, 粟田主一, 一瀬邦弘, 他：電気けいれん療法(ECT)推奨事項 改訂版. 精神経誌 115：586-600, 2013

2) Kellner CH, Obbels J, Sienaert P：When to consider electroconvulsive therapy(ECT). Acta Psychiatr Scand 141：304-315, 2020

(髙宮彰紘)

経頭蓋磁気刺激療法

Transcranial Magnetic Stimulation (TMS)

5 治療

point

- TMS 療法を導入する際には，適用があるかを判断するために，問診と検査による適切な診断を行うことが重要である．
- TMS 療法の禁忌がないかについても詳細に確認する．
- TMS 療法中は副作用の発現に注意し，定期的な評価を行う．
- TMS 療法が奏効しない場合には治療法だけでなく診断も見直す．

TMS の特徴

▶ TMS 療法は抗うつ薬治療によって症状が改善しない薬物治療抵抗性うつ病に対して行う，非侵襲的な物理的治療法．

▶ TMS 療法はうつ病に関わる脳部位をダイレクトに刺激し，神経調節を行う医療技術．

▶ TMS 療法は標的とした脳部位を局所的に刺激するため，薬物療法のような全身性の副作用は皆無．

治療のポイント

◆治療原則

▶ 他の治療技法と同様，TMS 療法の適用を専門的に判断し，患者に十分説明し，治療計画を立てた上で治療を開始する．

▶ 急性期 TMS 療法の治療目標の 1 つは症状の軽快・寛解であり，そのための定期的な評価と患者へのフィードバックが重要である．

◆TMS 療法

▶ TMS 療法導入時に個々の患者に適した TMS 刺激部位(背外側前頭前野)の同定を行い，最適な刺激強度の設定を行う．

▶ 初回治療は 100%安静運動閾値から開始し，その後 2〜3 日かけて 120%安静運動閾値まで刺激強度を上げていく．

▶ 保険承認を受けている TMS 療法プロトコルでは，左背外側前頭前野をターゲットに，10 Hz-4 秒 On，26 秒 Off を 1 トレイン/サイクルとして，計 75 トレイン/セッション(計 3,000 パルス)を実施する．

▶ 臨床評価は開始前，中間，最終の 3 時点で実施するのが基本であるが，中間評価時点でTMS療法の効果を全く認めない場合には，中止を検討する必要がある．

- 逆に一定の効果を認めている場合にはそのまま計30セッションまで治療を継続する．
- TMS療法中は，けいれん誘発発作などの有害事象発現の有無を毎回モニターして確認する．

◇重症度別の治療指針

- **軽症**：心理教育や心理療法が基本であり，この段階ではTMS療法の積極的な適用にはならない．
- **中等症〜重症**：この段階では抗うつ薬による薬物療法を行うことが多いが，十分量十分期間経過をみても治療反応が得られない場合には，TMS療法を積極的に検討する．また抗うつ薬に対する忍容性の問題で薬物治療低耐性を示す場合にもTMS療法を検討する価値がある．TMS療法と薬物療法の併用に関しては，併用したほうが治療効果は上がりやすい．ただし，抗不安薬をはじめとしたベンゾジアゼピン系薬剤の使用はTMS療法の効果を下げる可能性があるため，できる限り低減することが望ましい．
- **精神病性うつ病**：三環系抗うつ薬の使用や第二世代抗精神病薬の併用を検討する．この段階ではTMS療法の適用は原則ないと考えるべきである．自殺の危険性など生命危機が切迫している場合はECTを第一選択とする．

●患者・家族への説明

- TMS療法は，18歳以上の治療抵抗性うつ病に対する治療選択肢であり，そのうちの約4〜5割に有効性を示す治療法であるが，TMS療法が無効なケースがある旨もあらかじめ説明する必要がある．
- TMS療法はうつ症状の改善を目的に実施する治療法であり，その他の病状に対する適用や効果は原則ない旨を説明する．

（野田賀大）

第6章

主要症候，主訴

意識障害—せん妄，アメンチア

Consciousness Disturbance/Delirium, Amentia

point

- せん妄は，夜間を中心に意識状態，注意の覚醒度，認知機能が急激に低下し，それに伴う陽性症状として幻覚や妄想が出現することを指す．
- 背景にある身体疾患，脳器質性疾患，薬物，身体拘束，環境因子，睡眠障害，精神的ストレスなどを把握することが大事．
- 向精神薬を投与する場合は投与量を最小限にすることに努め，せん妄予防に日中の活動性を高め，身体的に可能な範囲でリハビリテーションを進めることが重要．

症候の特徴

- ▶せん妄は，夜間を中心に急激な意識レベルの低下，注意の覚醒度の低下，認知機能の低下，それに伴う陽性症状として幻覚や妄想が出現することを指す．
- ▶認知症の認知機能の低下は持続的であるのに対して，せん妄は症状が動揺して日内変動がみられ，症状の可塑性を認める．
- ▶身体疾患の治療の妨げになり，不穏が著しい場合は医療スタッフが危害を受けることもありうる．

症状の診かた

- ▶せん妄の原因は直接因子，誘発因子，準備因子に分けて検討するとわかりやすい．
- ▶直接因子は身体疾患，超短期型ベンゾジアゼピン系薬剤やアルコールなどの物質使用．
- ▶誘発因子は身体拘束，感覚遮断などの環境因子，睡眠障害，精神的ストレスなど．
- ▶準備因子は神経変性疾患や脳血管障害の既往など脳器質面の既往歴．症例ごとに原因が異なり，細かく診ることが必要．
- ▶発生率は一般病院の入院患者の10～15%とされ，加齢に従い増加する．上記の準備因子である脳器質面の既往歴を多くの例に認める．入院前は認知症が顕在化していなかった場合も，入院後にせん妄が出現することがある．また，大手術後，がんの末期，ICUやCCUといった環境ではせん妄が起こりやすい．

▸せん妄出現時には新たな身体疾患が出現している可能性があり，常に背景にある身体疾患の存在を意識することが必要.
▸アメンチアは，せん妄と比較して意識障害の程度が弱く，幻覚や妄想といった陽性症状に乏しいが，ぼんやりとした表情で会話や行動にまとまりがなく，自分はどこかおかしいと患者自身が困惑する特有の病像を示す.

●初期対応のポイント

▸原因となる新たな身体疾患が出現していないかを診る.
▸1例ごとの身体機能や興奮の程度を見極めて対応する．身体機能から抗精神病薬やベンゾジアゼピン系薬剤などの向精神薬の投与によってどれだけの副作用が見込まれるか，内服は可能であるのか，家族の付き添いを頼むことは可能であるのかなど評価を行う.
▸緊急性が高い場合はハロペリドールの点滴静注，オランザピンの筋注や口腔内崩壊錠の経口投与，リスペリドンの経口投与などの抗精神病薬の投与やフルニトラゼパムなどのベンゾジアゼピン系薬剤による催眠が選択肢となるが，あくまでも対症療法であることを肝に銘じることが重要.
▸投与量は通常の用法用量の1/2や1/4など可能な限り最小限にすべき.
▸これらの向精神薬によって意識障害を悪化させ，ひいてはせん妄も悪化するといった悪循環に陥ることが少なくない．経口投与が可能であれば，ミアンセリンの投与が一法である.
▸向精神薬の副作用には十分に注意すべき．他科から診察を依頼されたにもかかわらず，精神科の薬物治療によって誤嚥性肺炎，痰詰まり，麻痺性イレウス，不整脈，呼吸抑制などの副作用を起こすことが少なくない.
▸投与後は，できる限り酸素飽和度モニターや心電図モニターでの管理が望ましい．ベンゾジアゼピン系薬剤の点滴静注は，入眠を確認したら滴下を止める形が望ましい．呼吸抑制が出現した場合は酸素投与，バッグバルブマスクでの補助呼吸，舌根沈下が認められれば経鼻エアウェイを行う.
▸アルコール離脱せん妄に代表される著しい不穏によりスタッフに危害が加えられるおそれがある場合は，十分な鎮静が必要.

その後の対応

- せん妄の症状や治療に関する説明を家族に行うことは大切．家族が来院するとせん妄による興奮が軽減することがある．向精神薬による副作用も家族に伝えておくことが望ましい．
- 身体拘束は，ICU 管理など身体疾患が重度の場合は必要となることが多いが，ある程度身体機能が落ち着いた際に身体拘束が逆に興奮状態を惹起させている場合もある．
- 疼痛がせん妄の興奮の背景となっていることもあり，その場合は疼痛コントロールが必要．
- 精神科が主治医ではない場合は他科の意向を尊重することが基本ではあるが，時には不必要な尿道バルーンカテーテルや点滴や胃チューブの管理によって興奮が生じていることもある．
- 睡眠と覚醒のリズムをつけるため身体的に可能な範囲で日中のリハビリテーションを進めるとせん妄の改善につながりやすい．
- 自宅などに退院すると多くの例でせん妄は改善する．回復期リハビリテーション病棟や精神科病棟に転床して回復する例もある．
- この改善は，スタッフの能力の違いではなく，最小限の身体管理によるものであろう．例えば，尿道バルーンカテーテルによる尿測から毎日の体重や腹囲の測定による In/Out バランスの調節，可能であれば点滴を外す時間を作る，日中のリハビリテーションを多くするなどの工夫で改善することがある．

［Further Reading］

- Lipowski ZJ：Delirium, acute confusional states. Oxford University Press, New York, 1990
- 中村　満，八田耕太郎，一瀬邦弘：せん妄．精神科治療 20（増刊）：37-41，2005

（船山道隆）

通過症候群

Durchangssyndrom（独）

point

- 外因性精神疾患において，意識混濁を認めないが精神症状が出現し，かつ一過性であり症状が可逆性である症状のこと．
- 情動障害，注意障害，記憶障害，幻覚，妄想など様々な精神症状が主症状となり，数週間や数カ月の経過の中で徐々に回復する症状．

症候の特徴

▶ 通過症候群とは，「脳器質性精神疾患」と「脳以外の疾患による症状性精神疾患」と「薬物による中毒精神病」を合わせた外因性精神疾患において，意識混濁はないにもかかわらず，一定期間，一過性に出現して可逆的な精神症状のこと．

症状の診かた

▶ 脳器質性精神疾患をはじめとする外因性精神疾患においては，急性期に意識障害が出現し，徐々に意識は清明となるものの情動障害，注意障害，記憶障害，幻覚，妄想など様々な精神症状が前景に立ち，数週間や数カ月の経過の中で徐々に回復することが多いが，通過症候群はその途中の通過段階のこと．

▶ 最初の報告であるWieck[1)]による定義では，①意識混濁から通過症候群を経過して正常状態に改善する，②通過症候群から正常状態に改善する，あるいは③通過症候群から意識混濁に至るといった3型がある．臨床上は，①意識混濁から通過症候群を経過して正常状態に改善するパターンが多い．

▶ せん妄は日内変動があったり数日の単位で改善したりするのに対し，通過症候群は数週間や数カ月にわたって持続する．

▶ Wieckの定義では，完全な症状の回復が診断に必要であるが，実臨床では残存症状を残すことが少なくない．残存症状は，疾患や損傷部位によってある程度推測できる．

▶ Wieckの定義では意識混濁がないことも診断に必要である．ただ，意識障害が改善しても意識障害と連続すると考えられる注意の覚醒度の低下がみられることも少なくない．

●初期対応のポイント

▶脳器質性，症状性精神疾患，あるいは中毒性の精神病であり，いわゆる内因性精神疾患ではないことを確認する．

▶通過症候群の概念は，外因性精神疾患においていずれ症状が回復していくという予後予測に重要．すなわち，治療者や家族は，幻覚や妄想，情動障害などに困っていることが多いが，リハビリテーションや時間経過とともに徐々に改善するという予後予測をもって治療に取り組むことは治療的にプラスとなりうる．

▶症状は情動障害，注意障害，記憶障害，幻覚，妄想と様々であるため，1例1例を細かく診ていくことが重要．

▶後遺症のため就労困難となった場合は，高次脳機能障害として精神障害者保健福祉手帳に基づく障害者雇用枠での就労や，就労継続支援の手続きも必要となることがある(▶p17，85)．障害年金の書類作成も精神科医の役割である(▶p17, 305, 348)．しばしば継続的な支援が必要となる．

［引用文献］

1）Wieck HH：Zur Klinik der sogenannten symptomatischen Psychosen. Dtsch Med Wschr 81：1345-1349, 1956

［Further Reading］

・藤井　薫：通過症候群．臨精医 23(増刊)：57-62，1994
・兼本浩祐，長谷川裕記：通過症候群．臨精医 44：155-161，2015
・船山道隆，加藤元一郎：器質性精神障害の残遺症状(高次脳機能障害)．精神科治療 30：797-803，2015

（船山道隆）

自殺念慮(希死念慮)

Suicidal Ideation

point

- 自殺念慮は自ら訴えることが少なく，診察者による積極的な情報収集が重要.
- 的確なアセスメントのために，情報収集のための雰囲気作り(傾聴・共感を主としたコミュニケーションスキル)が重要.
- 多職種連携と必要な治療・フォロー先へのつなぎを意識.

症候の特徴，主訴のポイント

- 心理的視野狭窄を伴い，自殺念慮 → 自殺企図 → 自殺へと至る.
- 罪悪感や絶望感などのため，自ら語られることは少ない.
- 自殺既遂者の約 9 割が自殺直前に何らかの精神疾患に罹患しており，的確な精神医学的診断，治療が重要.
- 複雑で複合的な背景から生じるため，心理・社会生活面を含めた，包括的なアセスメントが重要.

診断のポイント

◇症状評価

- 症状は両価的で，死にたい気持ちと生きたい気持ちは変動する. 1 回で判断せず，複数回，複数人での評価が望ましい.
- 家族や同伴者など，周囲からの情報収集も行う.
- 評価すべき項目を挙げる(表 6-1). 患者が自殺念慮を訴えなくても，評価項目に基づいて総合的にリスクを判断.
- 自殺企図歴は将来の自殺の最大の危険因子であり，自殺未遂者はすでにハイリスク群である. 手段の重篤度にかかわらず，評価を徹底し，手段のエスカレートや企図間隔の短縮がないか確認.
- 一般病棟患者は特に自らの訴えが少なく，徴候を見逃されやすい. “いつもと様子が違う”など，変化に注意.
- 自殺未遂者が，自損行為の理由について，「眠りたかった」「逃げ出したかった」などとあいまいに話した際は，死に至る可能性をどれだけ認識していたかを問い，自殺念慮を判断する.
- 日常生活で死にたい気持ちを表出できる場面は少なく，医療場

表6-1　評価すべき項目

緊急度の高い徴候
□現在の自殺念慮（死にたい気持ちが続いているか）
□自殺の意図（自殺を実行しようと思うか，死を予測しているか）
□自殺の計画性（手段の確保など準備があるか，遺書などの存在）
□幻覚・妄想などの精神病症状
□不安，焦燥（そわそわして落ち着かない）
□衝動性（アルコールや薬物による修飾も含む）
□修正不能な絶望感，心理的視野狭窄
ほかの危険因子
□過去の自殺企図歴，自傷歴
□精神疾患，身体疾患，苦痛
□孤立感
□ストレスイベント（苦痛な体験），喪失体験
□経済問題，職業問題，生活問題
□家族の精神疾患，自殺歴
防御因子
□安定した精神科通院先がある
□ソーシャルサポート（家族など見守りができる人，相談できる人，支援者はいるか）がある
□自殺を思いとどまる要因がある
□地域の相談窓口の利用ができる

面は自殺念慮を共有し支援につなげることができる貴重な機会である．

- 診察者から自殺念慮を尋ねることが，患者が秘めた苦悩を話すきっかけとなったり，信頼関係の構築につながることも多い．
- 睡眠や体調など患者が話しやすい話題から問診を始め，「大切なことなので教えてほしいのですが」などの前置きをすることで自殺念慮を尋ねやすくなる．
- 自殺念慮や患者の苦痛体験を聴取した後には，「つらい気持ちを話してくださってありがとうございます」など，表出してくれたことに対してねぎらいを伝えることが大切．

◆鑑別診断

❶ 精神疾患

- 気分障害，統合失調症，適応障害，物質関連障害，パーソナリティ障害をはじめとして，あらゆる精神疾患が関連する．
- 不眠，精神病症状，不安・焦燥，衝動性は自殺リスクを高める．

❷ せん妄
- せん妄は幻覚・妄想や判断力の低下による危険行動のために事故や自殺に注意が必要．高齢者や入院患者で注意．

❸ 身体疾患
- 疼痛，悪性腫瘍，慢性腎不全(人工透析)，HIV 感染症など，身体疾患で自殺リスクが高まる．初診時は身体的スクリーニングも大切．

初期対応のポイント

対応の原則
- 患者が安心して自殺念慮を表出できる雰囲気作りが重要．
- 否定しない，責めない，ねぎらい，傾聴・共感の姿勢が原則．
- 精神医学的評価を的確に行い，治療につなげる．
- すぐに支援につながらない場合も，患者が孤立しないよう，相談窓口，社会資源の情報提供を行う(各自治体 Web サイトに掲載あり)．
- 家族や医療スタッフと，評価と方針について密な情報共有を行う．
- 自殺の手段となりうるものを除去し，観察を密にする．

対応の指針
- 表 6-1 の緊急度が高い徴候が 1 つ以上ある，防御因子がない，自殺企図や自殺念慮について内省が不十分な場合には，入院を検討．
- 自殺念慮が消退・軽減している，自殺を防ぐプラン(治療やフォロー，コーピング)がある場合，外来フォロー，帰宅を検討．
- 原則，単独での帰宅は避ける．難しい場合も家族または支援先(通院先や相談先)に連絡し，見守り体制を整える．
- 投薬は背景の精神疾患の治療に準じる．不眠，不安・焦燥が強い場合は，抗精神病薬やミルタザピンなど鎮静系の薬剤を選択．
- 外来では過量服薬の可能性を考慮し，少量，短期間処方とする．

必要なフォロー先へのつなぎ
- 精神疾患に対する適切な診断と治療が重要となる．

- 精神科受診の必要性を説明し，他院受診の際は紹介状を作成する．
- 状態は変動し，紹介先で同じ表出をしない可能性があることを意識して，紹介状には診察時点で聴取した自殺のリスク因子を詳細に記載しておく(紹介先の受診時に症状が軽減しており，患者がリスク因子や症状を自ら伝えない場合，自殺リスクが過小評価されてしまう)．
- **心理・社会生活面に対するフォロー**：院内のソーシャルワーカーや地域の保健師，精神保健福祉センター，いのちの電話，自治体の相談窓口などの社会資源を紹介し，継続的支援につなげる．
- 紹介だけでは受療につながらないことが多いため，同伴者の依頼や予約作成など，可能な限り確実なつなぎを意識．
- 本人が拒否しすぐ相談につながらない場合には，家族や知人の協力を得るか，緊急性が低ければ相談したくなったときに相談してよいことを伝え，必要な情報提供を行う．
- 家族・同伴者に対しても傾聴・共感，ねぎらいを大切にし，精神科で行う治療法や緊急時の対応，自治体の相談窓口など情報提供を行う．

［Further Reading］

- 日本自殺予防学会(監)，国立研究開発法人日本医療研究開発機構障害者対策総合研究開発事業(精神障害分野)「精神疾患に起因した自殺の予防法に関する研究」研究班(編)：救急医療から地域へとつなげる自殺未遂者支援のエッセンス　HOPEガイドブック．へるす出版，2018
- Kawahara YY, Hashimoto S, Harada M, et al：Predictors of short-term repetition of self-harm among patients admitted to an emergency room following self-harm：A retrospective one-year cohort study. Psychiatry Research 258：421-426, 2017
- B・キッチナー，A・ジョーム，C・ケリー，他(著)，大塚耕太郎，加藤隆弘，他(編)，メンタルヘルス・ファーストエイド・ジャパン(訳著)：メンタルヘルス・ファーストエイド：こころの応急処置マニュアルとその活用．創元社，2021

（川原庸子）

攻撃的言動，暴言，暴行

Aggressive Behavior

point

- 攻撃的言動や暴言，暴行の背景として意識障害の存在の有無を評価.
- 初期対応としては，まずは自分自身を守ること，単独で対応せず十分な人員を確保してから複数で対応することが大切.

症候の特徴

▶一過性に経過する激しい過剰な運動，行動を呈する状態.

▶多くの場合，興奮を伴い，意欲や行動の亢進によって，行動が過剰となり，統制できない状態をいう.

▶具体的には他害行為，攻撃行為，暴言，暴力行為などを含んでいる.

症状評価，鑑別診断

▶攻撃的言動や暴言，暴行は，様々な精神疾患でみられる非特異的な状態像であり，背景の疾患が何であるかを評価する必要がある．まずは，意識障害の有無で分けて考える必要がある.

▶意識障害を伴わない攻撃性や興奮は，統合失調症や躁病といった内因性精神疾患においてみられる．幻覚・妄想を伴うこともあるが，些細な刺激に対して過度の興奮が現れる.

▶パーソナリティ障害をもつ患者が衝動的に興奮し，医療者へ攻撃的になるケースもしばしばみられる.

▶意識障害を伴う興奮には，内科疾患に基づく症状性精神疾患や頭部外傷や脳炎などの脳疾患による脳器質性精神疾患，および薬物中毒による中毒性精神疾患などがある.

▶さらに，てんかんの複雑部分発作やその重積状態，小発作の重積状態や，発作後のもうろう状態で興奮や錯乱を認めることがある.

初期対応のポイント

▶興奮の強い患者への対応の大原則として，治療者自身の安全を守り，患者の安全を守る．具体的には下記の通り.

①**複数で対応する**：焦らずに対応することが大切．決して単独

では対応せず，十分な数の人員が確保できてから対応する．数の論理で「暴力を振るっても勝ち目がない」と患者が潜在的に感じとり，興奮の程度が下がる場合が多い．

②**危険な要素を排除する**：患者を制止する際に，ペンや名札，鍵といった危険につながるような持ち物は必ず外す．白衣を引っ張られ破かれてしまうケースも多いため注意する．

③**過度に患者を刺激しない**：患者に対して声のトーンを落とし，座って落ち着いて話し合おうと促す．医療者も落ち着いた口調で対応する．しかし，会話が成立しない場合は診察を早めに切り上げる決断をすることも重要．

その後の対応

- 患者が落ち着いたように見えても，再度興奮する可能性は否定できない．これを防止するためにしばしば行動制限(隔離，身体拘束)が必要となる(▶p19)．
- 例えば，脳器質性精神疾患が存在する場合，薬剤の鎮静により意識レベルや精神症状を正確に把握することが困難になることがある．
- 隔離や薬剤による鎮静のみでは却って危険であり，その場合は身体拘束を選択せざるを得ない．
- なるべく個室を用意し，環境からの過剰な刺激など攻撃的言動を増悪させる誘発因子を除くように配慮．
- 近年は「身体拘束イコール悪」という短絡的風潮も見受けられるが，拘束ゼロが原則となっている現場では拘束しなかったために転倒事故が起こったり職員が暴力の被害に遭ったりする事例もある．ただし，身体拘束を最小限にする努力は必要である．身体拘束が興奮を促すこともあるため，身体拘束により回避できる危険性と不利な点を天秤にかける必要がある．

(山縣　文)

衝動性

Impulsiveness

point

- 衝動性は様々な精神疾患においてみられる対応困難な病態であり，自殺行為，自傷行為，攻撃的言動，暴行，反社会的行動といった形で表出される．
- 疾患への治療的介入は当然であるが，医療スタッフの対応や環境調整にも配慮．

症候の特徴

- 衝動(impulse)とは外部環境からの刺激や身体ないしは精神内界の刺激が，行動を始動させることである．
- 衝動は，通常は意志などによりきちんとコントロールされているが，時に自己の内省や反省なしに突発的に発動することがあり，これを衝動行為という．
- 衝動行為は様々な精神疾患においてみられる対応困難な病態．
- 具体的には，自殺行為，自傷行為(リストカットや過量服薬)，暴力，性的逸脱，放火，窃盗，万引，浪費，多量の飲酒，異常な食行動などがある．

精神疾患における衝動性

- **統合失調症**：時に幻覚や妄想，作為体験に支配される．
- **躁状態**：気分高揚や過活動，被刺激性の亢進が関与する．
- **うつ病**：計画的な自殺企図を認める一方，不安焦燥感から衝動的な自傷・自殺行為へ及ぶケースもある．
- **境界性パーソナリティ障害**：見捨てられ不安や抑うつ，憤怒を防衛するために起こる．多くは自傷行為．
- **その他**：てんかんのもうろう状態，酩酊状態，摂食障害，注意欠如・多動症(ADHD)，トゥレット症，薬物依存症や認知症でもその出現頻度は高い．

衝動性の高い患者への対応

- 衝動行為は単に疾患に基づくものだけではない．医療スタッフの言動，柔軟性のない厳しすぎる病棟ルールや閉鎖性，他の患者や家族とのトラブル，自己努力が正当に評価されないことなどへの不安や怒りが患者の衝動行為を誘発する．つまり，患者への対応や環境調整によって衝動性の亢進を予防できる．

- 一方，衝動性の様態は患者自身の認知機能にも関連し，そのアプローチに限界があることも多い．さらにいったん事態が収束したとしても繰り返し生じる可能性がある．
- そのため隔離や身体拘束といった行動制限で対応せざるを得ない場合もある．

自殺企図への対応

- 臨床現場で最も緊急性の高い衝動行為の1つが自殺企図である．自殺企図の患者にどのように対応するべきか以下に記す．
  ①身体治療が必要な場合はまずは身体治療を優先．
  ②精神疾患の既往を確認し（通院中や入院歴があるか），診断がはっきりしない場合はかかりつけ医へ情報提供書を依頼．
  ③過去に自殺企図の既往があるか，自殺企図に計画性があるか，診察室でも終始落ち着かず焦燥感が強いかどうか確認．
  ④仮にパーソナリティの問題があり，見捨てられ不安から周囲へのアピール目的の可能性が高いと想定されたとしても，どの患者の場合でも，まずは本物の自殺企図として対応し精神科医の診察までは絶対に目を離さないようにする．
  ⑤もし，精神科医が常駐していない施設であれば，必ず精神科医へつなぐよう手配．かかりつけ医があれば紹介状を書き，必ず家族同伴にて当日中に受診するよう指示．かかりつけ医が不在の場合は近隣や夜間の精神科救急担当の病院へ診察を依頼．
  ⑥深夜などになり，精神科へ診察を依頼することが困難な場合もある．必要と判断されれば，一晩だけでも入院させることが重要．
  ⑦差し迫った自殺念慮を訴え，明らかに再企図の危険性が高いと判断された場合は，措置入院の可能性についても検討．

（山縣　文）

幻覚・妄想

Hallucination, Delusion

point

- 幻覚・妄想は，正常心理では原則現れない症状である．
- 臨床では，まずは緊急性が高く，治療可能な身体疾患の除外を心掛ける．
- 統合失調症に特異的な幻覚・妄想について理解する．
- 抗 NMDA 受容体脳炎を鑑別できるようにする．

症候の特徴

▶幻覚には，感覚モダリティーごとに，幻聴，幻視，幻嗅，幻味がある．体性感覚〔皮膚感覚および深部感覚，自己受容感覚(固有感覚)〕，内臓感覚などの身体感覚に現れる幻覚を，体感幻覚と呼ぶ．体験形式としては，真性幻覚と仮性幻覚とがある．

▶妄想は，体験形式としては妄想知覚と妄想着想の 2 つの形式に分けられる．

症状の診かた

▶幻覚・妄想は，正常心理では原則現れない症状である．

▶幻覚・妄想というと，すぐに統合失調症を連想するかもしれないが，幻覚・妄想を呈する原因疾患は多岐にわたるため，鑑別すべき重大な疾患について，知っておかねばならない．

▶臨床では，何よりもまず，緊急性が高く，治療可能な疾患を除外することを心掛けることが肝要．

①**器質性精神障害あるいは症状性精神障害**：前者は脳の疾患(脳炎，脳血管障害など)によるもので，後者は脳に影響を及ぼす身体疾患(肝不全，腎不全など)によるもの．器質性・症状性精神病の場合，意識障害を伴うことが多いので，「せん妄」に伴う幻覚・妄想である場合が多い．派手な幻覚・妄想に目を奪われず，そのベースにある意識障害を正確にとらえることが重要である．

②**物質関連障害**：救急外来で，幻覚・妄想を呈するケースを診察する際には，簡易尿スクリーニング検査は必須．

▶緊急性が高く，治療可能な疾患を除外した後に，統合失調症などの狭義の精神疾患についての鑑別診断を進める．精神疾患が疑われる場合には，幻覚・妄想であっても，まずは体験反応として問診を進めていくことが治療的であり，かつ誤診も少ない．

▶了解不能な症状がみられたときに，初めて精神病性の幻覚・妄想とみなすというのが，正しい診断の進め方．例えば，自閉スペクトラム症の妄想については，体験反応である．

●鑑別診断

◇狭義の精神疾患

▶統合失調症スペクトラム障害

▶双極性障害

▶精神病性の特徴を伴ううつ病（従来診断の退行期メランコリーにおける微小妄想）

▶周産期発症のうつ病

▶自閉スペクトラム症

◇器質性精神障害

▶てんかん

▶脳血管障害（ウェルニッケ失語の急性期は，言語が支離滅裂で，精神病と間違われることがある）

▶**感染症**（細菌性・ウイルス性脳炎，神経梅毒，プリオン病）

▶傍腫瘍性辺縁系脳炎（特に，抗NMDA受容体脳炎）

▶神経変性疾患（レビー小体型認知症，若年性パーキンソン病，ハンチントン舞踏病など）

▶脱髄疾患（多発性硬化症の重症例など）

▶脳腫瘍

▶頭部外傷

◇症状性精神障害

▶**代謝性疾患**〔肝不全，腎不全，ウェルニッケ脳症（見逃すと不可逆性のコルサコフ症候群に至ってしまうので要注意）〕

▶内分泌疾患（甲状腺機能障害など）

▶膠原病関連〔全身性エリテマトーデス（SLE），シェーグレン症候群，ベーチェット病〕

◇物質関連障害

▶精神刺激薬（アンフェタミン，コカイン）

▶幻覚剤（フェンシクリジン）

- 大麻
- アルコール
- ステロイド
- インターフェロン
- 抗パーキンソン病薬(ドパミンアゴニスト)

鑑別診断のポイント

- 器質性・症状性，物質関連が原因の場合は真性幻覚が多く，統合失調症では仮性幻覚が基本.
- 統合失調症の幻覚は，幻聴が主で，特にシュナイダーの一級症状に挙げられるような幻声である点が重要. 幻聴が声ではなく，要素的な音の場合には，器質性・症状性，薬物などが原因であることが多い.
- 幻視が主の場合には，やはり器質性・症状性，薬物などが原因のことが多い. 実際，せん妄では幻視が主.
- 妄想は，体験形式としては妄想知覚と妄想着想の2つの形式に分けられる. 妄想着想については，例えば躁病をはじめ，あらゆる精神病において認められるので，どんなに仰々しい妄想であっても鑑別診断には役立たない. 妄想知覚については，統合失調症に特異的.

初期対応のポイント

- 器質性・症状性であれば，身体疾患の治療を開始することが第一. 身体疾患の治療を安全に進めるために，対症療法的に抗精神病薬を使用して鎮静をはかることも重要. 非定型抗精神病薬を使用する場合には，耐糖能異常がないことを必ず確認.
- 統合失調症の場合，抗精神病薬による治療が必須であるが，長期的に治療関係を継続していく必要がある疾患なので，自傷他害などの緊急性の高い状態でなければ，患者とよく相談した上で薬物導入をはかることが重要. 自傷他害のおそれがある場合には，各自治体の精神科救急ルートでの対応も検討.

SideMemo サイドメモ **抗 NMDA 受容体脳炎**

- 卵巣奇形腫などにおいて，腫瘍性の神経組織が含まれている場合，腫瘍性の神経組織に対して自己免疫が成立し，中枢神経に対して交叉反応を起こす傍腫瘍症候群の1つ.
- 若年女性が，急性の錯乱，幻覚・妄想を呈し，口部を中心とする顔の不随意運動がみられるときには，第一に鑑別すべき疾患.
- 身体疾患であるにもかかわらず，初期には精神症状しかみられず，精神科を初診することも多く，見逃してしまうと中枢性呼吸不全で死亡することもある.
- 仮に内科を初診しても，初期には血液検査，脳波，MRI，脳脊髄液検査などで異常がみられないケースもあり，見逃されて精神科に紹介されることもある.
- 急性の錯乱，幻覚・妄想，緊張病症状で，措置入院などの精神科救急ルートで入院してくることもある.
- 「通常の精神疾患とは違う！」という精神科医の気づきをもとに，診断に至るケースも多い．決して見逃してはならない疾患.
- この疾患概念が存在しなかった時代には，“致死性緊張病”などとみなされていた可能性がある.

[Further Reading]

- 前田貴記，加藤元一郎，鹿島晴雄：幻覚の症状学．堀口　淳(編)：脳とこころのプライマリケア６　幻覚と妄想．pp10-14，シナジー出版，2011
- 前田貴記，沖村　宰：妄想知覚論．鹿島晴雄，古城慶子，古茶大樹，他(編)：妄想の臨床．pp86-97，新興医学出版，2013

（前田貴記）

自殺念慮を伴う妄想—微小妄想など

Delusion with Suicide Idea

point

- 原因となる病態としては，周産期にみられるうつ病と，精神病症状を伴ううつ病(特に，従来診断でいうところの退行期メランコリー)が重要.
- これらの病態では自殺念慮・自殺企図は極めて切迫したものであり，精神障害の中でも最も自殺リスクの高い一群であるため，決して見逃してはならない.
- 病識は著しく欠如しており，さらに匿病がみられることも多いため，医療につながる前に自殺を完遂してしまう場合もある.
- また医療につながった場合でも，治療導入が非常に難しい.
- 治療としては，ECT を第一選択として考慮すべき.

症状の特徴

- 一般に，うつ病では，自己の無価値感，自責感がみられ，しばしば自殺念慮・自殺企図もみられるため，うつ病の臨床においては自殺のリスクを常に念頭においておかねばならない.
- 自己の無価値感，自責感は，妄想とみなされるレベルにまで至ることもある．典型的なうつ病においては，妄想はうつ状態の重症度に一致して現れるものであり，気分に一致した二次性妄想と考えられている.
- 周産期にみられるうつ病と，精神病症状を伴ううつ病(特に，従来診断でいうところの退行期メランコリー)では，自殺念慮・自殺企図は極めて切迫したものであり，精神障害の中でも最も自殺リスクの高い一群であるため，決して見逃してはならない.
- これらのうつ病による妄想は，気分に一致せずに現れることもあり，一次性妄想と考えられている．そのため，病識は著しく欠如しており，さらに匿病がみられることも多い.
- 匿病は，「わからない」「覚えていない」などの形でなされることもあり，単なる思考制止と見誤ることも多いので，見逃さないこと.
- 周産期にみられるうつ病では，妄想的に育児に自信を失い，将来を悲観して，子どもを殺めてしまったり，心中をはかったりすることもあるので要注意.

- 退行期メランコリーでは，抑うつ気分・制止は目立たず，不安・焦燥が前景．妄想は，自己価値の否定を主題とする微小妄想が特徴的．
- 微小妄想には，貧困妄想，罪業妄想，心気・疾病妄想，自分が生きていることを否定する虚無・否定妄想，自分は永遠の苦しみの中におかれ死ぬこともできないという永遠(不死)妄想などがある．
- 微小妄想が極まった状態は，コタール症候群と呼ばれ，「内臓が溶けてなくなってしまっている」「身体が1 cmに縮んでしまった」「自分の身体がなくなってしまった」「本当はもう生きていない．死ぬこともできない」「もう死んでしまっている」などの極めて奇異な微小妄想が聴かれる．

初期対応のポイント

- 周産期にみられるうつ病や退行期メランコリーでは，病識欠如のために，治療を全く求めてこないばかりか，匿病がみられることも多い．
- そのため，医療につながる前に自殺を完遂してしまう場合もあり，また医療につながった場合でも，治療導入が非常に難しい．
- 状況によっては，「われわれに一時的に身を預けていただき，治療をさせていただけませんか」と真摯な態度で頭を下げてお願いをしてでも，治療導入をはかるような局面もありうる．
- どちらの病態も，入院治療が原則で(非自発入院もやむを得ない場合も多い)，ECTを第一選択として考慮すべきである．
- 周産期にみられるうつ病の治療では，しばしば，授乳を優先したいという患者の想いを尊重して，精神科医自身が薬物治療を手控えてしまったり，母子を引き離すことを躊躇して入院治療の決断が遅れてしまったりすることもあるが，治療を最優先として必ず救命すること．

［Further Reading］

- 古茶大樹，古野毅彦：退行期メランコリーについて．精神誌 111：373-387，2009

（前田貴記）

解体症状

Disorganized Thinking (Speech), Disorganized Behavior

point

- 解体症状は，原則，統合失調症で使用される症状概念.
- 解体症状と，軽度意識障害であるアメンチアとせん妄を鑑別することは重要. 身体疾患を見逃してはならない.
- 解体症状が重度の場合には，当事者の意志で判断や行動制御をすることが困難であるため，人権には配慮しつつも，むしろ医師主導で治療を進めていくほうが，適切な場合も多い.

症状の特徴

▶解体症状は，原則，統合失調症で使用される症状概念.

▶幻覚・妄想などの主観的症状(symptom)とは異なり，行動面・表出面に現れる客観的所見(sign)である. 思考・発話面と行動面とに分けてとらえられる.

▶思考・発話の解体症状は，軽度な場合，連合弛緩と記述され，重度となると思考途絶，滅裂思考，言葉のサラダ，言語新作などと記述される.

▶思考・発話の解体症状については，DSM-5においては診断上，幻覚・妄想とならび重要視されている. 統合失調症の思考障害として，過度に抽象的な思考である過包括と，真逆の具象化傾向も重要な症状である.

▶行動の解体症状は，合目的な行動ができないという症状であるが，思考・発話面と比べて特定の症状用語が少ないのは，行動面においては統合失調症に特異的な異常をとらえにくいからであろう.

▶DSM-5では，行動の解体症状の中に緊張病性の行動も含まれる.

症状の診かた

▶解体症状と，他のまとまらない言動との鑑別は難しい.

▶まず鑑別すべきは，軽度意識障害であるアメンチアとせん妄によるまとまらない言動であり，ベースにある脳炎・脳症などの緊急性が高く，治療可能な器質性・症状性精神障害を見逃してはならない.

- 意識清明下において，思考・発話面の解体症状と鑑別すべき症状として，躁病でみられる観念奔逸，うつ病でみられる思考制止，ADHDでみられる注意欠如，てんかん性精神病でみられる迂遠思考・粘着性，前頭葉症状としての保続，常同症(常同言語)，反響言語などがある.
- 行動面の解体症状と鑑別すべきものとして，ADHDでみられる注意欠如・多動，前頭葉症状としての保続，常同症(常同行動)，反響動作などがある.

●初期対応のポイント

- 統合失調症による解体症状については，抗精神病薬による治療が必要.
- 解体症状が重度の場合には，当事者の意志で判断や行動制御をすることが困難であるため，人権には配慮しつつも，むしろ医師主導で治療を進めていくほうが，適切な場合も多い.
- 特に，自傷他害のおそれがある場合には，なおさらである.

[Further Reading]

- 前田貴記，鹿島晴雄：統合失調症における具象化傾向(concreteness)と過包括(over-inclusion). Schizophrenia Frontier 11：207-212, 2010

(前田貴記)

緊張病症状

Catatonic Signs

point

- 緊張病症状は緊張病性興奮および昏迷，筋緊張，カタレプシー，蝋屈症，一点凝視，無動，拒絶症，常同行為，反響現象，衒奇症を中心とした症状.
- 緊張病症状が出現した際には抗精神病薬は中止し，ベンゾジアゼピン系薬剤の投与や修正型電気けいれん療法(mECT)の治療が必要.
- 緊張病性興奮では他害や外傷が出現しやすい.
- 緊張病性昏迷では，誤嚥性肺炎，横紋筋融解症，尿閉，深部静脈血栓症や肺血栓塞栓症などの身体疾患が出現しやすい.
- 精神科的治療および身体疾患の治療に並行して，身体的なリハビリテーションを開始する必要がある.

症候の特徴

- 緊張病症状として特徴的な症状は，緊張病性興奮および昏迷，筋緊張，姿勢常同(カタレプシー)，蝋屈症(ろうくつ)，一点凝視，しかめ顔，無動，無言症，常同行為や語唱，拒絶症，反響言語や反響行為，衒奇症(げんき)など.
- 緊張病性興奮では，他害や外傷が出現しやすい.
- 緊張病性昏迷では，誤嚥性肺炎，横紋筋融解症，尿閉，頻脈性不整脈，深部静脈血栓症や肺血栓塞栓症などが出現しやすい.
- 緊張病症状に発汗，発熱，頻脈などの自律神経症状を伴う場合を悪性緊張病といい，死に至ることもある.
- 悪性症候群と緊張病症状の臨床上の症状は酷似する.

症候の診かた

- 緊張病性興奮は通常の興奮とは異なり，突発的な行為/行動が特徴的である.
- 外的刺激の影響によらず，行動に目的や意思の統制はみられず，突然意味がわかりにくい内容を叫んだり，ピョンピョンと跳ねたり踊ったり飛んだり，走り回ったり，裸になったりする.
- ものを壊したり，周囲の人々への他害も認められたり，頭部を壁に打つなどして頭部や頸椎の外傷に至ることもある.
- これらの行動は予測がつかず，行動の理由が説明できない．病識は乏しく，他害に対して反省はなく，自ら外傷を負っても困っていない．

- 突然叫ぶだけではなく，聞き取れない内容でぶつぶつしゃべり続けていることもある．
- 表情は硬く，しかめ面をして一点凝視していることが多い．
- 服装や身だしなみは整っていないことが多い．
- 緊張病性興奮が出現する際，前後に緊張病性昏迷を認めることが多い．
- 緊張病症状は躁うつ病圏に多く予後が良好であるという立場もあるが，筆者の見解では緊張病症状は統合失調症圏に多く認められ，必ずしも予後が良好ではない．中には緊張病症状の経過中に死に至る場合もある．
- 悪性緊張病の場合も身体疾患を合併して死に至ることがある．致死性緊張病という概念もある．また，身体疾患に伴って出現することもある．
- 緊張病症状に伴いやすい身体疾患は，頻度の高い上記に挙げたものだけではなく，ほかにも，窒息，心不全，敗血症，播種性血管内凝固症候群(DIC)など様々なものがある．
- 抗精神病薬投与における悪性症候群と悪性緊張病は区別できないことが多く，異なる側面から診た類似した疾患概念と考えられる．

● 初期対応のポイント

- 抗精神病薬の投与が行われている場合，ただちに中止．脱水を伴い，経口摂取が困難なことも多いので，しばしば補液が必要となる．しかし，点滴の際に身体拘束が必要となりやすく，身体拘束から緊張病症状が悪化することがよく認められる．補液が必要な際には時間を短くするなどの工夫が必要．
- 薬物療法では，ベンゾジアゼピン系薬剤の投与にて緊張病を改善させる．
- 経口投与が可能であればロラゼパム(1.5〜3 mg/日)と睡眠薬の投与が適当．
- 経口投与が困難であればジアゼパムやフルニトラゼパムの静注であるが，投与量が過剰とならないよう，また呼吸抑制にも十分に注意する．

- ベンゾジアゼピン系薬剤で改善しない場合はmECTが必要となる．mECTの治療効果は高い．
- 緊張病性興奮の際は突然の他害や外傷がありうるので注意．事故が起こりやすく，しばしば隔離室使用が必要．
- 緊張病症状に伴う身体合併症はただちに治療を開始．これらの身体合併症は緊張病症状につきものであるので，精神科医にも身体合併症の治療が求められる．
- 昏迷で寝たきりとなれば早期にリハビリテーションを開始し，深部静脈血栓症予防に弾性ストッキングを着用することが勧められる．
- 身体疾患を懸念するあまり点滴の際の身体拘束から寝たきりとなると，さらなる精神症状と身体症状の悪化を招く．常にリハビリテーションを意識しながら治療に臨まなければならない．

〔Further Reading〕

- Fink M, Tayler MA：Catatonia：a clinician's guide to diagnosis and treatment. Cambridge University Press, Cambridge, 2003
- 船山道隆：緊張病症候群(急性期，慢性期)における身体合併症．精神科治療 29：159-164，2014
- Funayama M, Takata T, Koreki A, et al：Catatonic stupor in schizophrenic disorders and subsequent medical complications and mortality. Psychosom Med 80：370-376, 2018
- Funayama M, Takata T：Psychiatric inpatients subjected to physical restraint have a higher risk of deep vein thrombosis and aspiration pneumonia. Gen Hosp Psychiatry 62：1-5, 2020

（船山道隆）

感情の乏しさ
—抑うつ，アンヘドニア，感情鈍麻，アパシー

Depressive Mode, Anhedonia, Blunted Affect, Apathy

point

- 感情の乏しさを診た際には，背景にある疾患を見極め，それぞれの疾患への対応が必要．
- 抑うつはうつ病など気分障害に伴い，抗うつ薬などの薬物療法や認知行動療法(CBT)などの精神療法の適応となる．
- 快感情の希薄化であるアンヘドニアは統合失調症や気分障害に出現．
- 感情鈍麻は統合失調症の陰性症状との関連が深い．薬物療法の効果は乏しく，陰性症状に対してリハビリテーションを続けることが望ましい．
- アパシーは脳血管障害や神経変性疾患などの脳器質性精神疾患の意欲障害を指し，リハビリテーションが重要．

症候の特徴

- 抑うつはうつ病や双極性障害のうつ相に出現する．
- アンヘドニアは何をしても楽しいと感じない快感情の希薄化である．統合失調症や気分障害に出現する．
- 感情鈍麻は刺激に対して感情がわかないように見えることであり，感情は表面的で平板化し，深い感動や細やかさがなく，周囲の出来事に無関心である．統合失調症に出現する．
- アパシーは脳器質性精神疾患に伴う意欲障害を示唆する．

症状の診かた

- 感情の乏しさを診た際には，背景にある疾患を見極めることが重要．背景疾患によって対応や治療法が全く異なる．
- 抑うつでは，外見上しばしば眉間のしわが際立ち，表情は硬くて暗く，悲壮感がただよってくる．
- 内面では気分は落ち込み，不安，いらいら感，焦燥感を伴う．
- 思考面では自責感，自信の喪失，思考力の低下，自殺念慮などが出現する．
- 身体的には動悸，のぼせ，発汗などの自律神経症状，倦怠感，不定愁訴を訴え，不眠となることが多く，食欲は低下し，体重が減少することも多い．

- 午前中が最も不調であるという日内変動をしばしば認める.
- 一方，感情鈍麻やアパシーでは，表情に硬さはなく，内面でもいらいら感，焦燥感，自責感は認めず，症状の日内変動も認めない.
- 感情鈍麻は感情全般の平板化を指すのに対し，アンヘドニアは快感情に限定した希薄化である.
- うつ病に伴うアンヘドニアはうつの改善に伴い消失するが，統合失調症のアンヘドニアは陰性症状の尺度であり持続的.
- 抑うつやうつ状態に伴うアンヘドニアは抗うつ薬などの薬物療法や CBT などの精神療法の適応となるが，感情鈍麻やアパシーではリハビリテーションが重要.

初期対応のポイント

- うつ病であれば抗うつ薬の治療，自殺念慮があれば自殺防止の対策や十分な睡眠を促すことが重要.
- 統合失調症と関連するアンヘドニアや感情鈍麻は陰性症状の指標である．薬物療法の効果は乏しく，むしろ作業療法や就労継続支援などのリハビリテーションを進めることが望ましい.
- 脳器質性精神疾患に伴うアパシーは，治療抵抗性である．本人のペースに合わせていると寝たきりとなりやすい．常に集中的なリハビリテーションを行う必要がある．脳梗塞後遺症であればドパミン遊離促進薬であるアマンタジンが適応になる.

〔Further Reading〕

- 道辻俊一郎，内野　淳，太田保之，他：陰性症状の経時的変化―感情鈍麻を中心に．精神科診断 1：351-360，1990
- 船山道隆：精神神経科病棟でのアパシーの取り組み．高次脳機能研 34：199-204，2014

（船山道隆）

気分の高揚

Hyperthymia

point

- 気分高揚は，正常心理でも現れうる症状．
- 脳器質性疾患，身体疾患や薬剤によっても気分高揚が引き起こされるため，身体評価も行うことを忘れない．
- 臨床では気分高揚を呈し緊急性が高く治療可能な疾患の除外を心掛ける．

症候の特徴

- 気分高揚(hyperthymia)は快活で楽天的な気分状態．
- 気分高揚がさらに進むと躁状態を呈する．躁状態では，次の症候を認める．
- **易刺激性や易怒性**
- **観念奔逸**：多弁，様々なことを思いつき話題が次々と変わる．
- **転導性の亢進**：注意が容易に 1 つのことに集中できない．
- **不眠**：睡眠欲求の減少．
- **誇大性**：自尊心が肥大して尊大となる．
- **抑制消失**：過剰に意欲的で活動的となる．
- **逸脱行為**：無分別な消費(乱費)やそれに伴う借財，無謀運転，性的逸脱など．

症状の診かた

- ストレスに対する躁的防衛として気分高揚が現れることがあり，正常心理でも現れうる症状であることを常に念頭におく．
- 通常は悲しい出来事である近親者の死別後に気分高揚を呈するなど，正常心理の理解では悲しみを伴う出来事を契機として気分高揚を呈する場合がある．
- 気分高揚の診察では症状把握だけでなく，症状が生じた心理社会的背景(成育歴，家族歴，アルコール問題，違法薬物の使用歴，職場での対人関係や家族不和など)を聴取することが重要．
- 気分高揚を呈する原因疾患は多岐にわたるため，鑑別すべき重大な疾患について，知っておかなければならない．
- 緊急性を要し，治療可能な病態を把握することが大事．

- 気分高揚が著しくなり，躁状態を呈し観念奔逸が極度になると滅裂となり，精神錯乱状態となる．錯乱状態は，てんかんや脳炎，脳血管障害などの，緊急性が高く治療可能な器質性疾患による精神症状との鑑別が困難な場合がある．
- 違法薬物(覚せい剤や有機溶剤)に限らず抗うつ薬や副腎皮質ステロイドなどでも気分高揚を呈するため，内服薬の確認は必要である．
- 器質性精神障害あるいは症状性精神障害としての気分高揚や薬物による気分高揚を除外した後に，双極性障害などの狭義の精神疾患についての鑑別診断を進める．
- 双極性障害とアルコール関連障害は関連を示すことが多いため，飲酒歴は詳細に聴取する必要がある．
- 躁状態の中には，気分高揚がほとんど認められず，不機嫌，易怒性，攻撃性が目立つ場合もある．
- 現在までのうつ状態のエピソードの有無の確認は重要．
- 躁状態とうつ状態が混在した「躁うつ混合状態(mixed state)」を呈する病態も認められる．
- 躁状態はその重篤度により軽躁状態と躁状態に分けられる．
- 長期間続く躁状態は身体的疲弊を伴うことも多いため，躁状態を診察する際にも身体精査を忘れてはならない．

鑑別診断

狭義の精神疾患

- 双極性障害(Ⅰ型，Ⅱ型)，統合失調感情障害，自閉スペクトラム症，ADHD，パーソナリティ障害．

器質性精神障害

- てんかん，せん妄，認知症，脳血管障害，脳炎，脱髄性疾患(多発性硬化症など)．

症状性精神障害

- 代謝性疾患，内分泌疾患(甲状腺機能亢進症など)，膠原病関連．

物質関連障害

- 違法薬物(覚せい剤，有機溶剤，危険ドラッグなど)，アルコール(アルコール関連障害と双極性障害の合併率は高い)，抗うつ薬・イソニアジド(抗結核薬)，副腎皮質ステロイド(軽躁状態も抑うつ状態も引き起こす)．

●鑑別診断のポイント

- 器質性精神障害あるいは症状性精神障害としての気分高揚か，薬物による気分高揚かを詳細な病歴聴取から判断．

●初期対応のポイント

- 器質性精神障害あるいは症状性精神障害としての気分高揚であれば原疾患の治療を開始．症状や原疾患に応じて，気分安定薬や抗精神病薬での薬物療法を行う場合がある．
- 薬剤による気分高揚の場合には，当該薬剤の中止を検討．
- 内科薬などで原疾患の病状から当該薬剤の中止が困難な場合には，身体科に相談して該当薬剤の減量あるいは変更を検討．
- 症状や原疾患に応じて，気分安定薬や抗精神病薬での薬物療法を行う場合もある．
- 了解可能な躁病に至らない正常範囲内での気分高揚であれば，現実検討を支持するような関わりをもつ．
- 双極性障害の躁状態あるいは軽躁状態と診断した場合には，その重症度に応じた対応を心掛ける．
- 言動が滅裂な場合や，乱費，性的逸脱などが認められる場合には入院加療などを考慮する．

［Further Reading］

- 永井良三(シリーズ総監修)，笠井清登，三村　將，村井俊哉，他(編)：精神科研修ノート，改訂第2版．診断と治療社，2016
- 加藤正明，保崎秀夫，笠原　嘉，他(編)：新版 精神医学事典．弘文堂，1993

（平野仁一）

抑うつ状態

Depressive State

point

- 抑うつ状態は，正常心理でも現れうる症状.
- うつ病の可能性を念頭におくだけでなく，現在までの躁状態のエピソードを確認.
- 脳器質性疾患，身体疾患や薬剤によっても抑うつ状態が引き起こされるため，身体評価も忘れない.
- 切迫した自殺念慮，昏迷状態などの緊急性を要する病態を把握.

症候の特徴

▶抑うつ状態では，抑うつ気分と興味または喜びの喪失，アンヘドニアを確認することが診断上重要.

▶思考制止，意欲低下，不安，気分の日内変動(朝方に抑うつ気分を呈することが多い)，精神運動制止，焦燥，易疲労感，無価値感，罪責感，集中力の低下，自殺念慮などが認められる.

▶疲労感・倦怠感などの不快な身体感情，不眠や食欲低下など自律神経症状，疼痛などの身体症状も認められる.

症状の診かた

◇診察

▶抑うつ状態は，正常心理でも現れうる症状であることを常に念頭におく.

▶診察では症状把握だけでなく，症状が生じた心理社会的背景(成育歴，家族歴，アルコール問題，職場での対人関係や家族不和，育児や介護の負担など)を聴取し，患者のストーリーを包括的に理解する.

▶臨床では，緊急性を要する病態を把握することが大事.

①うつ病は重症化すると微小妄想(「自分は不治の病にかかっている」などの心気妄想，「経済的に困窮して破産する」などの貧困妄想，「取り返しのつかない罪を犯した」などの罪業妄想)が認められる.

②うつ病が重篤となると，著しい焦燥や昏迷状態を呈する．こうした場合には入院加療を考慮.

③自殺念慮の有無は必ず確認．加えて，自殺念慮が切迫していた場合には入院加療も考慮する必要がある．

▶抑うつ状態においてはうつ病の可能性を念頭におくだけでなく，現在までの躁状態のエピソードを確認．

▶器質性精神障害あるいは症状性精神障害としての抑うつ状態や薬物による抑うつ状態を除外した後に，うつ病などの狭義の精神疾患についての鑑別診断を進める．その際にうつ病には身体疾患の合併が多いことに留意し，身体精査も忘れない．

◇多様な抑うつ状態(▶p174)

▶強いストレスから解放されて生じる「荷降ろしうつ病」や，昇進など役割変化が負荷となって引き起こされる「昇進うつ病」，転居に際してうつ病を呈する「引っ越しうつ病」，また出産に伴って発症する「産後うつ病」など，正常心理の理解では悲しみを伴うとされない出来事を契機として抑うつ状態を呈する場合がある．

▶抑うつ気分よりも不安・焦燥を前景とする例も存在する．

▶高齢者では精神症状は目立たず，身体の不調などの身体愁訴や自律神経症状を前景とするタイプもある(「仮面うつ病」)．

●鑑別診断

◇狭義の精神疾患

▶うつ病，双極性障害，持続性抑うつ障害(気分変調症)，適応障害，不安症，強迫症，統合失調症，自閉スペクトラム症，摂食障害，パーソナリティ障害．

◇器質性精神障害

▶てんかん，せん妄，認知症(アルツハイマー型認知症，前頭側頭型認知症，レビー小体型認知症など)，脳血管障害(脳血管障害とうつ病の合併率は高い)，変性疾患(パーキンソン病，ハンチントン舞踏病など．パーキンソン病とうつ病の合併率は高い)．

◇症状性精神障害

▶代謝性疾患，内分泌疾患(甲状腺機能障害，クッシング症候群など)，膠原病関連(SLEなど)，悪性腫瘍．

◇物質関連障害

▶アルコール(アルコール関連障害とうつ病の合併率は高い)，副腎皮質ステロイド(抑うつ状態も軽躁状態も引き起こす)，インターフェロン(インターフェロンの投与はうつ病と関連する)，抗腫瘍薬，降圧薬(主にβブロッカー).

鑑別診断のポイント

- 抑うつ状態というと，すぐにうつ病を連想するかもしれないが，抑うつ状態を呈する原因疾患は多岐にわたるため，鑑別すべき重大な疾患について，知っておかねばならない．加えて，うつ病は身体疾患(悪性腫瘍，糖尿病など)の合併が多いため，抑うつ状態を診察する際にも身体精査を忘れてはならない．
- ①**器質性精神障害あるいは症状性精神障害としての抑うつ状態**：前者は脳の疾患(てんかん，脳血管障害など)によるもので，後者は脳に影響を及ぼす身体疾患(内分泌疾患など)によるもの．
- ②**物質関連**：抑うつ状態を惹起する薬物は多く存在するため，内服薬の確認は必要．特にアルコール関連障害は抑うつを呈することが多いため，飲酒歴は詳細に聴取．

初期対応のポイント

- 器質性精神障害あるいは症状性精神障害としての抑うつ状態であれば原疾患の治療を開始．原疾患の治療と並行して，抑うつ状態に対して精神療法的な関わりをもつ．場合によっては，抗うつ薬や抗不安薬などでの薬物療法を行う．
- 薬剤によって抑うつ状態が引き起こされていると判断される場合には，原疾患の主治医と相談しながら当該薬剤の減量あるいは変更を検討する．原疾患の治療と並行して，抑うつ状態に対して精神療法的な関わりをもつ．場合によっては，抗うつ薬や抗不安薬などでの薬物療法を行う．
- 了解可能なうつ病に至らない正常範囲内での「抑うつ状態」であれば，共感をもって支持的態度で精神療法的な関わりをもつ．併存する不安や不眠を対象として，抗不安薬や睡眠薬を使用することもある．
- うつ病あるいは躁うつ病のうつ状態と診断した場合には，その重症度に応じた対応を心掛ける．具体的に妄想性うつ病，切迫した自殺念慮の存在，著しい焦燥，昏迷状態などを呈する場合には入院加療などを考慮．

▶ 外来加療が可能なレベルのうつ病と診断された場合には，精神療法や薬物療法を行う(▶p175).

▶ うつ病以外の精神疾患によって抑うつ状態を呈していると判断された場合には，各精神疾患の治療に従う.

［Further Reading］

・ 永井良三(シリーズ総監修)，笠井清登，三村　將，村井俊哉，他(編)：精神科研修ノート，改訂第2版．診断と治療社，2016

・ 日本うつ病学会気分障害の治療ガイドライン作成委員会：日本うつ病学会治療ガイドラインⅡ．うつ病(DSM-5)/大うつ病性障害2016．日本うつ病学会，2016

(平野仁一)

不安，恐怖

Anxiety, Fear

point

- 不安は，脅威が迫っていることを本人に知らせ，対処を促すといった正常な適応的反応.
- 鑑別診断の際，不安症状が身体疾患によって引き起こされていないことをまず確認.
- 精神疾患による不安症状への初期対応の主な目的は，心理教育によって治療が助けになるという希望を与えることで，不安を和らげ，今後の治療につなげることが重要.

症候の特徴

▶「恐怖」(fear)は，既知のはっきり限定された，または非葛藤的な脅威に対する原始的情動反応の 1 つ．恐怖に見舞われたときの反応に「闘争・逃走反応」(fight-or-flight response)がある．

▶闘争・逃走反応が発展した「不安」(anxiety)は，対象が必ずしも明確でない漠然とした恐れへの情動反応の 1 つ．

▶不安は，動悸や発汗のような生理的反応(自律神経症状)と，緊張や怯えなどの心理的反応から構成される．

▶不安の自律神経症状としては，発汗，血圧上昇，動悸，過呼吸・呼吸困難，下痢，胃部不快感，頻尿，排尿困難，尿意促迫，めまい・浮遊感，振戦，パニック発作(▶p130)などが認められる．

▶脅威を過剰にとらえ，脅威への注目が亢進すると，脅威をさらに大きく見積もり，一方，脅威に対応できる能力をさらに小さく見積もる．こうしたアンバランスな情報処理パターン(認知)が持続すると，過剰な心配や恐れ，反芻思考，そして破局視といった心理的徴候や，不安刺激への回避といった行動的徴候が認められる．

症状の診かた

◆正常心理としての不安

▶不安は，脅威が迫っていることを本人に知らせ，対処を促すといった正常な適応的反応である．強いストレス状況下や明らかな危険(例：刃物を突きつけられる)において単発性パニック発作は正常心理の範疇で生じることがある．

◆身体疾患に起因する不安症状

▶不安症状が身体疾患によって引き起こされていないことをまず確認すること．鑑別診断において不安症は，検討の最後にくる診断でなくてはならない．

▶検討の際，時間的な関連(不安症状と身体疾患の発症の前後関係)と特異的な関連(不安症状と身体疾患の重症度の間に密接な関係が存在したか．例：甲状腺機能亢進に伴って不安症状が悪化)に注目する．

◆物質に起因する不安症状

▶アルコールやカフェインまたは他の物質による中毒・離脱，もしくは処方薬の離脱(抗うつ薬や抗不安薬など)は不安症状を誘発．

▶不安が物質依存を招き，物質からの離脱が不安を引き起こし，さらなる物質使用につながる悪循環の可能性もある．

●鑑別診断のポイント

◆狭義の精神疾患

▶**社交不安症**：不安，恐怖は，社交状況において困惑させられることに限定され，社交状況を回避したがる．

▶**パニック症**：不安，恐怖は，パニック発作が起こることに焦点化．

▶**広場恐怖症**：多くの状況に対する恐怖があり，回避も全般化されているが，回避は社交状況に限定されない．

▶**強迫症**：不安，恐怖は，強迫的儀式の誘発されるものに焦点化．例えば，洗浄強迫は不潔を回避する．

▶**心的外傷後ストレス障害(PTSD)**：不安，恐怖はトラウマとなった出来事を想起させるものに焦点化され，想起させるものを回避する．

▶**適応障害**：不安が誇張され機能障害を伴うものであるが，通常は一過性で，かつ特定の現実的なストレスと関係．身体疾患と適応障害の不安症状は心理的な因果関係が存在する(例：がんと診断されたことによって顕著な不安が引き起こされたもの)．

▶**うつ病**：不安が抑うつの主題となる場合がある．

◇症状性精神疾患

- 甲状腺機能亢進症，副腎腫瘍，褐色細胞腫．
- うっ血性心不全など．

◇物質誘発性不安

- 物質の過剰摂取(例：カフェイン，精神刺激薬)または物質からの離脱(例：アルコール，抗うつ薬や抗不安薬)．

●初期対応のポイント

- 正常心理による不安と不安症群の間に明確な境界線はないが，不安症と診断する際には，症状が臨床的に意味のある苦痛，もしくは生活に重大な機能障害を引き起こしているほど重く持続していなくてはならないことに留意．
- 不安症患者は，精神科を初診することに不安を抱いていることが多い．初期対応の主な目的は，心理教育により治療が助けになるという希望を与えることで不安を和らげ，患者の治療への期待を促し，治療につなげることが重要．
- いかに多くの不安症が見逃され，その結果として，不必要な検査と無意味な治療が行われているかということを忘れないこと．

［Further Reading］

- アレン・フランセス(著)，大野　裕，中川敦夫，柳沢圭子(訳)：精神疾患診断のエッセンス—DSM-5の上手な使い方．金剛出版，2014

(中川敦夫)

パニック発作

Panic Attack

point

- パニック発作が疑われる際には，身体的評価も行い，身体疾患の除外を行うことが必要．
- 単に症状を把握するだけでなく，どのような場面で症状が生じ，どのように経過したかのストーリーを包括的に理解することが診断を確定する上で重要．

症候の特徴

▶パニック発作とは，予期せず動悸，発汗，身震い，息切れ感，窒息感などの様々な身体症状が突然発現し，それに伴う強い恐怖または不快感を伴うもの．数分以内にその緊張が頂点に達し，その後，急速にそれらの症状が消退していく．

症状の診かた

▶一連の発作が，パニック発作であることを確認するためには，身体疾患を除外しておく必要がある．

▶発作が，どのような場所でどのように起こったのか(逃げられない場所か，急速な発症か緩徐な発症か)を丁寧に聴取する．

▶パニック症のパニック発作は，逃げることが物理的に困難な状況，もしくは逃げることが周囲の注目などを集めるために困難である状況(例：電車，飛行機，映画館，会議室など)で発生する．

▶パニック発作を初めて経験する場合は，予期しない状況で突然発作が起こるが，2回目以降は，過去に発作が起こった状況などで発作が誘発されることも多い(例：満員電車に乗っているときに初めて発作が起こり，次に満員電車に乗る際に，不安が生じ，再びパニック発作が起こる)．

▶発作が繰り返されると，発作が誘発された状況に直面することへの恐怖感が増大し(予期不安)，それらの状況を回避したり，非常に強い苦痛または不安を耐え忍んでいたり，同伴者を伴う必要が生じたりする(広場恐怖)．

▶パニック発作は，症状名であり診断名ではない．パニック症と診断されるためには，予期せぬパニック発作が少なくとも2回以上起こることが必要となる．

●鑑別診断のポイント

- パニック症以外にパニック発作を認めうる診断には，社交不安症，限局性恐怖症，PTSDなどがある．
- 社交不安症ではパニック発作と同様の症状を認めることがあるが，パニック症がその状況から逃げられないことへの恐怖が発症の契機になるのに対して，社交不安症では他者から注目を集めたり評価されることへの恐怖が症状発現の契機となる．
- 注射や高所といった特定の状況も発作の誘因になりうる．
- PTSDでは，原因となった状況に，実際にあるいは心理的に曝露されることでパニック発作を認めることがある．

●初期対応のポイント

- 激しい動悸や，呼吸苦などの症状については，まず循環器疾患，呼吸器疾患などの可能性を除外．
- 過呼吸発作が遷延するときは，抗不安薬の投与も検討．ただし，呼吸抑制，循環抑制には十分注意．
- 外来治療では，選択的セロトニン再取り込み阻害薬(SSRI)に抗不安薬を併用して治療を開始し，SSRIの効果が出てきた時点で，抗不安薬は漸減．

［Further Reading］

・熊野宏昭，久保木富房(編)：パニック障害ハンドブック 治療ガイドラインと診療の実際．医学書院，2008

（佐渡充洋）

強迫—強迫観念, 強迫行為

Obsession, Compulsion

point

- 本人にとっては無意味ないし非合理と判断される思考, 欲動あるいは行動であるにもかかわらず, それが支配的となることを強迫という.
- 観念に現れるものを強迫観念(obsession), 行為に現れるものを強迫行為(compulsion)という.
- 患者が観念や行為を非合理だと自覚していることがポイントであるが, 重症者では洞察が不完全になる.

症候の特徴

▶本人にとっては無意味ないし非合理と判断される思考, 欲動あるいは行動であるにもかかわらず, それが支配的となることを強迫といい, 観念に現れるものを強迫観念(obsession), 行為に現れるものを強迫行為(compulsion)という.

▶強迫観念は, 自分の意思に反して, あるいはひとりでに出現する観念・表象・衝動で, 本人に苦痛を与えており, 本人はこれを無視しよう, 中和しようとするが成功しないものをいう(例：手が汚れており感染してしまうのではないかと不安になる, 火を消し忘れ火事になるのではないかと不安になる).

▶強迫行為はやりすぎ, 非合理だと理性的に判断しても, ある行為に駆り立てられる現象. 多くの場合, 強迫観念を和らげるために行うが, 強迫行為を行っても不安は収まらず同じ行為の繰り返しに陥る(例：過剰な手洗い, 火の元の確認を延々と繰り返す).

▶強迫は患者が観念や行為を非合理だと自覚している〔自我異質性(ego-dystonic)〕ことが原則だが, 重症例では洞察が不完全になることも少なくない.

症状の診かた

▶丁寧な問診を通じて, 観念を明らかにしたり, なぜその行為(の繰り返し)に至るのかを明らかにしたりすることで, 強迫症状であることを見出す.

- 強迫症状のテーマとして多いものは，汚染(細菌，化学物質)，加害恐怖，確認行為(戸締まり，ガス栓，電気器具のコンセント)，儀式行為(手順を間違うと悪いことが起こる)，数字や物の配置，対称性へのこだわり，意味のないものの保存など．
- 観念や行為を話すことで，何か不吉なことが起こる，などと感じている症例もあり，丁寧に辛抱強く聴取する必要がある．
- かなり奇異に思われる観念や行為であっても，強迫症状であることは多いため，妄想と決めつけず，思考の内容を聴取する．
- 重症例である場合，非合理であると感じる自我異質性は弱くなる．自我異質性を必須とせずに強迫症状を少し広めにとらえるようにするとよい．DSM-5 には強迫観念は以下のように定義されている．

定義(DSM-5)

◆強迫観念

①繰り返される持続的な思考，衝動，またはイメージで，それは障害中の一時期には侵入的で不適切なものとして体験されており，たいていの人においてそれは強い不安や苦痛の原因となる．

②その人はその思考，衝動，またはイメージを無視したり抑え込もうとしたり，または何かほかの思考や行動によって中和しようと試みる．

◆強迫行為

①繰り返しの行動または心の中の行為であり，その人は強迫観念に対応して，または厳密に適用しなくてはいけないある決まりに従ってそれらの行為を行うよう駆り立てられているように感じている．

②その行動または心の中の行為は，不安または苦痛を避けるかまたは緩和すること，または何か恐ろしい出来事や状況を避けることを目的としている．しかしその行動または心の中の行為は，それによって中和したり予防したりしようとしていることとは現実的な意味ではつながりをもたず，または明らかに過剰である．

鑑別診断

- 強迫症
- 自閉スペクトラム症
- チック症群
- 抜毛症
- 皮膚むしり症
- 醜形恐怖症
- 病気不安症
- 統合失調症
- 双極性障害
- 器質性精神疾患

鑑別診断のポイント

- 最も典型的に強迫がみられるのが強迫症．強迫症の診断基準を満たす場合に診断する．
- 自閉スペクトラム症では，儀式的な繰り返し行為をしばしば認めるが，行為に明確な理由がなく，強迫行為を止めたいとは思っていない．
- チック症群の繰り返し行為は「まさにぴったり(just right)」という感覚を得るために行っており，完璧ではない不快感から繰り返し行為に至る．
- 例えば，チック症群では瞬目，ものを触る，ドアを閉める行為の繰り返しは「まさにぴったり」という感覚が得られないために繰り返す．一方，強迫症では瞬目の回数に意味がある，ドアが閉まっているか不安に感じるために繰り返す，など強迫観念に基づく行為である．
- 抜毛症，皮膚むしり症ではストレス解消，快感のために行う．
- 醜形恐怖症での確認行為やこだわりは，顔や身体がどう見えるかにのみ向けられる．
- 強迫症で自我異質性が非常に弱いケースもあるが，統合失調症と違い，どこかで非合理だと理解していることが多い．また強迫症では強迫観念や行為以外の部分で機能が保たれている．

初期対応のポイント

- 強迫症状は本人にとっても苦痛であり，不安に駆られて生じて

SideMemo サイドメモ　シデナム舞踏病

▶リウマチ熱の後に合併するシデナム舞踏病(Sydenham chorea)に，高率に強迫症状が発症するが，これはA群β溶連菌に対する自己免疫が基底核を障害することで生じると考えられている．専門家の意見は分かれるが，同様にA群β溶連菌感染後に，急激なチック症状，強迫症状，パニック，無食欲症などが出現する小児自己免疫性溶連菌感染関連性精神神経障害(pediatric autoimmune neuropsychiatric disorders associated with streptococcal infection：PANDAS)という概念も存在する．

いることを理解し，共感する．

▶強迫観念・強迫行為の背景にある疾患を正しく同定し，それぞれの治療につなげる．

▶強迫症に伴う強迫観念・強迫行為にはSSRIが有効である．

▶曝露反応妨害法は有効であるが，疾患教育や患者の治療意欲を引き出すことが必要であり，いたずらに強迫行為を禁止しようとしてもうまくいかない(▶p194)．

（岸本泰士郎）

ひきこもり

Hikikomori, Social Withdrawal

point

- ひきこもりは「様々な要因の結果として社会的参加を回避し，原則的には6カ月以上にわたって概ね家庭にとどまり続けている状態を指す現象概念」と定義されている．
- 単一の疾患や障害の概念ではなく，生物学的要因，心理社会的要因などが複雑に絡み合って生じる．
- 各都道府県にひきこもり地域支援センターなどの支援窓口が設置されている．

症候の特徴

▶ひきこもりは「ひきこもりの評価・支援に関するガイドライン」(厚生労働省，2010年5月19日公表)において，「様々な要因の結果として社会的参加(義務教育を含む就学，非常勤職を含む就労，家庭外での交遊など)を回避し，原則的には6カ月以上にわたって概ね家庭にとどまり続けている状態(他者と交わらない形での外出をしていてもよい)を指す現象概念」と定義されている．

▶なお，同ガイドラインにおいて，「ひきこもりは原則として統合失調症の陽性あるいは陰性症状に基づくひきこもり状態とは一線を画した非精神病性の現象とするが，実際には確定診断がなされる前の統合失調症が含まれている可能性は低くないことに留意すべき」としている．

症状の診かた

▶「ひきこもり」は社会的にも認知され広く使われるようになっているが，単一の疾患や病態を指しているのではなく，状態ないし現象を指している言葉であり，原因は多彩であることを念頭におくべき．

▶その上で，精神科医として特に要請されるのは，医学的に治療可能な疾患の診断，治療である．ひきこもりとの関わりがしばしば指摘される精神疾患は以下の通り．

▶適応障害

- 不安症(社交不安症，全般不安症，パニック症など)
- 気分障害
- 強迫症
- パーソナリティ障害
- 統合失調症
- 対人恐怖的な妄想性障害(醜形恐怖，自己臭恐怖，自己視線恐怖)や選択性緘黙など児童思春期に特有な精神障害
- 自閉スペクトラム症
- ADHD
- 知的能力障害・限局性学習症など
- これらの精神疾患がひきこもりの直接の原因になる場合もあれば(一次性)，ひきこもりの後に発症する(二次性)ものもある．
- 以下の6軸を基本的視点として評価することが上記ガイドラインで推奨されている．
- **第1軸**：背景精神疾患の診断(自閉スペクトラム症とパーソナリティ障害を除く精神障害の診断)
- **第2軸**：自閉スペクトラム症の診断
- **第3軸**：パーソナリティ傾向の評価(子どもでは不登校のタイプ分類)
- **第4軸**：ひきこもりの段階の評価(準備段階，開始段階，ひきこもり段階，社会との再会段階)
- **第5軸**：環境の評価(ひきこもりを生じることに寄与した環境要因とそこからの立ち直りを支援できる地域資源などの評価)
- **第6軸**：診断と支援方針に基づいたひきこもり分類

鑑別診断

- 前述の定義を満たせば「ひきこもり」と表現されるため，特に鑑別診断は存在しない．評価，および支援のために前述の精神疾患の存在の評価を行う．

初期対応のポイント

- 先に述べた多軸評価を行いつつ，背景にある何らかの精神疾患を正確に診断することが大切．
- 薬物療法などの生物学的治療の有効性が期待できる場合(気分障害，統合失調症，不安症)は，該当疾患に対する治療を行う．

- 自閉スペクトラム症や知的能力障害，あるいはパーソナリティ障害などの影響が考えられるケースでは，発達特性に応じた精神療法的アプローチ，社会生活技能訓練(SST)，生活・就労支援が支援の中心となる．
- 家族のみが医療機関に訪れるケースも多い．情報が家族の目を通した間接的，限定的なものであることにも注意が必要．
- 厚生労働省はひきこもり対策推進事業として，ひきこもり地域支援センターの設置，ひきこもりサポーター養成研修，派遣事業を行っている．各都道府県に設置された支援センター窓口をはじめ，保健所，精神保健福祉センター，家族会(KHJ全国ひきこもり家族会連合会)などを紹介するのも当事者にとって一助となる．

［Further Reading］

- 齊藤万比古(研究代表)：厚生労働科学研究費補助金こころの健康科学研究事業「思春期のひきこもりをもたらす精神科疾患の実態把握と精神医学的治療・援助システムの構築に関する研究．平成21年度総括・分担研究報告書」．2010
- 斎藤　環：社会的ひきこもり一終わらない思春期．PHP研究所，1998

（岸本泰士郎）

解離，変換（転換）

Dissociation, Conversion

point

- 解離症状には健忘や人格交代，離人感，現実感消失がある．
- 変換（転換）症状は器質因のない神経症状（運動障害，感覚障害など）である．

症候の特徴

▶ 解離症状には，主に健忘や人格交代，離人感，現実感消失がある．

▶ 解離性健忘は自分の名前や生活史といった自伝的記憶が想起できない状態．

▶ 人格交代は，幼少期の心的外傷や周囲への過剰な同調などによる影響で人格が1つに統合されずに複数の人格部分が分かれて存在する状態．

▶ 離人感，現実感消失も心的外傷体験から距離をとるために感覚を減弱させた状態とされる．

▶ ほかに，解離性幻覚もあり，幻聴だけでなく幻視も多い．

▶ 変換（転換）症状には，主に運動障害や感覚障害がある．

▶ 器質因による症状ではなく，精神的なストレスが身体症状へと転換したというのが語源．

▶ 近年は転換性や心因性ではなく機能性（functional）と表現されることが多い．

症状の診かた

▶ 解離・転換症状は除外診断だけでなく，特徴的な症状をとらえることが大事．

▶ 統合失調症や双極性障害をはじめとした内因性疾患でも，解離・転換症状は認めうるので，鑑別は重要．神経発達症がある可能性もあるので，その評価も必要．

▶ 暗示的な関わりは避けること．空想を助長したり偽記憶を植えつけたりしないように注意．

鑑別診断

狭義の精神疾患

- 解離症
- 統合失調症スペクトラム障害
- 双極性障害
- 境界性パーソナリティ障害
- PTSD
- 自閉スペクトラム症

器質性精神疾患

- てんかん(一過性てんかん性健忘，側頭葉てんかん)
- 一過性全健忘
- 頭部外傷

症状性精神疾患

- 内分泌疾患

物質関連障害群

- 睡眠薬や抗不安薬

その他

- 睡眠時随伴症(摂食関連睡眠障害や睡眠時遊行症)
- 脳神経内科的疾患全般

鑑別診断のポイント

- 記憶の欠損は解離症のよくある主訴だが，まずは身体疾患の可能性を考える.
- 軽度の意識障害を来たす疾患では記憶の欠損を認める.
- てんかんも健忘を引き起こすので脳波検査は必要.
- 睡眠薬による副作用など薬物による影響も評価が必要.
- 解離症に特徴的な健忘は２つある.
- １つ目は全生活史健忘のような解離性健忘では純粋な逆向健忘の形をとり，前向健忘は認めないのが典型例．また患者自身の名前や生活史など自伝的記憶の想起が障害されるのが特徴的.
- ２つ目は解離性同一症における人格交代に関連した健忘で，主人格は別人格の行動に気づけないなど健忘を認める.
- また自傷行為など激しい情動時にも健忘を認め，衝動破壊的な人格と関連している.
- 統合失調症との鑑別は重要．シュナイダーの一級症状様の症状

SideMemo サイドメモ ガンザー症候群

▶ガンザー症候群(Ganser syndrome)とは，的外れ応答を中核症状とした，意識変容，変換(転換)症状，幻覚の4つの症候群である．的外れ応答とは，例えば「犬の足は何本？」の問いに3本と答えたり，100－7＝130と答えたりするなど，簡単な問題の答えをわかっていながら微妙に外して答えてしまう症状である．もともとの報告は刑務所の中で認められた拘禁反応の1つだったが，最近では非拘禁下である通常臨床場面での報告も多い．的外れ応答だけなど症候群の一部しか認めない不全型をとる症例も臨床例では多い．DSM-5では「他の特定される解離症」に分類されている．

は解離症でもみられうるので深い理解が必要．

▶解離症では妄想知覚や外部から電磁波をかけられるような物理的な身体被影響体験はみられない．また解離性の幻聴は，交代人格の声やフラッシュバックに関連した幻聴が多い．

▶境界性パーソナリティ障害でも一過性に解離症状を認める．

▶PTSDでも離人感，現実感消失といった解離症状を認め，DSM-5では特定項目となっている．

▶変換(転換)症状を評価する場合，症状の神経学的矛盾が重要．また麻痺ではフーヴァー徴候や足を引きずるような歩行，視覚障害ではらせん状視野や中心性視野狭窄，非てんかん性発作では発作時閉眼や首の横振り運動，長すぎる発作時間など特徴的な症状をとらえることが大事．

▶軽度の頭部外傷を誘因として，全生活史健忘などを来たしうることが知られている．

●初期対応のポイント

▶まずは身体疾患との鑑別が必要．

▶次に統合失調症をはじめとした内因性精神疾患との鑑別が必要．

▶真摯に対応し，詐病と決めつけないこと〔解離，変換(転換)の症状は意識的に行われているものではない〕．

▶安全な環境を提供・確認し，安心感の獲得を目指す．

▶心的外傷の記憶の直面化や人格の統合を焦らない．
▶麻痺などの変換(転換)症状が主な場合，リハビリテーションを考慮．

［Further Reading］

- 柴山雅俊：解離の構造―私の変容と<むすび>の治療論．岩崎学術出版社，2010
- 岡野憲一郎：解離新時代―脳科学，愛着，精神分析との融合．岩崎学術出版社，2015

（是木明宏）

無言—拒絶, 緘黙, 昏迷

Mutism/Negativism, Mutism, Stupor

point

- まずは意識障害や失語など器質性の病態の鑑別が重要.
- 無言を来たす精神疾患は様々であり, 他の症状やこれまでの病歴から総合的に評価する必要がある.
- 緊張病を理解する.

症候の特徴

▶無言症や拒絶症は, 統合失調症などにおける緊張病症状として認めることが多い. 外からの働きかけに抵抗し拒否する態度を拒絶症といい, その 1 つの現れとして返答しない場合を無言症という. また拒絶症ではこちらの働きかけとは逆のことをすることもある.

▶昏迷は精神科領域では意識レベル(覚醒度)の障害ではなく, 精神運動性の異常による反応性の障害. 無言だけではなく, 動作緩慢もしくは無動を認める.

▶緘黙は, 本人の意志により発話をしないという症状だが, 選択性緘黙の意味として使われることが多い. 選択性緘黙とは, 例えば学校や母親の前など特定の環境でのみ話すことができなくなる症状. 場面が変われば会話が可能となる.

症状の診かた

▶まずは器質性精神疾患を鑑別する必要がある. 意識障害では無言状態となり, また障害部位によっては意識障害がなくても無言となりうる.

▶精神疾患と診断する場合も, 器質性精神疾患などの除外のみで診断するのではなく, 精神疾患として特徴的な経過や症状をとらえて積極的な診断をしていくことが重要.

鑑別診断

▶いわゆる意識障害の除外が必要であり主に以下の通り.

◇狭義の精神疾患

▶統合失調症スペクトラム障害

- 双極性障害
- 重症うつ病
- 解離症
- 選択性緘黙
- 自閉スペクトラム症

◇器質性精神疾患

- 脳血管障害(特に運動性失語や無動無言症，閉じ込め症候群)
- 脳炎・脳症
- 前頭側頭型認知症
- パーキンソン病およびその類縁疾患
- てんかん〔特に非けいれん性てんかん重積(NCSE)〕

◇物質関連障害群

- 抗精神病薬(薬剤性パーキンソニズム，悪性症候群)や睡眠薬，抗不安薬(過量服薬).

●鑑別診断のポイント

- まずは意識障害を含めて身体疾患の鑑別が必要．また脳炎・脳症や非けいれん性てんかん重積で緊張病をも引き起こす点に注意が必要．脳波検査は有用で，精神疾患であれば昏迷でも脳波は正常である．
- DSM-5では緊張病として12の症状項目が挙げられているが，その中では無言症・拒絶症・昏迷が項目として併記されている．
- また反響症状やカタレプシーなど，その他の症状がどれだけあるかを評価していくことで，緊張病症状かどうかを判断していく．
- なお，緊張病における昏迷は通常は開眼している．
- うつ病に伴う昏迷では，重篤な思考制止の極期として生じる筋緊張のない昏迷を認めることが典型的で，患者の表情には苦悩感や悲哀感を認める．
- 解離性昏迷として救急外来などでよくみられるのは，閉眼した弛緩性の昏迷である．過量服薬による意識障害との鑑別も必要．

●初期対応のポイント

- 意識障害があれば，それに対応する治療を進める．特に脳血管障害が疑われればMRIを早期に行う．脳波検査も重要．

SideMemo サイドメモ **無動無言症，閉じ込め症候群**

▶脳血管障害をはじめとした器質性の病態に，無動無言症(akinetic mutism)や閉じ込め症候群(locked in syndrome)がある．無動無言症は脳幹から視床にかけての脳幹網様体賦活系が部分的に障害された状態，もしくは前頭前野内側部，特に前帯状回や脳梁の障害により発動性が著しく障害された状態で，注視や追視はみられるが意思表示は難しい．閉じ込め症候群は両側橋底部の病変により，意識や発動性は保たれているものの，皮質脊髄路や延髄路の障害により発語および運動を行うことができなくなる．唯一可能なのが垂直眼球運動や開閉眼であり，これにより意思疎通を行うことが可能である．

▶統合失調症の緊張病症状や重症うつ病の昏迷では，薬物療法としてベンゾジアゼピン系薬剤を使用．また症状が重度の場合はECTを考慮．

▶解離性昏迷は，初期対応としては，保護的で安全な環境でのケアと点滴管理のみで十分で時間が経てば自然と昏迷がとけることが多い．

▶種々の昏迷状態および過量服薬で長期的な臥床状態となる場合には，深部静脈血栓症の予防が必要．

[Further Reading]

・濱田秀伯：精神症候学，第2版．弘文堂，2009
・加藤　敏，日野原圭：昏迷における身体表出の諸相．精神科治療 17：1251-1258，2002

（是木明宏）

嗜癖，依存

Addiction, Dependence

point

- 身体合併症と重複障害を必ず評価.
- 両価性，自己治療仮説，行動変容ステージを理解.

症候の特徴

▶嗜癖，依存はコントロールを失い害となった場合に治療対象となるが，コントロール喪失の自覚は困難で，否認がみられる.

▶「もうやめよう，でも続けたい」という両価性がある.

症状の診かた

▶身体合併症と重複障害を必ず評価.

▶自己治療仮説では「嗜癖，依存によってもたらされる苦しみは，少なくとも自分が生み出す余地がある．しかし，きっかけとなった根源の苦しみは，自分でコントロールする余地がなかった」と表現される．苦痛や不眠などから逃れるために嗜癖・依存行為を選択し，やがてほかに頼れるものがないという孤立と相まってコントロール喪失に至る．嗜癖，依存の行為そのものだけではなく，嗜癖，依存にマスクされた根源の苦しみに対しても治療的介入を行う.

鑑別診断，重複障害

◆鑑別診断

▶物質使用障害(アルコール，アヘン，大麻，鎮痛薬，睡眠薬，コカイン，メタンフェタミンを含む精神刺激薬，カフェイン，幻覚薬，ニコチン，MDMA など).

▶行動嗜癖による障害(ギャンブル，ゲーム，その他).

▶衝動制御障害(放火症，窃盗症，強迫的性行動症など).

◆重複障害

▶**精神病性障害**：アルコール使用障害の 2.8%，薬物使用障害の 15.1%に合併(わが国の場合).

▶**気分障害**：物質使用障害の 34〜60%に合併．うつ病経験者のアルコール使用障害生涯合併率は40%.

- **不安症**：アルコール使用障害の13.4%に合併.
- **神経発達症**：男性のアルコール使用障害とADHD合併率は30歳以下19%，40歳以上3%(わが国の場合).
- **情緒不安定性パーソナリティ障害**：アルコール使用障害入院患者の女性11.0%，男性2.3%が合併(わが国の場合).
- **摂食障害**：アルコール使用障害の30歳未満女性72%，40歳以上女性0.5%，男性0.2%が合併(わが国の場合).

鑑別診断のポイント

- 嗜癖，依存では鑑別診断に難渋することは少ない．身体合併症と重複障害の評価が重要.

初期対応のポイント

- 物質使用障害の場合は特に身体合併症と離脱症状の評価を行う．最終使用日時を特定し，振戦せん妄と離脱けいれん発作の既往を確認する．アルコール離脱症状の評価はCIWA-Ar(Clinical Institute Withdrawal Assessment for Alcohol revised)を用いる.
- 重度の精神病症状・意識障害を伴う場合は，各自治体の精神科救急ルートでの対応を検討.
- 残念ながら，初めて会う医療者よりも，これまで支えてくれた嗜癖，依存対象を患者は信頼している．治療者の価値観を押しつけすぎず，初期対応では治療関係の構築を優先目標とする.
- 「やめろですんだら病院はいらない」と自重し，「ではまた来てください」と支援を申し出る．addictionの対極は“素面”(sober)というよりも“つながり”(connection)であると考える.
- 行動変容ステージモデルは「無関心期-関心期-準備期-実行期-維持期」の段階からなる．ステージに合わせて動機づけ面接やCBTなどのエッセンスを取り入れた介入をする.
- 紹介者や受診経路を記録する．直近の状況を問診し，なぜ今になって受診に至ったのか，何がきっかけで行動が変わるのかを推察．患者と同伴者それぞれから，今後の治療方針(入院・通院，薬物療法，断酒・飲酒量低減など)の希望を確認し，記録する.

SideMemo サイドメモ　CRAFT

- 2013年の全国調査によるとICD-10に基づくアルコール依存症該当者のうち約8割が何らかの理由で医療機関にかかっており，約4割が酒を減らしたい，約3割が酒をやめたいと答えている．しかし，依存症治療経験ありと答えた者は1割である．
- コミュニティ強化法と家族トレーニング(community reinforcement and family training：CRAFT)は依存症患者が治療を拒否している場合の家族向け介入法として開発された．①患者が治療につながる，②患者が未受診でも患者の嗜癖・依存の程度が減じる，③感情・身体・対人関係面で家族が楽になる，ことが目的．
- 以前の家族介入は「イネイブリングしてはいけない」などの禁止が強調されていた．CRAFTは「先に口出ししないで後出しにする」「相手より言葉数を減らす」「人は正しいことを言われても変わらない」「答えを出すのは患者本人」「事実をきちんと見せる」などの代替案を提示し，「私を主語にする」「簡潔に言う」などのコミュニケーションスキルを身につける．

- 『新アルコール・薬物使用障害の診断治療ガイドライン』では，アルコール依存症の治療目標は原則，断酒の達成とその継続であるとした上で，ケースによりまず飲酒量低減を目標とし，その後断酒に切り替える方法も提示している．

［Further Reading］

- 「精神科治療学」編集委員会(編)：物質使用障害とアディクション　臨床ハンドブック．精神科治療 28(増刊)，2013
- 和田　清(編)：依存と嗜癖　どう理解し，どう対処するか．医学書院，2013
- 樋口　進，齋藤利和，湯本洋介(編)：新アルコール・薬物使用障害の診断治療ガイドライン．新興医学出版社，2018

（遠山朋海，樋口　進）

身体不定愁訴

Physical Unidentified Complaint

point

- 身体不定愁訴は医学的に器質性疾患では説明困難な訴えのこと．
- 器質性疾患を除外診断後，①機能性身体症候群，②心身症，③うつ病，双極性障害または不安症（その背後の認知症），④身体症状症などが鑑別診断に挙げられる．
- 問診では心理社会的な側面に留意して，患者の苦悩へ共感を示し，配慮を欠く性急さや治療者の焦りは禁物である．

症候の特徴，主訴のポイント

▶身体不定愁訴は，器質性疾患の診断基準を満たさず医学的に説明困難な訴えのことであり，そのような症状は身体科的には国際的にMUS（medically unexplained symptoms），中でも機能障害を有している場合は特に機能性身体症候群（functional somatic syndromes）と呼ばれる．

▶同じ症候群について精神科的にはICD-10やDSM-IVにおいては身体表現性障害，DSM-5では身体症状症（somatic symptom disorder）などと診断している．

▶これとは別に，発症や経過に心理社会的因子が密接に関与し，器質的ないし機能的障害を有する心身症もある．

▶転院を繰り返すドクターショッピングの原因でもあり，内科専門外来初診患者の35〜50%は身体不定愁訴患者とされる．

▶どの身体科を通じても最も多い病名と言われるほどありふれた病態だが，これまで病気として本格的に研究されてこなかった．

▶女性のほうが男性より多いという報告が散見される．また，言語化が未発達で症状が身体化しやすい子どもや，高齢者にも多い．

診断のポイント

▶器質性疾患の除外が前提．身体不定愁訴は，現段階では器質性疾患で説明がつかないが，今後，隠れた原因が見つかる可能性があることを含んだ概念であることは忘れてはならない．

▶鑑別すべき疾患として，①機能性身体症候群，②心身症，③うつ病，双極性障害または不安症，④身体症状症が挙げられる．

- ①は，患者が訴える症候や苦悩，障害の程度が確認できる組織障害に対して大きく，通常治療で症状コントロール可能な場合にはこれは該当しない．
- ②は，従来の医学的因果論に基づいた身体的加療では改善せず，心身の相関に起因して遷延する身体疾患が該当する．
- ③は不定愁訴を有する代表的疾患であるうつ病や不安症などが該当する．高齢者では，うつ病は抑うつ気分が目立たず焦燥的で身体愁訴が多く心気的になりやすく，不安症では若者に多いパニック症の割合が減り全般性不安症が多い．これらは認知症初期にも目立ち，アルツハイマー病におけるうつ病併存率は20〜32%，強い不安はその初期に68〜71%とされる．
- さらに，④は日常生活に著しく支障を来たすほどの身体症状の訴えは認めるものの，身体疾患やほかの精神障害では説明のつかない症状を有する上，いくら問題がないとの説明を受けても執拗に医学的精査を求めるといった特徴を有するとされる．
- DSM-5では，痛みなどの身体症状を自覚するが身体疾患として医学的に説明ができないような従来の疼痛性障害などを「身体症状症」，健康に関する強い不安をもちながら実際には身体疾患の存在しない(もしくはごく軽度)心気症を「病気不安症」という位置づけへと，再編成している．

● 初期対応のポイント

- 限られた時間に執拗に苦痛を繰り返し訴える患者を前にして，苦痛と身体疾患の関連性の有無について判断に迷うことは少なくない．治療者と患者の双方が，互いにネガティブな感情を時に有しながら，重篤な身体疾患や精神障害などの検討をしなければならないため，診療は容易にいかない．
- 加えて，心理的サポートも要求されるため，多くの医療者が身体不定愁訴に対する苦手意識を有しており，それが医師-患者関係の構築を阻害し，時に的確な診断を阻む．
- 問診では心理社会的な側面を念頭において行い，その中で身体不定愁訴において症状変化と心理社会的背景に密接な関連性が想定される場合，①機能性身体症候群や②心身症の可能性を考慮に入れる．

- 背景に，抑うつ気分や不安が目立つ場合には，③うつ病や不安症を疑い，さらに高齢者では潜在する認知症の可能性にも留意する．また，特にうつ病の場合は自殺リスクの評価も不可欠．
- これらの精神障害には該当しないにもかかわらず，不定愁訴を訴える患者が執拗に検査を求めてくる場合，④身体症状症を疑う．
- 一方で，がんや心血管性障害の一般身体疾患を有する患者であっても，一般人口に比べて「医学的に説明できない症状」を抱えている割合は高く，「医学的に説明できない」の断定は困難と国際的には認識されてきていることは忘れずにいたい．
- 現代精神医学は，早期発見，早期介入が主流であるが，身体不定愁訴に出会ったときには，しばしばそれが裏目に出るため，患者の苦悩への共感や配慮を欠く性急さや治療者の焦りは禁物．

（宗　未来）

食行動の異常

Abnormal Feeding Behaviors

point

- 食行動の異常を来たす代表的精神疾患として，①うつ病，②双極性障害，③統合失調症，④摂食障害，⑤認知症，⑥せん妄がある．
- 器質性疾患の除外診断が前提．
- 身体的な評価や加療に加え，精神状態にも留意した対応が求められ，入院が必要な場合には両者に対応可能な医療機関が望ましい．

症候の特徴，主訴のポイント

▶食行動の異常には大きく「拒食」(食欲の低下)と「過食」(過剰な食欲)がある．

▶せん妄のように器質性疾患と精神障害の併存に留意すべきケースもあり，安易な心身二元論で早計な判断は危険．

診断のポイント

▶拒食を示す身体疾患としては，脳腫瘍，脳炎，脳血管障害などによる食欲中枢の異常，下垂体，甲状腺，副腎などの機能低下症，各種胃腸疾患，膵炎，肝障害，尿毒症，肺気腫や喘息などの呼吸器疾患，心不全，各種血液疾患，感染症，薬の副作用などが挙げられる．

▶過食を示す身体疾患では，脳内病変による摂食中枢の刺激あるいは満腹中枢の障害で起こるほか，糖尿病，バセドウ病に代表される甲状腺機能亢進症，インスリン産生腫瘍などがあり，ステロイドや抗うつ薬などの薬剤服用時や月経前不快気分障害(PMDD)なども挙げられる．

▶精神疾患としては気分障害のうつ病や躁状態が挙げられる．

▶うつ状態では，「藁を噛んでいるよう」と表現されるような味覚減退を来たし，食欲低下により体重減少を認める．「食欲はあるか？」と尋ねても，体のことを考え無理に食べるように努めて摂取量を維持している場合も含め，患者は「食欲がある」と答えがちのため，食欲は量だけでなくその質についても確認．

▶慢性の統合失調症には肥満者が多い．原因として，食欲の亢進，摂取量の増加，活動量の低下，精神障害に伴う代謝の変化，向精神薬の副作用が考えられる．

- 本来食欲の対象とならない砂，土，石，草，毛，大小便などを摂食する異食症を呈する場合もある．
- いわゆる拒食症と呼ばれる神経性やせ症(AN)は，BMI において 18.5 未満の低体重にもかかわらず体重増加に抵抗を有する．
- 過食の病態を有するものとしては不適切なダイエット(代償)行動(自己誘発性嘔吐，下剤や利尿薬の乱用，過剰な食事制限，過活動)を随伴する神経性過食症(BN)と，代償行動を有さない過食性障害(BED)が，いわゆる過食症として挙げられる．
- 認知症の食行動異常では，記憶障害により食事をした事実を忘れて何度も食事を要求したり，遂行機能障害によって調理が困難になったり，満腹感の変化や介護者との関係性などが相まって食行動に異常な変化を認めたりする場合も多い．前頭側頭型認知症では同じものばかり食べる，食べ物の好みが変わるといった異常がみられる．
- 器質性疾患と精神障害の併存も考慮する必要がある．
- 入院を要する AN の重症例では，9 割以上に機能性消化管障害(functional gastrointestinal disease：FGIDs)の併存が報告されている．単純にやせ願望や肥満恐怖から食べないという治療者側のスティグマが治療関係毀損につながるので配慮を要する．

●初期対応のポイント

- 身体的な評価・加療に加え，精神状態にも留意した対応が求められ，入院が必要な場合は両者に対応可能な医療機関を検討．
- 認知症においては介護者への助言も有効．箸や器が認識できず使い方がわからない水準でも，それらを手に持たせて手続き記憶の助けを借りることで摂取介助に役立つ．

（宗　未来）

不眠，過眠

Insomnia, Hypersomnia

point

- 睡眠障害(不眠障害，過眠障害)の病因は多種多様で，正確な診断のために患者の日常の睡眠状態について詳細な情報を聴取する必要がある.
- 生理的睡眠時間を超えて不眠障害患者が眠りたいと希望した分だけ眠らせることは困難.

不眠障害の特徴

- 不眠は正確にいうと睡眠減少症であり，過眠(睡眠過剰)よりもはるかに出現頻度が高い．わが国では成人の約20%が何らかの不眠を訴え，その半数はかなり重症で，重症例の10%は睡眠薬を使用しているといわれている.
- 不眠の訴えに適切に対応するには，「眠れない」という訴えをより具体的な症候として把握することが重要．寝つきが悪いのか(入眠障害)，夜中に何度も目覚めて困っているのか(中途覚醒)，早く目覚めすぎて困っているのか(早朝覚醒)，休息感が欠如しているのか，について具体的に症候としてつかむ必要がある.
- 臨床的な定義としては，以下に示す2014年の『睡眠障害国際分類第3版(ICSD-3)』によるものが有用.
- 睡眠の開始，持続，固定，あるいは質に繰り返し障害が認められ，眠る時間や機会が適当であるにもかかわらず，こうした障害が発生して，その結果日中の活動に何らかの障害をもたらすことを不眠障害と定義する.
- 具体的には，①入眠困難，睡眠の維持の困難，または早朝覚醒や慢性的に回復的ではなく質のよくない睡眠を訴える，②眠る機会や環境が適切であるにも関わらず上述の睡眠・覚醒障害が生じる，③夜間の睡眠困難により，疲労，不調感，注意・集中力低下，気分変調などの日中の問題が起こっている.
- すなわち，適切な時間帯に寝床で過ごす時間が確保されているにも関わらず，夜間睡眠の質的低下があり，そのため日中に生活の質(QOL)の低下がみられる場合を臨床的に不眠障害とする.

●生理的な睡眠

- 健常人の生理的な睡眠時間は一定の範囲内であり，寝床の中で長い時間過ごしても生理的な睡眠時間を大きく超えて長く眠ることはできない．
- たくさん眠ろうと生理的な睡眠時間を超えて長く床についていると却って睡眠全体が浅くなり，中途覚醒が増えてしまう．
- 必要とされる睡眠時間には大きな個人差がある．現在の日本人の睡眠時間は平均 7 時間程度だが，3 時間ほどの短時間の睡眠で間に合っている人もいれば，10 時間以上眠らないと寝足りない人まで様々である．
- 健康・体力づくり事業財団による日本人の睡眠充足度(休養感)に関する調査によれば，睡眠での休養が十分であると感じている人は，平均睡眠時間が 6〜8 時間の人が最も多く，睡眠時間が 6 時間未満の人では 65%が睡眠を不十分と回答している．
- 逆に，その人にとって適正な睡眠時間を超えて長く眠ってしまうと，覚醒後の倦怠感や眠気が出現し，却って休養感が損なわれる．
- 「若い頃はもっと眠れた」と嘆く人がいるが，同じ人でも年代ごとに必要な睡眠時間は変化し，健康な人でも中年期以降は中途覚醒や早朝覚醒がみられるようになる．したがって，若い頃の睡眠と比較することは意味がなく，眠りに関する不安を高めるばかりである．
- 睡眠時間の長短にこだわる必要はなく日中の眠気や倦怠感などがなければ睡眠時間は適正だと考えてよい．

●不眠障害の診断のポイント

- 不眠障害の診断に際しては，不眠の型，睡眠パターン，随伴事象，既往歴，睡眠衛生，ベッドパートナーの情報などが不可欠．
- 概日リズムの要因，精神神経疾患の有無，薬剤やアルコールの要因，心理社会的な要因などの問診が基本．
- 不眠の症状が出現する前の生活リズムを確認．
- 何時に眠って何時に起きる生活習慣であったかという問いは不可欠．
- 不眠症の診断に必要な問診の要点を示す(表 6-2)．
- 鑑別診断としては，睡眠時無呼吸症候群，周期性四肢運動障害，

表 6-2　不眠障害診断のための問診のポイント

0. いつ頃から，どのように眠れないのか．それは持続的か，眠れたり眠れなかったりするのか．またそれは季節によって異なるのか．眠れなくて困るのは，夜のことか，それとも昼間のことか．
1. 眠れなくなる前は，何時に眠って何時に起きる生活習慣であったか．
2. 現在困っているのは，ベッドに入ってから寝つくのに時間がかかるからなのか．
3. いったん寝ついてしまえば，ぐっすり眠れるが，朝学校や職場に間に合わないということはないか．
4. 眠ってから中途で目が覚めて，再び寝つくのに困るのか．
5. 朝早く目覚めてしまうのか．
6. 朝早く目覚める場合，気分がすぐれないということはないか．
7. 朝早く目覚めるといっても，眠る時刻が午後8時など早くなっていることはないか．
8. 熟眠感がないのか．
9. 昼間に眠気が出ることはないか．
10. 眠れなくなるようなきっかけとなる出来事はあったのか．身体の病気，仕事上の問題，その他のストレスとなる要因はないか．それらの要因は持続しているのか．またそれらは症状の強さに関連しているのか．
11. これまで眠ろうとしていかなる試みをしてきたか．これまでの試みでよくなったものはあるか．逆に悪くなったものはあるか．
12. これまでどんな睡眠薬の処方を受けてきたか．どのような睡眠薬が有効であったか．逆に睡眠薬を利用することについて過度な不安を抱いていないか．
13. 寝る前にアルコールなどの乱用はしていないか．常用の薬物があるか．
14. 眠れなくなるような環境の変化(転居など)は，なかったか．睡眠環境は適切か．
15. 最近，いびきが大きい，寝ている間に呼吸が止まっている，四肢がぴくつくような不自然な動きが見えるときがある，と家族やパートナーから指摘されたことはないか．
16. 仕事の時間帯はいつも同じか．夜勤や24時間勤務などの不規則勤務や交代勤務はしていないか．

(粥川裕平，北島剛司，岡田　保：睡眠の障害の臨床─不眠症群の最新分類と治療的アプローチ．現代医学 56：69-76，2008 より一部改変)

レストレスレッグス症候群(むずむず脚症候群)，うつ病などの精神疾患，概日リズム睡眠-覚醒障害群などが挙げられる．詳細については他項を参照(▶p218)．

● 過眠症

- 過眠症とは日中の本来起きていなければいけない時間帯に過剰な眠気を来たす，もしくは1日の睡眠時間が延長してしまうような疾患の総称．
- 過眠症状の原因は多彩であるが，寝不足や夜間睡眠障害に伴う代償性の眠気ではなく，睡眠覚醒中枢自体の機能異常に起因するものを狭義の過眠症(中枢性過眠症)と呼ぶ．
- 診断は，基本的には除外診断で，それ以外の過眠症状を来たす病態がないことを確認することが前提となる．
- 精神・身体疾患や服薬に伴う眠気を除外し，睡眠不足や概日リズム睡眠-覚醒障害を十分補正した上で，終夜ポリグラフ検査(polysomnography：PSG)により夜間睡眠の質的障害がないことを確認し，翌日過剰な眠気の有無を調べるのが診断手順となる．
- 睡眠不足が明らかであっても，職場が遠い，仕事が忙しくて帰りが遅いなどといった問題のためにそれを解消できないのが，日常の診療上対応の難しい点である．
- 夜間不眠のために二次的に，日中の過眠を来たしているような場合は，まず不眠の治療を行う．
- 鑑別診断には，睡眠時無呼吸症候群，ナルコレプシー，特発性過眠症などが挙がる．詳細は他項を参照(▶p218)．

(山縣　文)

健忘

Amnesia

point

- 健忘とは，過去の一定期間（または一定の事実）の追想の欠如であり，「もの忘れ」と同義ではない．
- 健忘は，器質性（外傷，血管障害，感染，神経変性疾患など）だけでなく，心因性のこともある．薬剤性・症候性の場合もある．

症候の特徴

- 健忘の原因となる疾患を罹患する以前の健常な時期までさかのぼって追想の欠如がみられる場合を「逆向（性）健忘」と呼ぶ．
- 健忘の原因となる疾患を罹患した以降の時期に対して追想の欠如がみられる場合を「前向（性）健忘」と呼ぶ．
- ある期間のすべてに関する追想の欠如がみられる場合を「全健忘」と呼ぶ．
- 追想できるものとできないものが混在する場合を「部分健忘」と呼ぶ．
- 健忘患者では，しばしば作話が認められる．

症状の診かた

- 健忘（特に器質性の場合）は意識障害からの回復過程で生じることも多く，まずは意識障害の有無を確認しなければならない．
- 障害が様々な認知領域に及ぶのか，ほぼ健忘のみであるのか（健忘症候群）を見極めることも重要．

鑑別診断

器質性精神障害

- 認知症
- 脳血管障害（視床出血，前交通動脈瘤破裂など）
- 感染症（ヘルペス脳炎など）
- 低酸素脳症
- てんかん
- 一過性全健忘

◆症候性精神障害・物質関連障害群など

- ▶アルコール性コルサコフ症候群
- ▶薬剤(ベンゾジアゼピン系など)

◆狭義の精神疾患

- ▶解離性健忘(機能性健忘)

●鑑別診断のポイント

- ▶器質性の健忘は，内側側頭葉，間脳，前脳基底部の病変によることが多い．
- ▶心因性健忘では前向健忘を伴わず逆向健忘のみが生じることがよくあるが，器質性の健忘では逆向健忘のみが生じることはまれ．
- ▶器質性の逆向健忘では，しばしば時間勾配(より遠い過去のことのほうが追想しやすい)がみられる．
- ▶心因性健忘では，詐病や虚偽性障害との鑑別を要する場合がある．

●初期対応のポイント

- ▶器質性・症候性の場合，まずは原疾患の治療による症状改善を試みる．
- ▶心因性では，健忘自体がストレス因に対する防御機能を果たしていることがある．患者の背景をよく調べ，治療のメリット・デメリットへの配慮が望まれる．

[Further Reading]
- 山鳥　重：神経心理学入門．医学書院，1985

(田渕　肇)

失語，失行，失認

Aphasia, Apraxia, Agnosia

point

- 失語とは，大脳半球の特定の領域の損傷により生じる，一度獲得された言語の理解や表出などに関する能力の低下や消失のことである．
- 失行とは，麻痺や運動失調などの運動障害がなく，行うべき行為や動作がよくわかっているにもかかわらず，その行為を実行できない状態である．
- 失認とは，視覚や聴覚などの単純な知覚は保たれているが，ある感覚様式を介しては対象を認識できない(他の感覚様式を介すれば認識できる)状態である．

失語

◆症候の特徴

- 右利き患者のほぼ全例および左利き患者の7割程度において，左大脳半球(優位半球)の損傷により失語が生じる．
- 言語関連の「発語」「聴覚的理解」「書字」「読字」などの障害が認められるが，必ずしもすべての症状が生じるわけではない．

◆症状の分類

❶ ブローカ失語

- 自発語が貧困化，非流暢化し，発語に努力を要する．
- 復唱が障害されるが，言語の理解は比較的保たれる．
- 運動失語に分類される．

❷ ウェルニッケ失語

- 自発語は流暢だが，錯語(実際にはない言葉)の使用がみられ，話している文の意味が不明となることもある．
- 復唱は障害される．言語の理解が強く障害される．
- 感覚失語に分類される．

❸ 超皮質性運動失語

- 自発語が貧困化するが，復唱や言語の理解は保たれている．

❹ 超皮質性感覚失語

- 自発語は流暢だが，錯語や喚語困難などが認められる．
- また語義(言葉の意味)の理解が障害される．
- 復唱が保たれる点がウェルニッケ失語とは異なる．

❺ 伝導失語

- 自発語は流暢で，言語の理解も比較的保たれるが，復唱が障害される．またしばしば音韻性の錯語(正しい語と音韻が似た語に変わること)を認める．

❻ 健忘失語

- 自発語は流暢で言語理解も良好だが，喚語困難が生じて「あれ」「それ」など代名詞の使用が増える．

❼ 全失語

- 自発語は非流暢で，理解も障害され，復唱もできない．すべての言語機能が重度に障害された状態．

❽ ロゴペニック型失語

- 原発性進行性失語の亜型として提唱された失語型であり，喚語障害と復唱障害を認めるが明らかな失文法はなく単語理解は保たれている状態．
- 原因疾患としてはアルツハイマー病が多いが前頭側頭葉変性症でも生じる．左側頭頭頂領域(後部側頭葉，縁上回，角回など)の萎縮が認められる．

◆鑑別診断のポイント

- 自発語の状態，語や意味の理解，復唱，読み書きなどの障害の有無を確認することで，失語症のタイプを分類する．
- 語の理解が障害されている場合，対象に関する意味や知識そのものが障害されていないか(意味記憶障害)を確認する．
- 発語が障害されている場合，失語であるのか，単に発語に関する運動機能が障害されているのか(構音障害)を区別する．

◆主な失語症検査

- 標準失語症検査(SLTA)
- WAB 失語症検査
- 失語症語彙検査(TLPA)

● 失行

◆症候の特徴

- 失行患者では言語命令による動作や，模倣，物品(道具)の使用などの行為が障害される．
- 実際の物品・道具使用が可能でも，しばしば物品を使用する身振りが障害されることがある．

▶意識しないで行うような自動的な動作は障害されなくても，同じことを意図してやろうとすると，できなくなることも多い．

◆症状の分類

❶ 肢節運動失行

▶熟練しているはずの運動行為が，拙劣化している状態．

▶ペンをつかむ，ボタンをかけるなどの動作が困難となる．

❷ 観念運動(性)失行

▶「さよなら」と手を振るなど，社会的に慣習性の高い動作を，口頭指示されて意図的に行うことが困難．日常生活の中で自動的に(自然に)行うことはしばしば可能．

▶動作の模倣が困難となることも多い．

❸ 観念(性)失行

▶物品・道具などの認知は十分に保たれているにもかかわらず，実用品の使用が障害される．また複数の物品を操作するなど系列動作が障害される．

❹ 着衣失行

▶衣服をうまく着られなくなる状態．自己と対象の上下・左右・裏表などの空間的な関係に混乱が生じている．

❺ 構成失行

▶まとまりのある形態を形成する能力の障害．部分を空間的に配置する行為が障害される．例えば図形を模写する，積み木などを用いて三次元的な形態を再現することができなくなる．

◆鑑別診断のポイント

▶麻痺，運動失調，不随意運動などの運動障害との区別が必要．

▶上記の運動障害の場合は，毎回同じような誤り方をするが，失行の場合はしばしば検査のたびに異なる誤反応がみられる．

▶失語が合併する場合には言語命令による判定が困難となることに留意する．

◆主な失行検査

▶標準高次動作性検査(SPTA)

▶WAB 失語症検査の「行為」に関する検査

● 失認

◆症候の特徴

▶ある感覚様式(例えば視覚)に関して現れるのが特徴である．すべての感覚様式に対して生じる対象認知の障害は，失認によるものとはいえない．
- ある感覚様式(例えば視覚)の中でも，ある特殊なカテゴリー(例えば色彩)にのみ失認が生じることもある．

◆症状の分類

- **視覚失認**：見ただけでは対象が何かわからないこと．しかし例えば触ってみるとわかる．統覚型・連合型に区別される．
- **聴覚失認**：音はわかるが言葉や音楽として聞き取れない状態．
- **触覚失認**：触ったものが何かわからない状態．
- **相貌失認**：一般的な対象物の認知は可能だが，相貌(人の顔)の認知だけが特異的に障害された状態．顔からは家族や友人がわからないが，声を聞くとわかる．表情(怒り，笑い)の認知はしばしば可能．

◆鑑別診断のポイント

- 統覚型視覚失認では対象物の模写・写生ができない．また対象が異なるかどうかの弁別などもできない．
- 連合型視覚失認では細部まで正しく描くことができるが，その対象が何であるかを認識できない．

◆主な失認検査

- 標準高次視知覚検査(VPTA)

●対応のポイント

- 失語，失行，失認を正しく評価するためには基本的な感覚様式(視覚，聴覚，触覚など)が保たれているかを確認しなければならない．
- 意識や全般的注意，さらには対象に対する適切な注意などが保たれているかも確認する必要がある．
- 症状(本項で分類した症状も含め)は，それぞれ特異的な脳局在による損傷後にしばしば認められるため，症状を詳細に調べることで脳損傷の局在を推定することが可能．

［Further Reading］

・山鳥　重：神経心理学入門．医学書院，1985

(田渕　肇)

前頭前野症状

Prefrontal Symptoms

point

- 前頭前野は，ヒトの中枢神経の最高次の領野であり，系統発生において最も新しく，個体発生においても生下時には未成熟であり，最も遅く成熟する．
- 前頭前野の機能は，生存環境において目の前の刺激への反射的，自動的な行動を抑制し，未来の帰結を予測して，計画的に意思決定，行動制御を行い，環境への適応を最適化する“未来志向的(前向き)”な機能ととらえておくとよい．

症状の特徴

- 前頭前野機能は，脳機能の中でも最高次の機能を担っている．
- その機能は要素的で具体的な機能というよりも，後部脳を基盤とする様々な要素的な脳機能をtrans-modalかつsupra-modalに制御するような，複雑で抽象度の高い機能である．
- 前頭前野は，機能面から大きく以下の5領域に分けて考えられている．①背外側部(dorsolateral)，②内側部(medial)，③眼窩部(orbitofrontal)，④腹外側部(ventrolateral)，⑤前頭極(frontal pole)．臨床においては，各下位領域の損傷によってどのような症状が現れるかについて知っておくことが重要である．

前頭前野全般

- 発動性欠乏(Antriebsmangel)，流暢性低下，保続，環境依存傾向，アパシーなどが生じ，受動的な行動に陥ってしまう．
- 日常生活場面における行動だけを見ると，一見，正常にも見えるが，ステレオタイプな行動の単なる繰り返しであり，未来志向的な行動はみられない．すなわち，新規の場面に遭遇したときに，うまく適応できない．

背外側部

- 概念ないし認知セットの変換が困難となり，その障害はウィスコンシン・カード分類テストでとらえることができる．
- また，ワーキングメモリ障害，未来に行うべきことの記憶である展望記憶の障害もみられ，背外側部が未来志向的な行動の認知的制御を担っていることがわかる．

◆内側部

▶ Go/no-Go 課題などで，抑制障害がみられる．臨床的には，発動性欠乏，アパシーがみられ，前部帯状回も含めて広範に両側が障害されると無動無言症(akinetic mutism)となる．

◆眼窩部

▶ 情動や社会的価値に基づいた社会的な意思決定(報酬・罰や損得の判断)の障害が生じ，万引きや性的逸脱などの社会的行動障害を来たす．

▶ 眼窩部は，前頭前野内側部，前部帯状回，線条体，島皮質，扁桃体，海馬，側頭葉極部などの辺縁系と密接な連絡を有しており，前頭前野機能全体に情動や社会的価値を付加させて，最適な行動制御を実現させている．

◆腹外側部

▶ 優位半球の場合には，いわゆるブローカ野に相当するため，運動失語がみられる．発話という行為の制御に関わっている．

◆前頭極

▶ 前頭前野の最前方部に位置し，ヒトの最高次の脳機能ともいえ，前頭前野機能の中でも，その機能の理解が最も難しい領域である．

▶ 前頭極の機能としては，エピソード的未来思考や，展望記憶における存在想起など，未来へと向かう脳機能が知られている．前頭極の機能の理解は，まさに前頭前野機能の極みといえる．

● 症状の診かた

▶ 前頭前野機能は，脳機能としては最高次の，複雑で抽象度の高い機能である．そのことと関連するが，局在性は低次の機能に比べて不明瞭であり，また個体差も大きい．そして，臨床的な立場からは，系統および個体発生的に新しいものほど，脳機能としては脆弱であるので，前頭前野も，そのような脆弱な脳機能であるということを理解しておく必要がある．

［Further Reading］

• A. R. ルリヤ(著)，鹿島晴雄(訳)：ルリヤ　神経心理学の基礎脳のはたら

き，第２版．創造出版，1999
・ 加藤元一郎：前頭葉機能障害．老年精医誌 2：1134-1140，2012
・ 渡邊正孝：前頭連合野のしくみとはたらき．高次脳機能研 36：1-8, 2016

（前田貴記）

第7章

疾患

統合失調症

Schizophrenia

point

- 原因はいまだに不明であり，何らかの脳機能異常が想定されているものの，疾患としての実体はとらえられておらず，あくまでも臨床上の「類型」にとどまっている．
- 統合失調症に特異的な幻覚・妄想について理解する．
- 慢性疾患であり，再燃を繰り返すたびに人格水準が低下していくものと考えられており，いかに再燃（シュープ）を防ぐかが重要．
- 病名告知に際しては，スティグマ，セルフスティグマのリスクについて，十分に考慮すること．

障害の特徴

▶幻覚・妄想を来たす代表的な精神障害で，以下の点から精神医学において最も重要な精神障害の1つとされている．

▶有病率の高さ（約1%），若年発症し就学・就労などの社会機能の低下を来たすこと（好発年齢は思春期・青年期）．

▶治療がしばしば困難な慢性疾患であること．

▶原因はいまだに不明であり，何らかの脳機能異常が想定されているものの，疾患としての実体はとらえられておらず，あくまでも臨床上の「類型」にとどまっている．

▶そのため，診断のためのバイオロジカルマーカーは現在のところ存在せず，診断は主観的症状（symptom）と客観的所見（sign）とから，症候学的に診断するしかない．

診断のポイント

▶症候学的に診断されるが，特異性が現れるのは，幻覚・妄想という主観的症状においてであり，従来診断においては，シュナイダーの一級症状が重視されてきた（大きく分けて，幻声，妄想知覚，自我障害からなる）．

▶解体症状，陰性症状，認知機能障害などの行動面・表出面の客観的所見には診断特異性はないことに留意する．

▶統合失調症の幻覚は仮性幻覚が基本．幻聴が主で，特にシュナイダーの一級症状に挙げられるような幻声である点が重要．要素性の幻聴の場合には，自閉スペクトラム症，身体疾患，物質関連障害などとの鑑別を行う．

- 統合失調症の妄想は，体験形式としては，妄想知覚と妄想着想の2つの形式に分けられる．
- 妄想着想については，例えば躁病をはじめ，あらゆる精神病において認められるので，どんなに仰々しい妄想であっても鑑別診断には役立たない．
- 妄想知覚については，身体疾患や物質関連障害が除外できれば，統合失調症に特異的．
- 妄想内容については診断に役に立たないが，治療においては尊重すること．
- 精神科診断学は，当事者によって「表現された（語られた）言葉」という事実に基づいているが，統合失調症の診断においては特に重要であり，当事者の訴えを逐語で，ありのままに記述する．
- 幻覚・妄想などの精神病症状については，当事者にとっても新奇の体験であり，当人が知っている言葉を用いての近似的な表現にすぎないことも，念頭においておくこと．

● DSM-5における障害概念・診断基準の変更点

- DSM-5の診断基準では，以下のうち2つ（またはそれ以上）の症状が，各々1カ月の期間（治療が成功した場合はより短い）ほとんどいつも存在し，少なくとも1つは①か②か③の精神病症状でなければならない．

  ①妄想
  ②幻覚
  ③まとまりのない発語（例：頻繁な脱線または滅裂）
  ④ひどくまとまりのない，または緊張病性の行動
  ⑤陰性症状（すなわち情動表出の減少，意欲欠如）

- 統合失調症にスペクトラムの考え方が導入され，統合失調症は，他の精神病性の障害と病態論的に連続性のあるものとの思想が表明された．
- 統合失調症スペクトラムの中に，統合失調型パーソナリティ障害も組み込まれたが，これは，統合失調症スペクトラムと正常との間については量的差異しかなく，質的差異としての境界というものはないということを表明している．

- DSM-5では，シュナイダーの一級症状の特異性を示すエビデンスがないということで，一級症状は特別扱いされることはなくなった．
- 妄想型，解体型，緊張型，残遺型という臨床亜型が廃止された．

鑑別診断の進め方

- 幻覚・妄想を呈する原因疾患は多岐にわたるため，鑑別すべき疾患について，知っておかねばならない(▶p108)．まずは器質因を除外すること．
- 緊急性が高く，治療可能な器質因が除外できたら，基本姿勢として，まずは症状の"意味"について，正常心理としてどこまで了解できるか，よく聴取していくことが望ましい．
- これは「了解可能性」(ヤスパース)・「心的生の発展の意味連続性」(シュナイダー)を丹念にたどるということであり，精神療法的観点からも重要な姿勢である．
- "意味"の連続性を断つものが，統合失調症をはじめとする精神病の存在を示す根拠となる．

対応のポイント

- 抗精神病薬による治療が必須であるが，長期的に治療関係を構築・維持していく必要がある疾患なので，自傷他害などの緊急性の高い状態でなければ，当事者とよく相談した上で薬物導入をはかることが重要．
- 自傷他害のおそれがあり緊急対応を要するときには，各自治体の精神科救急ルートでの対応も検討．
- 経過・予後も様々であるが，典型的には，薬物療法はある程度は有効であるものの完治することは難しく，再燃を繰り返し，徐々に社会機能の低下を来たす慢性疾患である．
- 再燃を繰り返すたびに人格水準が低下していくと考えられ，いかに再燃を防ぐかが重要．

薬物療法のポイント

- 治療は薬物療法が中心．ドパミン障害との観点から，主にドパミン系をターゲットにした第一世代抗精神病薬による治療が行われてきた(クロルプロマジン，レボメプロマジン，ハロペリドールなど）．第一世代抗精神病薬では，副作用として錐体外路症状が問題である．

- 最近は，ドパミン系のみならず，セロトニン系など多系統に作用する第二世代抗精神病薬が中心（リスペリドン，クエチアピン，オランザピン，アリピプラゾール，ペロスピロン，ブロナンセリン，クロザピン，パリペリドン，アセナピン，ブレクスピプラゾール，ルラシドンなど）．
- 第二世代抗精神病薬は，第一世代に多い錐体外路症状などの副作用は少ないが，体重増加，耐糖能異常，脂質異常などの代謝性の副作用はむしろ多い．
- 糖尿病では，クエチアピン，オランザピンは禁忌．
- 薬物療法の課題は，陽性症状には有効だが，機能予後に影響する陰性症状・認知機能障害には効果が乏しい点である．

当事者本人への説明

- 本人への統合失調症の病名告知については，各医師の裁量に任されている．病名告知をすべきか否かについては，正解はわからず，どの医師がどのタイミングでどのように伝えるかなど，極めて個別性の高い難しい問題である．
- 病名告知をしなくとも，症状の理解・共有のみで治療を進められる場合も多く，必ずしも病名告知をしなければ治療が成立しないわけではない．
- 仮に病名告知を行う際に，少なくとも考慮しておかねばならない点について挙げておく．

①言葉による分類・命名という行為は，質的差異に基づく差異化・差別化である．病名をつけるという行為は，正常とは異質なものとして区別することになるため，スティグマの問題が伴う．

②セルフスティグマの問題．当事者を病人にさせないこと．

③そもそも統合失調症は原因不明で，疾患としての実体が明らかでないという状況であり，果たして医師自身が，きちんと障害概念や病態生理について説明できるのであろうか．

④病識が欠如している場合や，認知機能が低下している場合に，そもそも病名告知という行為は成り立つのか．

[Further Reading]

- 前田貴記："自我"の精神病理学から考える統合失調症．臨精医 44：701-706，2015
- 前田貴記，鹿島晴雄：統合失調症における具象化傾向(concreteness)と過包括(over-inclusion)．Schizophrenia Frontier 11：207-212，2010
- 前田貴記，沖村　宰，野原　博：統合失調症におけるスペクトラムというメタファーの導入の意義と問題点．村井俊哉，村松太郎(編)：精神医学におけるスペクトラムの思想．学樹書院，2016

(前田貴記)

うつ病/大うつ病性障害

Major Depressive Disorder

point

- 初回診察では，症状把握だけでなく，症状が生じた経緯など患者のストーリーを包括的に理解し，診断を含めた患者の問題を整理する．
- 治療開始時には必ず身体的評価も行う．
- 投薬開始後は副作用発現に注意し，検査などを定期的に行う．
- 治療が奏効しない場合，治療法のみならず診断も見直す．

疾患の特徴

▶疲労感・倦怠感などの不快な身体感情や，悲哀・抑うつ気分などの心的感情といった感情の障害のみならず，不眠や食欲低下など身体症状をも含む多様な症状を呈し，これらにより職業的，社会的な機能障害が引き起こされた状態．

▶「うつ病」という呼称は複合的な成因からなる症候群が本態であり単一疾患ではない(そもそも精神疾患の診断体系は類型分類)．

▶わが国の生涯有病率は6.7%で，そのうち医療機関を受診する者は1/3．患者は精神科に限らず，あらゆる診療科を受診しており，うつ病の早期の察知から初期治療の円滑な導入が大切．

診断のポイント

◇診断基準

▶DSM-5のうつ病の診断基準は，以下の①～⑨のうち5つ以上の症状(①または②は必ず含むこと)がほとんど毎日2週間以上持続し，その結果著しい苦痛もしくは顕著な社会・職業などの機能障害を来たしている状態．

▶①抑うつ気分，②興味関心の低下・喜びの喪失，③食欲低下または亢進，④不眠または過眠，⑤精神運動抑制または焦燥，⑥易疲労感または気力減退，⑦無価値感または罪責感，⑧思考力・集中力の減退または決断困難，⑨自殺念慮．

▶診断の際，DSM-5の症状と機能障害の程度の検討に加えて，発症の契機(身体因や心因など)や生物学的・心理社会的背景(成育歴，家族歴，不安症の合併，アルコール問題や家族不和など)など，患者のストーリーを包括的に理解しながら患者の抱える問題をリスト化して整理．この問題リストをもとに治療計画を策定．

▶経過の中で新たな情報を得た場合，治療計画を見直す(場合によっては診断自体も見直す)．

◇ライフステージ別の特徴(▶p124)

❶思春期～青年期

▶過眠，体重変動に加え，不快気分や攻撃的になったり(逆にひきこもったり)，またアルコールや薬物に手を出すなど行動上の問題が現れたりすることがある．

▶他の精神疾患〔注意欠如・多動症(ADHD)，不安症，物質関連障害，摂食障害など〕との関連にも注意．

❷成人期

▶人間関係の問題，仕事や育児・介護など生活に伴う葛藤から発症する例もある．

▶強いストレスから解放されて生じる「荷降ろしうつ病」や，昇進など役割変化が負荷となって引き起こされる「昇進うつ病」などがある．

▶不安・焦燥を特徴とする月経前不快気分障害(PMDD)や更年期のうつ，また出産に伴って発症する「産後うつ病」など女性特有のうつ病もある(▶p269)．なお，産褥期早期に発症するうつ病は自殺念慮や自責感が強く，入院を要することも多いので注意が必要．

❸初老期～老年期

▶抑うつ気分よりも不安・焦燥を前景とする例が多い．逆に精神症状は目立たず，身体の不調などの身体愁訴や自律神経症状を前景とするタイプもある(「仮面うつ病」)．

▶重症化すると微小妄想(心気妄想，貧困妄想，罪業妄想)がみられることがある．

▶無症候性の脳血管障害を伴う「血管性うつ病」，甲状腺疾患，心疾患，悪性腫瘍などの身体疾患による「症候性うつ病」，インターフェロン，副腎皮質ホルモン，抗腫瘍薬など薬剤に起因するうつ病もあるので注意．

●治療のポイント

◆治療原則

- うつ病治療は，患者との協働によって実施されるものであり，まずは良好な医師-患者関係を築くことが重要．
- 診察では，情報提供や心理教育を行いながら，医師が理解した患者の症状を含む問題をフィードバックし，その解決のため患者と協働して治療を検討〔SDM(shared decision making)〕(▶p317)．治療方針が決まったら，治療目標に向かって協働して取り組む．
- 治療計画を立て，治療選択を行うにあたって，まず身体的評価〔血液検査(血算，電解質，肝機能，腎機能，甲状腺機能，血糖)，心電図(QTc 時間)，頭部画像，脳波など〕と，自殺念慮など安全性の評価が重要．切迫した自殺企図や，病状の急速な悪化が予測される場合では入院治療から開始．
- 急性期治療の治療目標の 1 つは，症状寛解．

◆薬物療法

- 抗うつ薬による薬物療法の基本は，治療用量にて十分期間服用すること．なお，最初に開始した抗うつ薬を十分用量・十分期間使用した場合，治療反応率は約 50%，寛解率は約 30%．
- 治療用量の抗うつ薬にて 3〜4 週間経過後も効果がない場合，再評価を行う．その際，服薬アドヒアランス不良のため服薬が不十分でないか，診断が適切かについて検討(双極性障害との鑑別)．
- 再評価の結果，抗うつ薬への反応が全くない，もしくは副作用のために十分な服薬が困難と判断される場合，抗うつ薬を変更．部分反応が認められる場合，副作用に注意しながら治療用量の上限までの増量を試みて，さらに 2〜3 週間後に再評価〔注：選択的セロトニン再取り込み阻害薬(SSRI)における増量効果は定まっていない〕．
- 抗うつ薬を寛解後も継続投与した場合，終了した場合に比べ再発率を約 50%引き下げる．このため初発例が寛解に至っても，副作用の問題がない限り再発予防のため急性治療期と同用量の抗うつ薬を 6〜9 カ月は維持．再発例では 1〜3 年維持．
- 抗うつ薬を中止する際には数週間かけて漸減中止．急速に中止・中断すると，中断症候群(感冒様症状，めまい，悪心，頭痛，不眠，電撃の感覚など)が生じうるので注意．

◇重症度別の治療指針

❶ 軽症

▶ 心理教育を行いながら支持的に関わり，患者の抱える問題の解決を試みる．

▶ 必要に応じて，薬物療法(忍容性の面からSSRIから選択)，行動活性化などの認知行動療法(CBT)，運動療法を開始．

▶ 軽症の場合，一般的に抗うつ薬による薬物療法をただちに開始することには慎重であるべきだが，抗うつ薬に対する良好な反応の既往，中等症以上のうつ病の既往，うつ病の家族歴，非薬物療法が奏効していない場合は薬物療法の導入を検討．

◉処方例①(代表的な薬剤の一部を以下に挙げる)

- セルトラリン(ジェイゾロフト®)　50 mg/日　1日1回　夕食後
- エスシタロプラム(レクサプロ®)　10 mg/日　1日1回　夕食後

❷ 中等症～重症

▶ 薬物療法を行う〔忍容性の面からまずSSRI，セロトニン・ノルアドレナリン再取り込み阻害薬(SNRI)が選択されうるが，すべての種類の抗うつ薬は候補となる〕．

◉処方例②(処方例①のほかに下記など)

- ベンラファキシン(イフェクサー® SR)　75～225 mg/日　1日2～3回分服
- デュロキセチン(サインバルタ®)　40～60 mg/日　1日1回　朝食後
- パロキセチン(パキシル®)　20～40 mg/日　1日1回　夕食後

▶ 抗うつ薬の効果発現には1～2週間要するため，不眠や不安・焦燥が強い場合は，鎮静作用があるノルアドレナリン作動性・特異的セロトニン作動性抗うつ薬(noradrenergic and specific serotonergic antidepressant：NaSSA)〔ミルタザピン(リフレックス®，レメロン®)　15～45 mg/日　1日1回　就寝前〕を選択，もしくは治療導入期はベンゾジアゼピン系抗不安薬や睡眠薬との併用．ベンゾジアゼピン系薬剤を併用する場合，常用量依存を起こさせないため，漫然と処方しない．

- 鎮静の少ないSSRI，SNRIから開始した場合，投与初期(2週間以内)に不安，焦燥，衝動性などを呈する「アクチベーション症候群」の出現に注意．
- またすべての抗うつ薬は24歳以下の若者において自殺関連行動リスクが増加することが報告されており，処方の際はリスクとベネフィットを考慮．
- 必要に応じて以下の増強療法を行う．
- 炭酸リチウム(リーマス®)　200〜600 mg/日　1日1〜2回分服　(保険適用外)
- 第二世代抗精神病薬
  ①クエチアピン(セロクエル®)　25〜300 mg/日　1日1〜3回分服　(保険適用外)
  ②アリピプラゾール(エビリファイ®)　3〜12 mg/日　1日1〜2回分服
  ③オランザピン(ジプレキサ®)　2.5〜10 mg/日　1日1〜2回分服　(保険適用外)など
- 甲状腺ホルモンT_4製剤
  レボチロキシン(チラーヂン® S)　25〜100 μg/日　1日1〜4回分服　(保険適用外)など
- 薬物療法以外には，CBTの併用や電気けいれん療法(ECT)，経頭蓋磁気刺激療法(TMS)を行う．

❸ 精神病性うつ病

- 三環系抗うつ薬〔アモキサピン(アモキサン®)　50〜150 mg/日　1日2〜3回分服，アミトリプチリン(トリプタノール®)　75〜150 mg/日　1日3回分服など〕，抗うつ薬と第二世代抗精神病薬の併用，特に自殺リスクなど生命危機が切迫している場合はECTを選択．

❹ 治療抵抗性うつ病

- 初期治療の抗うつ薬への反応が乏しいと判断される場合，抗うつ薬の変更(処方例②を参照)または増強療法，CBTの併用，ECT，TMSなど他の治療選択への変更など治療を再考．
- 抗うつ薬の変更や増強療法，CBTの併用による継続治療を行っても，約1年間での累積寛解率は67%にとどまっている．

患者・家族への説明

- まず，患者のつらさに共感する．その上で，患者が抱えている問題を把握・整理し，心理教育を行いながら，患者が今どのような問題を抱えているのかをフィードバックし，その問題を解決するための治療を患者と協働して検討．
- 患者に疾患モデルを説明すると，治療の目的がわかりやすい．
- 例えば，日本うつ病学会治療ガイドラインの疾患モデルを用いて，うつ病の特徴を説明する．
- ストレスになるような出来事が重なり，サポート不足などの環境要因や睡眠不足が持続すると「脳の機能変化」が生じる．すると，脳の情報処理の変化が生じて物事に対する見方が極端となり，問題解決がはかりづらくなってしまう．その結果，ますますストレスを感じ，症状が悪化するという悪循環が形成される．
- うつ病という医学的疾患の症状のため，今は問題解決に取り組むのが難しくなっており，決して怠けているのではないことを伝える．その際，うつ病の心理教育パンフレットなどを渡すと患者・家族の理解を促進するのに役立つ．
- 物事に対する見方が極端になっている時期なので，重要な判断は延期するように伝える．
- 見通しに関して，「服薬と休養で治ります」という安易な保証はしない．「よくなるまでに一般的には6カ月くらい必要です．でも，ストレスの状況によっては，長引くこともあります」と，治療が簡単に進まない場合もあることを添えて説明．
- 休養は「こころを休めること」であり，安静臥床を意味するものではない．ベッドで横になり「自分はだめなんだ」と反芻する状態は避ける．
- 「こころの休め方」は，患者により様々だが(例：散歩，音楽鑑賞)，休養の仕方が問題解決につながっているのかを評価．
- 治療を終結する場合は，再発時に予想される徴候(不眠など)を患者や家族とともに確認し，徴候を認めた場合には速やかに再受診するように伝えておく．

［Further Reading］

- 日本うつ病学会気分障害の治療ガイドライン作成委員会：日本うつ病学会

治療ガイドラインⅡ．うつ病(DSM-5)/大うつ病性障害2016．日本うつ病学会，2016
・Taylor DM, Barnes TRE, Young AH(原著)，内田裕之，鈴木健文，三村將(監訳)：モーズレイ処方ガイドライン，第13版　日本語版．ワイリー・パブリッシング・ジャパン，2019

(中川敦夫)

双極性障害

Bipolar Disorder

point

- 初発のうつ状態では双極性障害の診断がつかないため，躁病エピソードの聞き取りを必ず行う．
- 若年発症，うつ病エピソードを繰り返している，家族歴がある場合には双極性障害の可能性を考える．
- 疾患教育を行い，服薬アドヒアランスを高めることが重要．
- 治療は生涯にわたり続き，再発予防が重要．

疾患の特徴

▶ 気分が高揚し，易怒性を伴うこともある躁状態と，気分の落ち込みを中心とするうつ状態を繰り返し，これらにより職業的，社会的な機能障害が引き起こされた状態．

▶ 躁病エピソードを伴う双極Ⅰ型障害と軽躁病エピソードを伴う双極Ⅱ型障害に分かれる．

▶ 有病率は約1%と推測されており，男女差は目立たない．治療中断が多く，エピソードを繰り返すことで徐々に症状コントロールが悪くなるため，長期的予防を行っていくことが重要．

診断のポイント

◆診断基準

▶ 双極Ⅰ型障害の診断基準(DSM-5)としては，A：少なくとも1つ以上の躁病エピソードに該当すること，B：躁病エピソードと抑うつエピソードの発症が，統合失調感情障害，妄想性障害，他の精神病性障害ではうまく説明されないときに，診断がなされる．

▶ 双極Ⅱ型障害の診断基準(DSM-5)としては，A：少なくとも1つの軽躁病エピソードと少なくとも1つの抑うつエピソードが診断基準を満たすこと，B：過去に躁病エピソードがない，C：軽躁病エピソードと抑うつエピソードの発症が，統合失調感情障害，妄想性障害，他の精神病性障害ではうまく説明されない，D：抑うつの症状，または，抑うつと軽躁を頻繁に交代することで生じる予測不能性が臨床的に意味のある苦痛，または社会的，職業的，または他の重要な領域における機能の障害を引き起こしているときに，診断がなされる．

- 躁病エピソードとは，気分が高揚し活動的になり，①自尊心の肥大，②睡眠欲求の減少，③多弁，④観念奔逸，⑤注意散漫，⑥目標指向性の活動の増加や精神運動焦燥，⑦困った結果につながる可能性が高い活動に熱中する，これらのうち3つ以上の症状があり，それが1週間以上，毎日続くときに診断がつけられる．
- 軽躁病エピソードは上記の症状の持続期間が4日以上で，引き起こされる機能障害が少ないときに診断がつけられる．
- うつ病エピソードは，それ単独であるとうつ病の症状と区別ができない．このため初発のうつ状態では必ず躁病エピソードの聴取を行う．
- 若年(25歳以下)発症，過去のうつ病エピソードの回数が多い，血縁者に双極性障害の家族歴があるときには双極性障害を疑って治療を行う．

7
疾患

●治療のポイント

◇治療原則

- 双極性障害の治療は，薬物療法が主体．疾患教育を行い，服薬アドヒアランスを高めることが重要．

◇薬物療法

- 双極性障害の薬物療法は①躁病期，②うつ病期，③維持期の3つに分かれる．

◇病期別の治療指針

❶ 躁病期

- 抗うつ薬を使用している場合にはまず中止する．
- 軽症の場合は，炭酸リチウムの増量で様子をみることもあるが，多くは症状が急激に悪化するため，効果の発現が速い抗精神病薬を併用．

◉処方例(下記を併用する)

- 炭酸リチウム(リーマス®) 400 mg/日 1日2回分服 朝・夕食後から開始．血中濃度を測定しながら0.8～1.0 mEq/Lを目標に増量
- アリピプラゾール(エビリファイ®) 24 mg/日 1日1回夕食後

❷ うつ病期

▸ 躁病期と同様に，炭酸リチウムは効果出現まで時間がかかるため，抗精神病薬を使用．

◉**処方例**（代表的な薬剤の一部を以下に挙げる）

- クエチアピン（セロクエル®）　300 mg/日　1日2～3回分服
- オランザピン（ジプレキサ®）　5～20 mg/日　1日1回　夕食後

❸ 維持期

▸ 躁病相，うつ病相と再発を繰り返すたびに心理的・社会的な障害を引き起こすため再発予防に維持治療が重要とされる．

◉**処方例**（代表的な薬剤の一部を以下に挙げる）

- 炭酸リチウム（リーマス®）　400 mg/日　1日2回分服　朝・夕食後から開始．血中濃度を測定しながら0.6～1.0 mEq/Lを目標に維持
- ラモトリギン（ラミクタール®）　25 mg/日　1日1回から開始し添付文書に従い緩徐に漸増〔特にバルプロ酸併用例は，薬剤性過敏症症候群（drug induced hypersensitivity：DIHS）の重篤な副作用リスクが高いので注意〕

◇炭酸リチウム使用時の注意点

▸ 炭酸リチウムは古くから双極性障害の治療に使用されており，躁病期，うつ病期，維持期のいずれにも使用されている．

▸ 中毒症状は胃腸障害，振戦，多飲・多尿．血中濃度が1.6 mEq/Lを超えると確実に副作用を生じ，2 mEq/Lを超えるとけいれんや意識障害から死に至ることもある．

▸ 血中濃度の測定は，投与初期や用量を増やした際には1週間に1回程度の測定，維持期には2～3カ月ごとと推奨されている．

▸ リチウム血中濃度の評価時には腎機能，Caを含む電解質，甲状腺機能なども同時に評価する．

▸ リチウム血中濃度を上昇させる薬剤に，アンジオテンシン変換酵素阻害薬，利尿薬，非ステロイド性抗炎症薬（NSAIDs）などがある．

▸ 催奇形性をもつため，妊婦には使用禁忌である．

● 患者・家族への説明

▸ 過去の経過を聴取する際には，うつや躁のきっかけになった事

柄，どんな結果になったか，抜け出すのに有効であった事柄などを中心に聞く．

- 双極性障害の治療目標は，躁・うつの気分の波をどうやってコントロールしていくか，であることを患者と共有．
- 患者は自身の状態を客観的に評価することが難しく，特に躁病期の状態を元気な本来の自分と考えることが多い．家族から状態について聴取することも重要．
- 生活リズムの乱れ，特に睡眠時間が短くなると躁状態に移行する可能性が高いため，睡眠覚醒リズム表などを用いる．
- 双極性障害の治療は中断しやすいが，再発を繰り返すことで徐々にコントロールが悪くなるため，生涯にわたり維持治療を行い予防に努めることが重要であることを伝える．
- 患者や家族に心理教育を行い，病気の受容や薬物療法の必要性を伝えていく．この際に，患者向けの適切な資料なども用いる．

[Further Reading]

- 日本うつ病学会気分障害の治療ガイドライン作成委員会：日本うつ病学会治療ガイドラインⅠ．双極性障害 2020．日本うつ病学会，2020
- Taylor DM, Barnes TRE, Young AH(原著)，内田裕之，鈴木健文，三村將(監訳)：モーズレイ処方ガイドライン，第13版　日本語版．ワイリー・パブリッシング・ジャパン，2019
- 日本うつ病学会　双極性障害委員会：双極性障害(躁うつ病)とつきあうために．2021
  https://www.secretariat.ne.jp/jsmd/gakkai/shiryo/data/bd_kaisetsu_ver10-20210324.pdf

(中尾重嗣)

不安症群①
—社交不安症/社交不安障害(社交恐怖)

Social Anxiety Disorder(Social Phobia)

point

- 社交場面で，他人から否定的な評価を受けることを恐れるため，他人の注視を浴びるかもしれない社会的状況に対しての顕著な恐怖もしくは不安を呈する病態.
- うつ病など他の精神疾患を併存することが非常に多く，併存疾患を主訴として受診することも多い.

疾患の特徴，診断のポイント

▶自分が否定的な評価を受けるような行動をとることや不安症状を呈することを恐れるために，他人の注視を浴びるかもしれない社会的状況〔**社交場面**(例：雑談をする，よく知らない人に会う)，**被注視場面**(例：食事をする)，**行為場面**(例：スピーチをする)〕に対しての顕著な恐怖もしくは不安を呈する病態．そのような社会的状況を回避することで，社会生活や対人関係に支障が生じている.

▶DSM-5では，人前で話したり，動作したりするという行為のみに恐怖状況が限られるものをパフォーマンス限局型と特定することになり，一般的な社交場面での恐怖，不安症状を重視するようになった．また，「他人の気分を害することを恐れる」という他者主体性の症状も盛り込まれた．わが国で従来指摘されている対人恐怖の診断と重なるような流れがみられる.

▶わが国の生涯有病率は1.8%，12カ月有病率は1.0%.

▶6～8割の患者が併存する精神疾患を有するとされ，他の不安症，うつ病，物質関連障害の併存が特に多くみられる．このため，これらの疾患を主訴として受診する患者に対して，積極的に社交不安症の存在を疑うことが重要である.

▶小児期後半から青年期が好発年齢であるため，自身の性格ととらえられやすく，未治療であることが多い．受診までに長い年数を経るため，学校生活や仕事に支障が生じ，その経過中にうつ病やアルコール関連障害などを併発すると考えられる.

治療のポイント

治療原則

- 薬物療法と精神療法(特にCBT)が有効．疾患説明をした上で，患者の希望に添って治療を行うことが望ましい．

薬物療法

- SSRIが第一選択薬となる．十分な効果発現まで3カ月程度かかる．効果発現後は1年間程度良好な状態を維持した後，ゆっくりと減量．
- ベンゾジアゼピン系薬剤も有効．依存・耐性の問題やアルコールとの相互作用などを考慮し，SSRIの効果がみられたら適宜減量することや頓服的使用に抑えることが望ましい．

◉処方例①(SSRI：代表的な薬剤の一部を以下に挙げる)

- フルボキサミン(ルボックス®，デプロメール®)　150 mg/日　1日2〜3回分服　朝・夕または毎食後
- エスシタロプラム(レクサプロ®)　10〜20 mg/日　1日1回　夕食後

◉処方例②(ベンゾジアゼピン系薬剤)

- アルプラゾラム(コンスタン®，ソラナックス®)　1.2 mg/日　1日3回分服　毎食後，または不安時頓用

患者・家族への説明

- 性格的な問題ととらえるのではなく，治療可能な疾患であることを強調し，受診したことを評価し，通院継続を促す．同時に少しずつ行動範囲を広げ，回避してきた場面へ曝露していくことが必要であることを伝える．

[Further Reading]

- 井上令一(監修)，四宮滋子，田宮　聡(監訳)：カプラン臨床精神医学テキスト DSM-5診断基準の臨床への展開，第3版．メディカル・サイエンス・インターナショナル，2016

(二宮　朗)

7 疾患

不安症群②
—パニック症/パニック障害

Panic Disorder

point

- 予期しない突然のパニック発作が繰り返される病態.
- 身体科の受診を繰り返していることが多く，他科と連携し，いかに初期治療に導くかが大切.

疾患の特徴

- 様々な身体症状が出現するため，多くの患者は発症当初，循環器や呼吸器などの疾患と考え，救急科や一般身体科の受診を繰り返していることが多い．他科と連携し，いかに初期治療に導くかが大切．
- わが国の生涯有病率は0.6%，12カ月有病率は0.4%である．発症年齢のピークは20歳代前半である．
- うつ病やほかの不安症を合併することが多く，これにより重症化することがある．

診断基準(DSM-5)

- A：繰り返される予期しないパニック発作(▶p130)，B：発作のうちの少なくとも1つは，以下に述べる1つまたは両者が1カ月以上続いている．①さらなるパニック発作またはその結果について持続的な懸念または心配，②発作に関連した行動の意味のある不適応的変化(パニック発作を避けるような行動)．これらA，Bを満たした上で，精神疾患を含む他の医学的疾患や物質の生理学的作用による影響が除外された場合，診断がなされる．

治療のポイント

◇治療原則

- 薬物療法の導入が基本となるが，精神療法(特にCBT)も有効.
- 構造化されたCBTの導入を行わない場合でも，疾患教育やCBT的な指導が症状の軽減や診療継続につながる．
- 次のような説明をしっかり行うことは診療上重要.「様々な身

体症状を伴う不安の病気である」「自律神経の発作であり，死ぬことはない」「不安はピークに達した後，なだらかに軽減する」「パニック発作が消失し，不安が軽減してきたら，徐々に苦手な状況に慣れていく必要がある」．

◆薬物療法

- ▶パニック発作を完全に抑えることが目標．
- ▶SSRI が第一選択薬．1 年間程度は良好な状態を維持した後，ゆっくりと減量．
- ▶ベンゾジアゼピン系薬剤の使用に関しては各国のガイドラインによって指針が分かれる．わが国のガイドラインでは SSRI と定時使用で併用するという方針となっているが，いずれにしても漫然とした使用は避け，SSRI の効果がみられたら減量することが推奨される．

●**処方例①**(SSRI)

- セルトラリン(ジェイゾロフト®)　50～100 mg/日　1日1回夕食後

●**処方例②**(ベンゾジアゼピン系薬剤：代表的な薬剤の一部を以下に挙げる)

- アルプラゾラム(コンスタン®，ソラナックス®)　1.2 mg/日　1日3回分服　毎食後，または不安時頓用
- ロフラゼプ酸エチル(メイラックス®)　1～2 mg/日　1日1～2回分服　夕または朝・夕食後

[Further Reading]

- 熊野宏昭，久保木富房(編)：パニック障害ハンドブック　治療ガイドラインと診療の実際．医学書院，2008

（二宮　朗）

不安症群③
―広場恐怖症

Agoraphobia

point

- 逃げ出すことが困難と考えるために多様な状況を恐れ，回避する病態．
- パニック症を合併する場合，パニック症の治療を念頭におき治療を進める．

疾患の特徴，診断のポイント

▸ パニック様の症状や耐えられないような症状が起こったときに，そこから逃げ出すことや援助を得ることが困難と考えるために，多様な状況を恐れ，回避する病態．

▸ 下記の5つの状況群のうち2つ以上の状況について，顕著な恐怖または不安をもつ．①公共交通機関の利用(例：自動車，バス，列車，船，飛行機)，②広い場所にいること(例：駐車場，市場，橋)，③囲まれた場所にいること(例：店，劇場，映画館)，④列に並ぶまたは群衆の中にいること，⑤家の外に1人でいること．(以上，DSM-5の診断基準より抜粋)

▸ DSM-IV-TRまではパニック症(障害)の随伴症状という前提で，広場恐怖症はパニック症(障害)の下位分類に位置づけられていたが，DSM-5では両者が併発しないこともある独立した疾患として分類している．

▸ パニック症の既往歴のない広場恐怖症のわが国の生涯有病率は0.4%，12カ月有病率は0.2%であった．

▸ パニック症の既往歴のない広場恐怖症患者は医療機関を受診することが少ない一方で，様々な状況への回避からひきこもりがちに過ごすなど社会的な障害度は大きく，経過は慢性的でうつ病やアルコール使用障害を併発することが多い．

治療のポイント

▸ 基本的にはパニック症に準じた治療となる(▶p.187)．薬物療法(SSRI，ベンゾジアゼピン系薬剤)とCBTが有効である．薬物療法で不安症状を軽減した上で，十分な心理教育を行い段階的に苦手な状況に対して曝露を行っていく.

- パニック症を合併する場合，多くの症例でパニック症が治療されることで広場恐怖症も次第に改善するため，パニック症の治療を念頭におき治療を進めていく.

（二宮　朗）

不安症群④
一全般不安症/全般性不安障害
Generalized Anxiety Disorder

point

- コントロール困難で過剰な不安と心配が持続する病態.
- 身体症状や他の精神疾患の症状が前景となり，診断が見落とされている場合もある.

●疾患の特徴，診断のポイント

▶多数の出来事や活動についてのコントロール困難で過剰な不安と心配が，6カ月以上にわたって持続する病態.

▶①落ち着きのなさ，緊張感，神経の高ぶり，②易疲労感，③集中困難，心の空白，④易怒性，⑤筋肉の緊張，⑥睡眠障害，のうち3つ以上の症状を伴う(子どもの場合は1項目のみ必要). (以上，DSM-5の診断基準より抜粋)

▶わが国の生涯有病率は1.6%，12カ月有病率は0.6%. 女性の有病率は男性の2倍以上高く，発症のピークは30代である.

▶身体症状を伴うため一般身体科にかかっている場合も多い. 60%以上の患者がうつ病やほかの不安症などを合併しており，広範な領域にわたる過剰な心配により機能の障害をもたらしていても単なる心配として理解され，診断が見落とされている場合もある.

▶経過は慢性的で症状が完全に消失することは少ない.

●治療のポイント

◆薬物療法

▶SSRI，SNRI，三環系抗うつ薬，ベンゾジアゼピン系薬剤，5-HT_{1A}受容体部分作動薬性抗不安薬(タンドスピロン)，末梢性神経障害性疼痛治療薬(プレガバリン)などで効果が認められている.

▶英国のガイドラインでは第一選択としてSSRI SNRI，服用が困難であればプレガバリンを推奨しているが，いずれの薬剤もわが国では保険適用がない. これらの薬剤で効果があった場合少なくとも1年は服薬を継続することが望ましい.

▶症状が長期に持続するため，ベンゾジアゼピン系薬剤は依存・耐性の問題やアルコールとの相互作用などを考慮し，治療初期の短期間に限定するなど慎重な投与が推奨されている．

▶5-HT_{1A} 受容体部分作動薬性抗不安薬は効果発現までに数週間要することがある．

◆精神療法

▶CBTが有効である(保険適用外)．症状が生じる状況の可視化を行う機能的な分析，心理教育を導入し，リラクゼーション法を身につけた上で，曝露療法を主としたアプローチを実践していく．

◉処方例(代表的な薬剤の一部を以下に挙げる)

- タンドスピロン(セディール®)　30〜60 mg/日　1日3回分服　毎食後
- セルトラリン(ジェイゾロフト®)　50〜100 mg/日　1日1回夕食後　(保険適用外)
- ロフラゼプ酸エチル(メイラックス®)　1〜2 mg/日　1日1〜2回分服　夕または朝・夕食後

●患者・家族への説明

▶慢性的な不安や心配が様々な身体症状や睡眠障害などを引き起こしている可能性を伝える．

▶不安がネガティブな考えや回避的な行動を引き起こし，さらに不安を悪化させるという悪循環によって症状が維持されている．この認識を共有していくことが精神療法的なアプローチの導入として重要である．

(二宮　朗)

強迫症，ためこみ症

Obsessive-Compulsive Disorder, Hoarding Disorder

point

- 初診時は，鑑別疾患，併存疾患に注意しつつ，強迫観念・強迫行為の内容を整理しながら問診を進める．
- 強迫観念・強迫行為が奇異な内容であっても，妄想と決めつけず，非合理であることを理解している点などから強迫症を見分ける．
- 曝露反応妨害法の有効性は確立されている．
- 薬物療法としてはセロトニン再取り込み阻害薬（SRI）が主体．

疾患の特徴

▶ 強迫症は強迫観念と強迫行為に特徴づけられる疾患で，有病率は1〜2％と報告されている．重症例では症状のため何年も閉居するようなこともある．

▶ 平均発症年齢は20歳，全体の2/3が25歳以前に発症．

▶ 多くの患者は強迫観念・強迫行為の不合理性を理解しており，望まないものと認識（自我異質性）しているが，その程度が低い患者も存在．

▶ ためこみ症は，患者が将来的に必要になるかもしれないと信じている所有物を失うのを恐れることや，所有物に対する強い愛着によって物をためこむ．その行動を患者自身は問題とはとらえていないことが多い．

診断のポイント

◆診断基準（DSM-5）

❶ 強迫症

▶ A：強迫観念，強迫行為，またはその両方の存在，B：強迫観念または強迫行為は時間を浪費させる，または臨床的に意味のある苦痛，または社会的，職業的，または他の機能の障害を引き起こしている，とされている（診断基準の一部を抜粋．強迫観念・強迫行為の定義に関しては▶p133）．

❷ ためこみ症

▶ A：実際の価値とは関係なく，所有物を捨てること，または手放すことが持続的に困難である，C：所有物を捨てることの困難さによって，活動できる生活空間が物で一杯になり，取り散らかり，実質的に本来意図された部屋の使用が危険にさらされることになる，とされている(診断基準の一部を抜粋)．

◆代表的な強迫症の症状

- **不潔恐怖，洗浄**：細菌汚染，化学物質などの汚染に対する恐怖から汚いものに触れない．過剰な手洗い，洗濯，入浴を繰り返す．
- **他人や自分を傷つける心配**：他人や自分にとって最悪のことが起きるのではないかと不安に思い，火の元，鍵の確認を繰り返す，車で人を轢いてしまったのではないかと引き返す．
- **対称性，整頓，儀式行為**：物の場所が決められた場所にないと，あるいは対称に置かれていないと激しい不快感に襲われ，完璧になるまで繰り返す．
- **ためこみ**：上述の診断基準を参照．

◆鑑別疾患

- **身体疾患**(シデナム舞踏病，ハンチントン病など)
- **チック症群**：チックの場合「まさにぴったり(just right)」くる感覚が得られるまで繰り返し行為を行う．
- **自閉スペクトラム症**：繰り返し行為に特に理由がなく，やめようと努力しない．
- **統合失調症**：強迫症でも洞察が乏しく強迫観念・強迫行為が奇異である場合，統合失調症との鑑別が困難になるが，強迫症は非合理性をどこかで理解している点，統合失調症では強迫症以外の他の症状が存在する点などから鑑別する．
- **抜毛症，皮膚むしり症**：行動は抜毛や皮膚のむしりに限定され，これらはストレス解消，快感を得るために行っている．
- **醜形恐怖症**
- **うつ病，双極性障害**

●治療のポイント

◆治療原則

- 治療意志を強化するために疾患教育を行う．後述の曝露反応妨害法とセロトニン再取り込み阻害薬(serotonin reuptake inhibitor：SRI)が治療の中心で，組み合わせて行うことで最も効果が得られる．

▸家族が患者の症状に巻き込まれているケースは多く，家族に対しての疾患教育も重要．

◇非薬物療法：曝露反応妨害法

▸エビデンスが最も確立している治療法．

▸これまで恐れ回避していたことに敢えて直面し（曝露），不安を軽減するための強迫行為をできるだけ行わないこと（反応妨害）で，実際には不安や苦痛が低下することを繰り返し体験．

▸本法では不安階層表（ヒエラルキー）を作成し，不安値の低いものから徐々に目標を高くしていく．

▸わが国ではほかに森田療法も強迫症に対して行われている．

◇薬物療法

▸SSRIを中心としたSRIが一般に用いられる．十分な効果を得るためにはうつ病よりも高用量を要する．

▸効果不十分例に対しては，下記の処方例①や②に加えて，炭酸リチウム，バルプロ酸，非定型抗精神病薬を強化療法として併用．

▸チック症状を伴う例，あるいはチック症との鑑別が困難な例に対しては，抗精神病薬の使用がより有効．

◉処方例①

- フルボキサミン（デプロメール®）　150 mg/日（低用量で開始し，症状に応じて 300 mg まで増量）　1 日 2 回分服　朝・夕食後
- パロキセチン（パキシル®）　40 mg/日（低用量で開始し，症状に応じて 50 mg まで増量）　1 日 1 回　夕食後

◉処方例②

- クロミプラミン（アナフラニール®）　50～100 mg/日（最大 225 mg まで）　1 日 1～3 回分服　毎食後　（保険適用外）

●患者・家族への説明

▸患者に対しては，非常に強い不安・恐怖と戦っていることに共感するとともに，治療に取り組んでいくことによって症状が軽快する可能性が十分にあることを伝える．

▸強迫行為を行うことで，必ずしもそれによって不安は軽減せず，むしろ強化されてしまうことを理解してもらう．

▶しばしば家族は患者に対する責任感などから，患者の要求に応えすぎることがある．逆に批判的になるケースもある．強迫症状にただ協力するのではなく，患者が治療に取り組むよう支援し，治療経過の中で不安に立ち向かえるようになったことへのポジティブな評価を行うようアドバイスするとよい．

〔Further Reading〕

- Abramowitz JS, McKay D, Taylor S(Eds)：Clinical handbook of obsessive-compulsive disorder and related problems, 1st edition. Johns Hopkins University Press, 2008
- Foa EB, Yadin E, Lichner TK：Exposure and Response(Ritual) Prevention for Obsessive-Compulsive Disorder：Therapist Guide (treatments that work), 2nd edition. Oxford University Press, 2012

（岸本泰士郎）

心的外傷後ストレス障害，急性ストレス障害

Posttraumatic Stress Disorder (PTSD), Acute Stress Disorder (ASD)

point

- 心に大きな傷を負うような身体的・性的暴力や事故などの重大で深刻なストレスの後に起こる特徴的な症状.
- 初回診察で心的外傷の内容を聞く際は，患者の苦痛に対して共感的に接し，無理に聞きすぎないことが大切である.

疾患の特徴

- 自然災害，戦闘，重大な事故，他人の悲惨な死を目撃すること，拷問，テロ，強姦，暴行，犯罪，火災，いじめ，留置所での生活など，大きなストレスにより起こる精神症状.
- 大きなストレスを受けても本疾患を発症するかどうかは，個人のストレス脆弱性(幼児期の体験，人格傾向，家庭環境など)やストレスを受けた後の状況により異なる.
- 成人の約半数は発症後 3 カ月以内に完全に回復するが，一方で 12 カ月以上，時に 50 年以上の間，症状が残存する人もいる.

診断のポイント

診断基準

- DSM-5 の診断基準は，
  - A：実際に危うく死ぬ，重症を負う，性的暴力などの悲惨な出来事への曝露を前提とし，以下のB～Eの症状の持続である.
  - B：侵入症状(悪夢，フラッシュバックなど)
  - C：心的外傷的出来事を思い出す事柄の持続的回避
  - D：心的外傷的出来事と関連したネガティブな考え方の出現，気分の落ち込み
  - E：心的外傷的出来事と関連した，覚醒度と反応性の著しい変化(イライラ，集中困難，睡眠障害，過度の警戒心など)
- さらに解離症状を伴う場合がある(離人感，現実感の消失).
- これらの症状の持続が心的外傷後 3 日～1 カ月の間であれば急性ストレス障害(ASD)，心的外傷後 1 カ月以上続く場合は心的外傷後ストレス障害(PTSD)と診断される.

◆ライフステージ別の特徴

❶ 就学前の子ども

- 自分の思考や感情の言語化に限界があるため，遊びの中で再体験症状を表現する傾向がある(例：津波ごっこなど).
- 回避行動として，遊びや探索的行動の制限，新たな活動への参加の減少などがみられる.

❷ 青年

- 自分を仲間から遠ざけ，将来への志を失うことがある.
- イライラや攻撃的な行動により，仲間関係や学校での行動の妨げになることがある.
- 青年も自分の思考や感情の言語化能力は低く，さらにあまり話したがらず，隠す傾向があるため，注意が必要.
- 学校で不良行動を繰り返す学生は，心的外傷を有している可能性がある．特に(義)親からの性的虐待は，誰にも話せない場合があり，丁寧な観察が必要.

❸ 高齢者

- 幼少時に虐待を受けた人が，高齢になって回避，過覚醒，睡眠障害などを来たすことがある．高齢になって初めて心的外傷を受けることもある．また高齢者では，より自殺念慮を伴うことが多い.

●治療のポイント

◆治療原則

- 診察の場を安全で安心できる場にすることを基本とする．ASD および PTSD の患者は，世界における安心感・安全感が失われているため，できるだけ穏やかな態度で接することが重要.
- 患者が現在いる場所が，安全な環境下(家族と過ごすなど)であることを確認する．そうでない場合は，入院など一時避難を検討する.
- 薬物療法と精神療法を合わせて行う.
- 個人のストレス脆弱性について検討.
- 自殺のリスクを評価し，高い場合は入院も考慮する.

◆薬物療法

- SSRI と SNRI は有効性と安全性が十分に示されている.
- SSRI/SNRI に反応がみられない難治例に対しては，非定型抗精神病薬による増強療法を検討する．
▶睡眠障害に対しては，ベンゾジアゼピン系薬剤は推奨されず，メラトニン受容体作動薬やオレキシン受容体拮抗薬などが使用される．

◉処方例①SSRI，SNRI
- セルトラリン(ジェイゾロフト®) 50～100 mg/日 1日1回 夕食後
- デュロキセチン(サインバルタ®) 40～60 mg/日 1日1回 朝食後 (保険適用外)

◉処方例②(処方例①に加えて下記など)
- アリピプラゾール(エビリファイ®) 3 mg/日 1日1回 朝食後 (保険適用外)
- ラメルテオン(ロゼレム®) 8 mg/日 1日1回 就寝前

◆精神療法
▶十分な評価を行い，治療者と患者が信頼関係を構築する必要がある．場合によってはこれに時間がかかることもある．
▶特定の精神療法のみに効果があるわけではなく，患者の特性に合わせて提供するとよい．以下に主なものを紹介する．

❶ 認知行動療法(CBT)
■持続曝露療法(prolonged exposure therapy：PE)
▶患者は，心的外傷に関するエピソードを回避する傾向があるが，回避することで，余計に恐怖感を強めていることが多い．
▶PE は，心的外傷に関するエピソードについて，ノートに書いたり，語ったりすることで，徐々に曝露する治療法．
▶ただし，患者にとって心的外傷のエピソードを語ることは大きな負担となるため，治療は時間をかけてゆっくりと行う．

■認知処理療法(cognitive procession therapy：CPT)
▶PTSD に特化した CBT を CPT と呼ぶことがある．
▶心的外傷を負った患者は，心的外傷に関連してネガティブな認知をすることがある．CPT ではそれらに対して客観的，現実的なとらえ方をする認知再構成を行う．

■トラウマ・フォーカスト CBT(trauma-focused CBT：TF-CBT)
▶主に子どもに行われる．治療関係の構築を重視し，親とともに認知再構成を行い，親と子ども両方の自己効力感の回復を目指すものである.

❷ 対人関係療法(interpersonal therapy : IPT)

▶ PTSDは対人機能の障害を伴うので，患者が対人関係における新たな方法を理解し，その振る舞いを助けるIPTのアプローチは有望である.

❸ 眼球運動による脱感作と再処理法(eye movement desensitization and reprocessing : EMDR)

▶ 眼球運動に対するアプローチによって，現在の症状を緩和し，苦痛を伴う記憶からストレスを減じたり除いたりして，自己の見方を改善し，身体的苦痛から解放されることを目指す治療法.

◆重症度別の治療指針

❶ 軽症

▶ 定期的な外来で，本人の話を傾聴し，つらさを理解する.

▶ 軽症であれば，自然に寛解することもある.

❷ 中等症〜重症

▶ 薬物療法を実施する.

▶ 構造化された精神療法を検討.

▶ 重症の場合は入院も考慮.

◆患者・家族への説明

▶ 心的外傷が患者にとって，とてもつらいことであり，それにより症状が出ていることを本人・家族に説明する.

▶ 心的外傷が自分のせいなのではないか，と悲観する患者がいるが，決して患者のせいではないことを説明する.

[Further Reading]

- 心的外傷後ストレス障害，急性ストレス障害．日本精神神経学会(日本語版用語監修)，髙橋三郎，大野　裕(監訳)：DSM-5 精神疾患の診断・統計マニュアル．pp269-284，医学書院，2014
- エドナ・B・フォア，テレンス・M・キーン，マシュー・J・フリードマン，他(編)，飛鳥井　望(監訳)：PTSD 治療ガイドライン，第2版．金剛出版，2013
- 飛鳥井　望：心的外傷後ストレス障害．臨精医 45：268-271，2016

(工藤由佳)

適応障害

Adjustment Disorders

point

- 初回診察では，症状を把握した上で，その症状を起こすきっかけとなったストレス因を把握．正常範囲の反応を超えた症状がみられるようであれば，患者のストレス脆弱性を把握．
- うつ病，ストレス障害など他の疾患を見落とさないようにすることが大切．

疾患の特徴

- ストレス因に反応して，抑うつ気分，不安，行動の障害がみられる状態．
- 身体疾患，けがによる後遺症で入院している患者が，精神の変調を来たす場合，その状況に適応できず，適応障害になる場合も多い．

診断のポイント

診断基準

- 悪いことが起こったときに，動揺し，軽度の抑うつ気分，不安などがみられるのは正常範囲の反応である．
- 適応障害とは，ストレスによる抑うつ気分，不安などのため，学校や仕事に行けなくなるなど，生活に支障を来たす場合のことをいう．
- うつ病や不安症など他の精神疾患の基準を満たさない一群のことを指す．
- ストレス脆弱性を把握するためには，患者の幼児期の体験，人格傾向，家庭環境などを把握することが重要．

ライフステージ別の特徴

❶ 思春期～青年期

- 人格が未熟であり，ストレスへの対処能力が育っていないことから，発症しやすい．
- 友人とのトラブル，学校行事，テストの成績，転校，受験などのストレスから発症することがある．不登校という形で現れることがある．

❷ 成人期

▶職場の異動により発症する人が最も多い．学生という立場から社会人になり，就職したときに発症することも多い．結婚や離婚，妊娠，子どもの誕生，性生活の困難，金銭的なトラブルなど，生活上の大小のストレスによって起こる．

❸ 初老期〜老年期

▶配偶者の死は，人生における最も大きなストレスといわれる．

▶初老期〜老年期には，両親，兄弟，友人，配偶者など，様々な人の死に遭遇する機会が多い．

▶高齢になれば，若者と比較してストレスに対する耐性がついてくる一方，自らの老い(更年期，病気など)を自覚し，自らの死を考えざるを得なくなることで，他者の死によるストレスがかかりやすくなる．

治療のポイント

◇治療原則

▶ストレスを軽減させるための環境調整を行う．

▶職場でのストレスが大きいのであれば，上司に相談するなど何らかの調整が必要．場合によっては，休職して環境を調整するのもよい．

▶嫌なことに対して自己主張できないなど，患者の認知や行動のパターンが，ストレス脆弱性に関与している可能性もある．

▶ストレス因について治療者が詳しく理解し，患者が自らのパターンを理解できるよう援助することが重要．

▶薬物療法は，抑うつや不安に対して抗うつ薬，抗不安薬，漢方薬を，不眠に対して睡眠薬などを使うことがある．ベンゾジアゼピン系の抗不安薬，睡眠薬は，依存を防ぐためにも漫然と処方しない．

◉処方例①(イライラ，不安に対して，虚証から中間証に対して)

- 抑肝散(ヨクカンサン)(ツムラ抑肝散エキス顆粒®) 2.5 g 1日3回 毎食前

◉処方例②(不眠に対して)

- スボレキサント(ベルソムラ®) 20 mg/日 1日1回 就寝前

◇重症度別の治療指針

❶ 軽症

▸環境調整をするだけで回復することも多い.

❷ 中等症～重症

▸ストレス因を軽減させるだけでなく，患者のストレス耐性に対してアプローチが必要.

▸薬物療法を行う場合もある.

❸ 身体疾患に対する適応障害

▸身体科に入院している慢性・難治性の患者でみられる．状況を簡単に受け入れられないことは自然な反応.

▸身体科の主治医が病気について詳しく説明し，本人の不安や葛藤についてよく理解し，話し合っていくことが重要．必要に応じて精神科にコンサルトしてもらう.

●患者・家族への説明

▸患者の抱えている苦痛に耳を傾け，十分に共感することが非常に重要.

▸今回受けたストレスが患者自身のストレスに対する耐性を超えて大きかったことを説明する.

▸治療としては，ストレスの軽減，ストレスに対する耐性の向上の2つが考えられることを説明する．その際に，ストレスに対する耐性が低いことを強調しすぎて，患者に自責の念をもたせることのないように気をつける.

［Further Reading］

・適応障害．日本精神神経学会(日本語版用語監修)，髙橋三郎，大野　裕(監訳)：DSM-5 精神疾患の診断・統計マニュアル．pp284-287，医学書院，2014

（工藤由佳）

解離症群/解離性障害群

Dissociative Disorders

point

- 治療にはラポールの形成が重要．そのためには患者の訴えを真摯に受け入れ評価すること．
- 心的外傷の直面化を焦らない．
- 境界性パーソナリティ障害とは異なる患者像で，むしろ周囲に気を使いすぎる面がある．

7 疾患

疾患の特徴

▶解離性健忘は，自分の名前や生活史といった自伝的記憶が想起できない状態．何らかの心的イベント後に突然に昔のことを思い出せないといった逆向健忘の形をとる．前向健忘はないのが典型例．患者自身の深刻味は乏しい．若年〜中年男性に多い．

▶解離性同一症は，幼少期の心的外傷や親への過剰な同調による影響などで人格が1つに統合されずに，複数の人格部分が別個に存在してしまう状態．別人格の行動を主人格が覚えていないなど人格間の健忘を認める．別人格の一部は患者のつらい心的外傷の記憶を担っている．若年女性に多い．

診断のポイント

◆診断基準

❶ 解離性健忘

▶突然発症の自伝的記憶の想起障害．

▶健忘した状態で別の場所に突然行ってしまうこともある（解離性遁走）．

▶健忘の期間により部分健忘や全生活史健忘などという．

▶一過性全健忘や一過性てんかん性健忘，脳振盪なども鑑別が必要で，軽度の頭部外傷でも解離性健忘を誘発しうる．

❷ 解離性同一症

▶本人からの別人格を示唆する症状の報告でも診断可能だが，別人格の状態を周囲により確認されるのが一番診断の確実性が高い．

▶日常生活での記憶の欠損を認める．典型的には，記憶なく自傷していたり，気づいたら別の場所にいたり，買った覚えのないものや服が家にあることに気づいたりする．
- 統合失調症や境界性パーソナリティ障害などとの鑑別が必要．また双極性障害や神経発達症が背景にある場合があり評価が必要．

◆ライフステージ別の特徴

❶ 思春期～青年期

- 若年期は過量服薬やリストカットなど問題行動が多発する．
- 空想傾向が強く，イマジナリーコンパニオン(空想上の友達)を認める患者もいる．

❷ 成人期

- 全生活史健忘の場合には，健忘を起こして遁走し，全く別の場所で保護されるケースも多い．
- 解離性同一症が統合失調症と誤診されている場合がある．

❸ 初老期～老年期

- この時期に突然に解離症を発症することはまれ．むしろ認知症やてんかんなど別の病気を考えるべき．

● 治療のポイント

◆治療原則

❶ 解離性健忘

- 遁走もしくは再遁走に注意．特に思い出せない記憶について直面化をはかると，再遁走のリスクが高まる．
- 前向健忘はなく学習はできるため，患者が日常生活に戻るために必要な情報の再学習を援助する．

❷ 解離性同一症

- 安全な環境を提供・確認し，安心感の獲得を目指す．その環境のもと，患者のもつ自然治癒力による回復を促す．次第に別人格部分の出現がみられなくなる．
- 人格の統合や心的外傷への直面化を焦らない．
- 暗示的な関わりや，名前のない人格に名前をつけたり，別の人格部分を作り出すことを示唆したりするような関わりは行わない．

◆薬物療法

- ベンゾジアゼピン系薬剤の漫然とした投与は解離症状を悪化させるため注意．

▶抗精神病薬は衝動性を抑えるために頻用されるが，解離性幻覚には直接の効果は乏しい．
▶双極性障害や神経発達症(特にADHD)が背景にある場合は，その治療も並行して行う必要性を考慮する．

◆重症度別の治療指針

❶ 解離性健忘

■軽症

▶心理教育を行いつつ支持的に関わり，患者の抱える問題を整理．
▶時間が経てば自然と思い出すことができる場合も多い．
▶不安の軽減を目的に薬物療法の開始を検討する．

◉処方例①

• アルプラゾラム(コンスタン®) 1.2 mg/日 1日3回分服 毎食後

■中等症～重症

▶遁走や自殺の危険性がある場合は入院治療を行う．
▶推奨はできないが，強制的に患者の抑制をとり想起させる手法に薬物面接がある．行うなら熟練した医師のもとで．呼吸抑制にも注意．

◉処方例②(処方例①のほかに下記など)

• ジアゼパム(セルシン®，ホリゾン®) 5 mg を側管よりゆっくりと静注 (保険適用外)

❷ 解離性同一症

■軽症

▶生活に支障を来たすような解離症状が顕在化していない場合は，心的外傷を扱う必要はない．
▶衝動性のコントロールなど対症療法的に薬物療法を考慮．
▶PTSDがあると想定されればその薬物治療も考慮．

◉処方例①(代表的な薬剤の一部を以下に挙げる)

• アリピプラゾール(エビリファイ®) 6 mg/日 1日1回 夕食後 (保険適用外)
• 柴胡加竜骨牡蛎湯(サイコカリュウコツボレイトウ) 7.5 g/日 1日3回分服 毎食前
• セルトラリン(ジェイゾロフト®) 25～100 mg 1日1回 夕食後 (保険適用外)

■中等症～重症

▶生活に支障を来たすほどの場合，心的外傷について扱うことを

7 疾患

検討するが，過去の外傷体験を想起することが再外傷体験につながる可能性があるため注意．

▶ 自傷など衝動性が高まった場合は短期的な入院治療を考慮．

◉処方例②（処方例①のほかに下記など）

背景に双極性障害を認める場合

• ルラシドン（ラツーダ®） 20〜40 mg/日 1日1回 夕食後

背景に ADHD を認める場合

• グアンファシン（インチュニブ®） 2〜6 mg/日 1日1回 朝食後

患者・家族への説明

❶ 解離性健忘

▶ 健忘へと至った背景に本人に受け止めきれなかった大変な出来事があったと想定され，それを想起するのはかなりの心的負荷がかかり，うまくいかないことを説明する．家族には今後は少しずつ本人が受け止められるようにサポートしていく必要があると伝える．

❷ 解離性同一症

▶ 生活環境が安定してくることで，別人格は徐々に必要がなくなり，自然と眠ったり統合されたりすることを伝える．

▶ 問題行動について，それがどの人格部分によるものだとしても，たとえその記憶がなくても，患者はそれについて責任を負わなくてはならないことを伝える．

［Further Reading］

• 柴山雅俊：解離の構造―私の変容と<むすび>の治療論．岩崎学術出版社，2010

• 岡野憲一郎：解離新時代―脳科学，愛着，精神分析との融合．岩崎学術出版社，2015

（是木明宏）

身体症状症および関連症群

Somatic Symptom and Related Disorder

point

- 初診時にはこれまでの経過を詳しく聴取し，患者のつらさや苦痛に対して共感的に接する．
- 治療目標は“身体症状を消すこと”ではなく，“身体症状があっても生活ができること”であることを共有する．
- 身体疾患の可能性を完全に否定せず身体科と連携して治療を進める．

7 疾患

疾患の特徴

▶ 身体症状症および関連症群は，身体症状があり，その訴えに見合う身体的な異常はないが，これらにより職業的，社会的な機能障害が引き起こされた状態．

▶ 身体症状症は身体症状が1つ以上ある点，病気不安症は，身体症状がないか，ごく軽度である点が違いである．

▶ 変換症/転換性障害は，かつてはヒステリーといわれた疾患群であり，身体症状が感覚障害・運動障害のときにこの診断名となる．

▶ 多くの患者は精神科の受診前に，一般身体科を受診していることが多い．

診断のポイント

◇診断基準（DSM-5）

❶ 身体症状症

▶ 以下のA～Cを満たすとき身体症状症と診断される．

A：1つ以上の苦痛を伴う，または日常生活に混乱を引き起こす身体症状

B：身体症状に関連した過剰な思考，感情，行動

C：どの身体症状も連続性に存在するわけではないが，身体症状が出る状況は持続性である（典型的には6カ月以上）

❷ 病気不安症

▶ 以下のA～Fを満たすとき病気不安症と診断される．

A：重い病気である，または病気にかかりつつあるというとらわれ

B：身体症状は存在しない，または存在してもごく軽度である

C：健康に対する強い不安が存在し，かつ健康状態について容易に恐怖を感じる

D：過度な健康行動または不適切な回避を示す

E：病気についてのとらわれは少なくとも6カ月は存在するが，恐怖している病気はその間変化するかもしれない

F：その病気に関連したとらわれは，他の精神疾患ではうまく説明できない

❸ 変換症/転換性障害

▶ 以下のA～Dを満たすとき変換症と診断される．

A：1つまたはそれ以上の随意運動，または感覚機能の変化の症状

B：その症状と，認められる神経疾患または医学的疾患とが適合しないことを裏づける臨床所見がある

C：その症状または欠陥は，他の医学的疾患や精神疾患ではうまく説明されない

D：その症状または欠損は，臨床的に意味のある苦痛，または社会的，職業的，または他の重要な領域における機能の障害を引き起こしている，または医学的な評価が必要である

◇診断の進め方

▶ まずは身体疾患の除外を行う．見逃されがちなのは，甲状腺疾患などの内分泌疾患，多発性硬化症などの神経変性疾患など．

▶ その後，作為症の除外を行うが，これらは高度の精神科診断技術が必要となるため，安易な診断は行わない．

▶ 身体症状症および関連症群の診断確定後も，身体疾患の可能性を否定せず，疑わしい場合には，身体科医師への紹介を行う．

● 治療のポイント

◇治療原則

▶ 初診時，患者に身体科医師からどのような説明を受けたか，どのように感じたかを聴取していく．患者は「自分の苦痛をわかってもらえなかった」，精神科受診を勧められたことを「頭がおかしいと思われた」などと感じていることも多い．その苦痛に共感的に接し，良好な医師-患者関係の構築を目指す．

▶ その上で生命の危険がある疾患が発見されていないこと，さらなる検査は必要ないこと，しかし，身体症状が存在しているこ

とを説明し，治療目標が“身体症状を消すこと”ではなく，“身体症状があっても生活できること”であることを共有する．

- 医療者への依存が高まると，診療時間の延長などが起こることがある．時には治療時間や治療間隔の構造化を行う．

◆薬物療法

- 薬物療法のエビデンスは少ない．
- 薬物乱用や依存形成の可能性が高いため，ベンゾジアゼピン系の抗不安薬は安易に用いない．
- 疼痛が主体の場合にはSNRIを用いる．

●処方例（代表的な薬剤の一部を以下に挙げる）

- ミルナシプラン（トレドミン®） 100 mg/日 1日2回分服 朝・夕食後 （保険適用外）
- デュロキセチン（サインバルタ®） 60 mg/日 1日1回 朝食後 （保険適用外）

●患者・家族への説明

- 身体症状からくる患者の苦痛に共感しつつも，治療目標が“身体症状があっても生活できること”であることを常に確認．
- 症状に関連するストレス因子を確認して，新しい対処方法を身につけることを助けていく．
- 身体症状の軽減のために，抗不安薬・鎮痛薬などの薬物やアルコール乱用などを生じることがあり，注意が必要．

（中尾重嗣）

7 疾患

パーソナリティ障害群

Personality Disorders (PD)

point

- 目の前にある症状だけでなく症状が生じる背景など，患者のストーリーを包括的に理解し，現実的で短期的な治療目標を立てる.
- 短絡的に診断をしない.
- 併存疾患に注意.

疾患の特徴

- 「パーソナリティ」とは物事に対する見方や反応，考え方や感じ方，人との関わり方，振る舞い方の持続的なパターンである.
- 「パーソナリティ障害群(PD)」ではそのパターンが柔軟性を欠き，何度も時間や場所，相手を変えて同じようなトラブルに陥る.
- 一般的かつ慢性的な障害であり，有病率は10～20%.
- 生物学的要因(遺伝的要因，セロトニンやドパミン系の異常)と心理的要因(歪んだ親子関係など)が複雑に絡み合い発症.

診断のポイント

- 抑うつエピソードなどの経過中や離婚，失業などの人生の大きなイベントの最中はパーソナリティの評価は延期する.
- 誰にでも何らかのパーソナリティの特性はあり，PDは発症が早期で，持続的であり，その特性がいつでも誰とでもどんな状況でもみられ，そしてその異常性のために本人または周りが悩むなど，日常生活に支障を来たしているときに診断する.

◇診断基準

- DSM-5の定義ではPDとは「その人が属する文化から期待されるものから著しく偏った内的体験および行動の持続的様式」である.
- その様式は，広範でかつ柔軟性がなく，青年期または成人期早期に始まり，長期にわたり変わることなく，苦痛または障害を引き起こす.
- 特定不能のパーソナリティ障害を除いて10タイプのPDが含まれており，類似性に基づきABCの3群に分類されている.

以下に典型例を示す．

❶ A 群パーソナリティ障害

■猜疑性パーソナリティ障害

▶世の中は危険で，人は決して信用ならないと思っている．何者かに利用されたり，笑いものにされたり，陰謀を企てられたりしていないかと常に警戒．

■シゾイドパーソナリティ障害

▶とにかく 1 人にしておいてほしいと思っており，他者と接することはあまりなく，孤独な生活を好む．

■統合失調型パーソナリティ障害

▶まとまりのない言動や，感情の鈍化がみられる．奇異な思考と行動，奇妙な信念，変わった知覚体験があるが，明らかに精神病的というほどではない．

❷ B 群パーソナリティ障害

■反社会性パーソナリティ障害

▶少年非行の段階を経て，若年時より利己的かつ良心の呵責が欠如している．人をだまし，欺き，操作し，他人に大きな危害を加えても同情や自責の念は覚えず，一貫した無責任さをもつ．特に犯罪者に多い．中年になると多少改善することもある．

■境界性パーソナリティ障害

▶不安定な人間関係を繰り返し築き，自己像が不安定．見捨てられることを恐れ，関係を維持しようとリストカット，過食，家庭内暴力，過量服薬などを繰り返す．自殺率は約 10% と高いが，40 歳代には軽快することも多く，いかに自分も他人も傷つけずに生活できるかが大切．

■演技性パーソナリティ障害

▶過度な情緒性があり，他者の注意を引こうと行動する．

■自己愛性パーソナリティ障害

▶自らが世界の中心であり，あらゆる点で特別な存在となりたがる．誇大性が高く，自信過剰で権利意識が高い．他人から称賛されることを求める．

❸ C 群パーソナリティ障害

■回避性パーソナリティ障害

▶人づきあいが苦手であり，批判や拒絶に極めて敏感．新たな社会的接触に直面すると，屈辱されたり，恥をかく危険性から逃避し，拒否する．

■依存性パーソナリティ障害

▶自分を愚かで弱いと感じ，身の回りのこともできなければ，何かを決めることも，1人でいることも難しい．人からの手助けが必要であるため，人の言うことを聞き，こびへつらい，自分より人の都合や考えを優先させる．

■強迫性パーソナリティ障害

▶完璧主義者で頭は固く，細かいこともすべて適切に処理せずにはいられない．決まりごとやスケジュール，厳格な日課に生活は支配され，深い人間関係を築くこともできない．

●治療のポイント

◆治療原則

▶短期的かつ現実的な治療目標を立て，患者と言語的に共有する．

▶治療者の「できること・できないこと」についても明確化し，特に境界性パーソナリティ障害では安定した治療構造の確立が大切．

▶治療者の患者に対する陰性感情など，逆転移感情のコントロールを意識する．

▶PDは短期に治る疾患ではなく，患者の人格的な成長を待つことが大切である．

▶近づきすぎず，離れすぎずの適切な距離感を保つこと．

◆薬物療法

▶薬物療法はあくまで補助的治療．

▶攻撃性や情動不安定，爆発性などに対して少量の非定型抗精神病薬が第一選択薬となる(保険適用外)．

▶怒りや攻撃性に対して気分安定薬を使用(保険適用外)．

▶薬物依存，乱用や過量服薬の可能性があるため，多剤併用や漫然と長期投与をしない．

▶衝動性や攻撃性を悪化させる危険性があるため，ベンゾジアゼピン系薬剤の使用は控える．

◉**処方例**〔症状に応じて下記の薬剤などを適宜用いる(いずれも保険適用外)〕

• リスペリドン(リスパダール®)内用液　0.5 mg/日　1日1回　夕食後

• クエチアピン(セロクエル®)　50 mg/日　1日1回　夕食後

- バルプロ酸(デパケン®) 200 mg/日 1日1回 夕食後

▶薬物療法以外に，CBTや個人/集団精神療法などを併用.

●患者・家族への説明

▶まず，患者のつらさに共感する．その上で，患者が抱えている問題を包括的に把握・整理し，心理教育を行いながら，その問題を共有し，解決するための治療を患者と協働して検討.

[Further Reading]

- パーソナリティ障害群．日本精神神経学会(日本語版用語監修)，髙橋三郎，大野 裕(監訳)：DSM-5精神疾患の診断・統計マニュアル．pp635-676，医学書院，2014
- 井上令一(監修)，四宮滋子，田宮 聡(監訳)：カプラン臨床精神医学テキスト DSM-5診断基準の臨床への展開，第3版．メディカル・サイエンス・インターナショナル，2016

(片山奈理子)

摂食障害群—神経性やせ症，神経性過食症

Eating Disorders/Anorexia Nervosa, Bulimia Nervosa

point

- 摂食障害群は，極端な食事制限や，過度な量の食事の摂取などを伴い，それによって患者の健康に様々な問題が引き起こされる拒食や過食の症状を有する障害の総称．
- やせが極端な時期には栄養療法のみが効果を有する一方で，一定程度の体重増加が得られた場合，まず心理的介入が望ましい．薬物療法も補助的効果は期待される．

疾患の特徴

- 摂食障害は①神経性やせ症(AN)，②神経性過食症(BN)，③過食性障害(binge-eating disorder：BED)からなる．
- 薬物療法は，ANへの効果は示されていないが，BNおよびBEDに対しては一定の効果が期待される．その場合でも心理的介入との併用がより望ましい．

診断のポイント

◆診断基準(DSM-5)

- ANでは低体重(BMI 18.5未満．ただし，17.0〜18.5は場合による)，体重増加への恐怖/抵抗，体型や体重に関する認知の障害．
- BNでは反復する過食，不適切な代償行動(自己誘発性嘔吐，緩下薬や利尿薬の乱用，過剰な運動)．
- BEDでは前二者に当てはまらない制御不能の過食症状がポイント．
- 主な鑑別点は，ANとBNでは体重の多寡，BNとBEDでは代償行動の有無による．
- 重症度は，それぞれ以下のように決定する．
- ANではBMIにより決定し，軽度≧17，17>中等度≧16，16>重度≧15，15>最重度となる．
- BNでは過食ではなく不適切な代償行動の頻度で決定し，週平均の回数1≦軽度≦3，4≦中等度≦7，8≦重度≦13，14≦最重度となる．

- BEDでは過食の頻度により決定し，週平均の回数は，1≦軽度≦3，4≦中等度≦7，8≦重度≦13，14≦最重度となる．

◆治療に向けての注意点

- ANにおける死亡率は，入院治療経験のある重症患者では，2～11％と精神疾患の中でも最も高い．
- 主な死因は飢餓による衰弱，低血糖，電解質異常，不整脈，心不全，感染症などの内科的合併症や自殺．
- 一方で，BNは身体的合併症よりは自殺による死亡が多く，4～9年追跡の死亡率は3.5％．アルコール使用障害の併存は生命予後の大きな危険因子．
- 認知機能の低下や悪化した病理のため重度のやせ状態（BMI<14）では，栄養療法が優先される．

7 疾患

●治療のポイント

◆治療原則（図7-1）

- ANと過食症（BN，BED）では治療方針がそれぞれ異なる．
- ANの低体重時には栄養療法が推奨．ANで身体的に安定が得られた際，もしくはBN，BEDに対しては外来レベルにおいて精神療法が推奨．
- 精神療法では，摂食障害のCBTや対人関係療法（IPT）がBN，BEDに対して高い効果を認め，著しい低体重を示さないANでの効果報告も示されている．
- ANの薬物療法は確立されていない．BN，BEDに対して米国食品医薬品局（FDA）は唯一，わが国未上市のSSRI（fluoxetine）の高用量投与の適応を承認している．他のSSRIなどのエビデンスは低く，わが国では保険適用がない．
- 家族介入は，エビデンスは限定的だが広がりつつあり，一定の効果も報告されてきている．

◆栄養療法（ANに対する）

- 導入においては体重増加の動機を探して強化すること．
- 患者は回避的な心理機制のために体重増加を容易には受け入れない．しかし，救命，合併症・後遺症の予防，飢餓症候群を改善して精神療法に導入するためにある程度の体重増加が急がれる．
- 患者には「何なら食べられるか」を問い続け，栄養バランスより

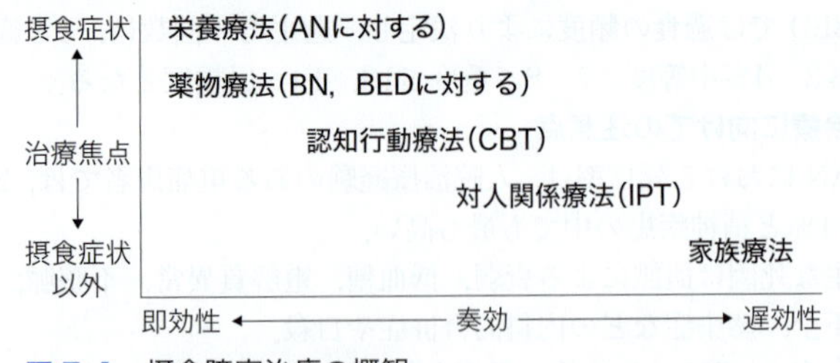

図 7-1　摂食障害治療の概観

エネルギー確保を優先させる．
- 入院の際には，体重増加は 0.5〜1.0 kg/週を目処として行う．
- 一度でも，一定時間(30〜45 分)をかけて規定の食事量を全量経口摂取できない場合は，速やかに経鼻栄養補給へと切り替える．
- 飢餓状態の場合は 600 kcal/日，入院前から一定期間にわたり体重が横ばいの場合は 1,000 kcal/日程度の栄養摂取はあったと仮定して 1,200 kcal/日程度から開始して数日かけて漸増．
- 再栄養摂取時には，致死的なリスクのあるリフィーディング症候群(再栄養症候群)が懸念される．
- 特に，低リン血症が死因となるため，電解質や微量元素，ビタミンの補充を行いつつ，採血でモニタリングを行い，血清リン低下傾向を認めたら，早めにリン製剤の投与を行う．
- ほかにも，低血糖昏睡，偽性バーター症候群による低 K 血症，再栄養症候群，ビタミン D やビタミン K 不足など留意すべき．

◆精神療法
- AN で身体的に安定して外来治療が行える水準(BMI において 15 以上を対象)となった患者や BN，BED の患者に対しては，摂食障害の CBT の効果が期待される．
- 摂食障害の CBT では，以下の 4 つのステージからなる 20 セッションの治療を 20 週間(低体重の患者に対しては 40 週間)行う．
- 【ステージ 1】動機づけや心理教育，自身における症状の CBT 的文脈での概念化
- 【ステージ 2】食行動のモニタリングや症状維持因子の同定
- 【ステージ 3】維持因子の分析，行動変容や問題解決の獲得

- 【ステージ 4】終結と再発予防.
- BN，BED に対しては，CBT と並んで対人関係療法と呼ばれる対人関係にのみ焦点をあてる構造的な短期精神療法も有効.

薬物療法（BN，BED に対する）

- 薬物療法と精神療法の併用は相乗効果が示されている.
- 実際には，薬物療法が治療の主体というよりは精神療法の補助的な位置づけが望ましい.

（宗　未来）

睡眠-覚醒障害群

Sleep-Wake Disorders

point

- 睡眠障害では睡眠の開始と維持が障害され，睡眠構造の変化とともに入眠困難，中途覚醒，早朝覚醒，日中の眠気など種々の不眠・過眠症状が出現.
- 睡眠障害の病因は多種多様であり，正確な診断に基づいて治療方針を立てることが重要.

不眠障害

- 2014 年の睡眠障害国際分類第 3 版(ICSD-3)では，従来の様々な併存疾患に続発した不眠症をまとめて慢性不眠障害とした．これらの診断は併存疾患の有無にかかわらず，不眠症状の持続期間によって鑑別され，不眠を認めるすべての患者に適用される.
- **慢性不眠障害**：慢性の入眠と睡眠維持の困難に日中の障害を伴い，睡眠困難が少なくとも週 3 回以上，さらに最低 3 カ月以上は持続する．臨床的に有意な疾患を伴っている場合にも適用される.
- **短期不眠障害**：慢性不眠障害の基準に最低の頻度と持続期間が満たない睡眠/覚醒困難が特徴.
- **他の不眠障害**：短期不眠障害の基準に満たないが，十分な不眠症の症状を有する.

睡眠時無呼吸症候群

- 閉塞性睡眠時無呼吸症候群(obstructive sleep apnea syndrome：OSAS)は，睡眠中に上気道閉塞あるいは狭窄により換気気流の停止や著しい減少を反復する疾患である.
- 睡眠中の呼吸障害による睡眠の質的低下が 1 つの原因となり日中に過度な眠気を呈する.
- 無呼吸(10 秒以上の停止)と低呼吸(10 秒以上の換気気流の低下＋覚醒反応または 3% 以上の動脈血酸素飽和度の低下)の睡眠 1 時間当たりの回数(apnea hypopnea index：AHI)が 5/時以上の場合に診断される.

- 治療としては，在宅での持続陽圧呼吸(continuous positive airway pressure：CPAP)療法が第一選択となる．
- その適応としては，①簡易睡眠検査で，AHIが40/時以上，日中の傾眠や起床時の頭痛，②終夜睡眠ポリグラフ検査(PSG)でAHIが20/時以上であることのいずれかが必要．
- 近年，中高年の男性が抑うつ気分やもの忘れを主訴に来院し，精査の結果OSASであったという症例を経験する．日中の覚醒度に問題がある場合は本症候群が鑑別診断に挙がってくる．

●周期性四肢運動障害

- 周期性四肢運動障害では，睡眠中に繰り返す，四肢の不随意運動が原因となって浅眠化や中途覚醒が引き起こされる．
- 睡眠中の動きを観察すると，上下肢にぴくつくような不随意運動が反復してみられる．下肢に起こる場合には，バビンスキー徴候や逃避反射によく似た運動が観察される．
- 診断にはPSGで睡眠中の周期的な四肢不随意運動をとらえる必要がある．

●レストレスレッグス症候群(むずむず脚症候群)

- 就寝と同時に下肢に異常な感覚が生じ，下肢をじっとさせているのが困難である．異常感覚の訴え方は，足がむずむずする，足がほてる，足の奥がかゆいなど多彩である．そのため入眠困難や熟眠感欠如を訴える．
- 異常感覚のため下肢を動かさずにいられなくなること，歩くなどの運動や局所の冷却により異常感覚が軽減することが特徴．
- 血中フェリチン値の低下がみられる場合が多く，フェリチンの低下する鉄欠乏性貧血や腎不全で多くみられることから，ドパミン合成の補酵素としての鉄の低下が本症候群の病態として重視されている．

●概日リズム睡眠-覚醒障害群

- 生物時計の器質的・機能的調節異常に起因する睡眠障害．夜間に眠り，昼間に起きているという通常の睡眠・覚醒リズムを保つことができない．もしくは人為的に睡眠・覚醒リズムを変えることによって，不眠および過眠症状が生じる．

- **睡眠相後退型**：睡眠時間帯が大幅に遅れた状態のまま固定することを主徴とする．典型的には午前 3〜5 時以降でないと入眠できず，午前 9〜11 時以降に覚醒する．睡眠時間は比較的長めである．重症例では明け方以降にようやく入眠し，昼過ぎもしくは夕方に覚醒する．中等症のケースでは入眠困難型の不眠症と誤診されることがある．
- **睡眠相前進型**：望ましい時間帯よりも睡眠相が前進していることを主徴とする．典型的には午後 7〜9 時前後に入眠し，午前 3〜5 時前後に覚醒．
- **不規則睡眠-覚醒型**：睡眠が一定の時間にまとまらず，昼夜を問わず出現し，1 日 3 回以上の短時間睡眠エピソードが起こる．認知症，頭部外傷，知的能力障害などの脳器質障害患者で頻度が高い．
- **非 24 時間睡眠-覚醒型**：24 時間より長い周期の生物時計であるために昼夜サイクルに同調しなくなり，日々の入眠時刻と覚醒時刻が遅れていく現象を指す．完全にずれてしまうと睡眠相が日中にずれこんでしまい，日常生活に大きな支障を来たす．思春期・青年期に発症するものが多く，短期的な観察では，不眠・過眠障害もしくは精神疾患と誤診されることもある．
- **交代勤務型**：交代勤務者では，変動する入眠や覚醒時刻に生物時計が同調できず，不眠症状や眠気を訴えるケースが多い．交代勤務者では飲酒や睡眠薬の使用頻度が高いといわれている．

● ナルコレプシー

- ナルコレプシーは，突発する日中の耐え難い眠気とレム睡眠関連症状を呈する慢性の神経疾患．
- 下記の 4 徴が特徴．明らかな過眠と情動脱力発作があることで臨床診断としては十分であるが，客観的な診断のためには，PSG と反復睡眠潜時検査による眠気および入眠レム睡眠の確認は必須．
- **①睡眠発作**：日中耐え難い眠気に襲われる．10〜20 分程度で自然に目覚めるが，1〜2 時間で再び耐え難い眠気をもよおす．通常では考えられないような状況(試験中，商談中，運転中)などにおいても，睡眠発作を起こす．
- **②情動脱力発作**：強い情動が誘因となり，両側性の骨格筋の筋緊張の発作的消失が起こる．数秒～数分で，完全に回復．本来レム睡眠中に起こる強力な錐体路抑制機構が覚醒中に働いてしまうために起こる．誘因となる情動変化としては，大笑い，大喜び，驚きなどが多い．

- **③睡眠麻痺**：いわゆる金縛り．入眠期に起こる錐体路抑制機構が関連したレム睡眠解離現象．
- **④入眠時幻覚**：睡眠開始時にみられる鮮明な夢見体験．自覚的には目覚めていると感じていることが多く，通常は幻視の形をとる．

特発性過眠症

- 十分睡眠をとっても熟睡感に乏しく，1日中強い眠気が遷延すること．
- 典型例では10時間以上睡眠をとり，多くの場合起床に際して覚醒困難を示す．
- 重症例では，朝の目覚めに際して「睡眠酩酊」と呼ばれる不完全な覚醒状態が遷延する場合がある．これはいったん起き上がっても何度も眠り込み，無理に起こすと易刺激性や混乱が生じる．
- 過眠障害をもつ家族歴があり，頭痛やレイノー病，起立性調節障害，失神などの自律神経障害をもつ場合がある．

（山縣　文）

物質関連障害群①
―アルコール関連障害群

Alcohol-Related Disorders

point

- 客観的な飲酒状況を把握.
- 達成可能な目標を協働して設定し，治療関係の構築と維持を重視.
- 身体疾患，併存障害の評価と治療を併行.
- 患者が素直に話せる治療環境の調整.

疾患の特徴

▸ アルコールの使用(多くは大量飲酒)による精神・身体症状と，社会的・職業的な機能障害.

▸ 従来の「アルコール乱用」「アルコール依存」を含む.

診断のポイント

▸ DSM-5のアルコール関連障害群には，使用様式の障害である「アルコール使用障害」，使用に引き続いて起こる一過性の障害である「アルコール中毒」，アルコール中止後に出現する障害である「アルコール離脱」が含まれている.

▸ 過少申告の可能性があるため家族や周辺からの情報を集める.

◆診断基準(DSM-5)

❶ アルコール使用障害

▸ ①大量または長期間の使用，②減量または制限の失敗，③使用や作用からの回復に長時間を要する，④渇望，⑤社会での責任が果たせない，⑥社会的または対人的問題，⑦社会的，職業的，または娯楽的活動の放棄または縮小，⑧危険な状況でも使用を反復，⑨身体または精神的問題があるのに使用，⑩耐性，⑪離脱．このうち2つ以上が12カ月以内に起こる.

❷ アルコール中毒

▸ 最近のアルコール摂取，臨床的に意味のある不適応性の行動的または心理学的変化，および①ろれつの回らない会話，②協調運動障害，③不安定歩行，④眼振，⑤注意または記憶の低下，⑥昏迷または昏睡，のうち1つ以上がアルコール使用中または使用後すぐに発現する.

❸ アルコール離脱

▶大量・長期のアルコール使用の中止または減量，および①自律神経系過活動，②手指振戦の増加，③不眠，④悪心または嘔吐，⑤一過性の幻覚または錯覚，⑥精神運動興奮，⑦不安，⑧全般性強直間代発作，のうち2つ以上が中止または減量後数時間から数日以内に発現し，臨床的に意味のある苦痛や社会的・職業的機能障害を引き起こしている．

● 治療のポイント

◇治療原則

▶敬意をもって接し，安定した治療関係を作る．

▶飲酒日記などで自己管理を促し，達成されたことは評価．

▶節酒の目標を許容する場合(harm reduction)がある．

◉処方例(節酒を目標とする場合)

• ナルメフェン(セリンクロ®) 10 mg/日 飲酒1〜2時間前
※副作用ではめまい・傾眠などの頻度が高い(5%以上)．自殺念慮，自殺企図などのリスクについて十分説明を行う．

▶アルコール依存症の治療に対して十分な知識・経験をもつ医師のもとで投与する．

▶習慣的に多量飲酒(純アルコール換算で1日平均男性60 g超，女性40 g超)が認められる患者に使用．

▶依存症では断酒が適切であることを説明．

▶身体的危機が切迫しているとき，外来通院が困難な場合(離脱せん妄が発現している，生活が破綻している)には解毒のための入院を考慮する．非自発的入院を要する場合がある．

◇解毒・離脱期の治療指針

▶全身状態の把握を行い，経口摂取ができない場合は輸液を行う．意識障害の原因となりうる身体疾患の鑑別を行う．

▶身体診察と諸検査を行う．血液検査(肝・腎機能，血算，ビタミン B_1，B_6，B_{12}，葉酸，Mg，エタノール)，心電図，画像検査など．高血圧，アルコール性肝障害，電解質異常，糖尿病，脂質異常症などの有無を確認する．必要に応じ身体科に紹介．

▶ウェルニッケ脳症の予防のため，ビタミンB群を大量投与．

▶CIWA-Ar(Clinical Institute Withdrawal Assessment for Alcohol, revised)により離脱症状の重症度を評価．

▶著しい不穏，意識障害，身体衰弱，離脱せん妄による精神病症状(幻覚・妄想)が発現している際は入院治療を考慮．

▶向精神薬による薬物療法はアルコールとの相互作用が出現しうるため慎重に行うべきだが，断酒が期待できる場合，アルコールと交差耐性のあるベンゾジアゼピン系薬剤を処方して離脱症状の軽減をはかる．渇望につながるような情動の不安定さや，不眠の訴えが多い．

●処方例①(離脱症状に対して)

- ジアゼパム錠(セルシン®，ホリゾン®)　軽症(CIWA-Ar 10点以下)では不穏時5 mg　1日3回まで．中等症(同11～15点)では15 mg/日，重症(同16点以上)では30 mg/日．外来では原則15 mg以内/日．
- (経口投与ができないとき)ジアゼパム注(ホリゾン®)　1回5～10 mg　3時間以上間隔をあけ1日1～3回　筋注

▶高度の肝障害や高齢の患者にはジアゼパムの代わりにロラゼパム(ワイパックス®)を使用．(保険適用外)

▶経過を見て漸減・中止．

●処方例②(アルコール離脱けいれん)

- ジアゼパム注　1回5～10 mg　3時間以上間隔をあけ1日1～3回　呼吸抑制に注意しながら緩徐に静注

◆解毒後の治療指針

▶心理社会的治療に導入．入院によるプログラムへの参加，自助グループ〔アルコホーリクス・アノニマス(alcoholics anonymous：AA)，断酒会など〕，保健所や精神保健福祉センターで行われているミーティングや家族相談への参加を勧める．

▶断酒したことによる精神的身体的健康や，自由になる時間が増えたことを認識し，自ら日課を作ることを促す．

▶併存障害の治療を考慮．

▶心理社会的治療と並行して断酒補助薬や抗酒薬を処方．

●処方例③(断酒補助薬)

- アカンプロサート(レグテクト®)　1,998 mg/日　1日3回分服　※副作用では下痢の頻度が高い(5％以上)．自殺念慮，自殺企図などのリスクについて十分説明を行う．

◉**処方例④**(抗酒薬：下記のいずれかを使用または併用する)

- ジスルフィラム(ノックビン®原末) 0.1～0.5 g/日 1日1回 起床後
- シアナミド(シアナマイド®内用液1%) 50～200 mg/日 1日1回 起床後

▶いずれもアルコール(酒類のほかアルコールを含有する食品・化粧品など)使用時の反応について説明しておく．アカンプロサートとの併用は可能．

▶肝障害が出現することがある(特にシアナミド)ため定期的に肝機能検査を行う．

患者・家族への説明

▶受診にたどり着いたことをまずはねぎらう．

▶否認を示す患者も，診療の場にいることは「本当は続けたいし，やめたほうがいいのか疑問に思うが，やめざるを得ない」という葛藤状況にあることを理解する．

▶家族ミーティングへの参加や家族と友人の自助グループであるAl-Anon(アラノン)の利用を勧める．

[Further Reading]

- 新アルコール・薬物使用障害の診断治療ガイドライン作成委員会(監)：新アルコール・薬物使用障害の診断治療ガイドライン．新興医学出版社，2018

(久江洋企・竹内啓善)

物質関連障害群②
—鎮静薬，睡眠薬または抗不安薬関連障害群

Sedative-, Hypnotic-, or Anxiolytic- Related Disorders

point

- 障害が出現するまでの病歴を整理し，併存障害を診断．
- 達成可能な目標を協働して設定し，治療関係の構築と維持を重視．
- 患者が素直に話せる治療環境の調整．

● 疾患の特徴

▶鎮静薬，睡眠薬，抗不安薬による精神・身体症状と，社会的・職業的な機能障害．

▶過量服薬や他の手段による自殺企図，リストカットなどの自傷行為，アルコールや違法薬物の依存・乱用と関連・併存．

▶処方薬（多くはベンゾジアゼピン系薬剤）の乱用・依存が注目されている．

● 診断のポイント

▶DSM-5 には，アルコール関連障害と同様「使用障害」「中毒」「離脱」が含まれている．ただし耐性・離脱の基準は，医学的管理下で服用している人への適用は考慮されていない．

● 治療のポイント

▶アルコール関連障害群と多くの点で共通するので参照のこと（▶p222）．

▶急性中毒に対しては胃洗浄（摂取 1 時間以内），活性炭・下剤投与，補液による排泄促進，拮抗薬（ベンゾジアゼピン系薬剤に対してはフルマゼニル）による治療を行う．

▶ベンゾジアゼピン系薬剤の使用障害に対し，離脱症状や高揚作用が比較的少なく，長時間作用型の薬剤（ロフラゼプ酸やクロナゼパムなど）への置換と漸減中止を試みる．長期（しばしば数カ月～数年を要する）に少量ずつ行うのが有効．

▶病歴を聴取し，本来その薬物を必要とした障害の診断を見直す．

▶抗うつ薬，気分調整薬，抗精神病薬などの依存性の低い薬剤への置換を試みる．睡眠障害に対して CBT などの非薬物療法や，

睡眠衛生指導を行う．
- 過量服薬に対しては，解毒後に精神科治療につなげるよう働きかける．そうせざるを得なかったという心理に共感を示す．感情を言葉にしない態度を，治療の拒否と受け取らない．
- DARC（ダルク：Drug Addiction Rehabilitation Center），NA（ナルコティクス・アノニマス：Narcotics Anonymous）などの自助グループ，Nar-Anon（ナラノン）など家族グループ，保健所や精神保健福祉センターなどで行われているグループ治療・家族相談に導入．

●患者・家族への説明

- 依存症では治療によって回復することができること，叱責や実行性のない約束は治療的ではなく，冷静さを欠いた感情の発露は再使用を促す引き金になることを，個別に理解し，説明する．
- 一治療者や一医療機関で抱え込まず，多職種で協働し，外部機関を利用するよう促す．
- 家族が自らの精神身体の健康に配慮．家族自身の診療が必要になることもある．

［Further Reading］

- 厚生労働科学研究・障害者対策総合研究事業「睡眠薬の適正使用及び減量・中止のための診療ガイドラインに関する研究班」および日本睡眠学会・睡眠薬使用ガイドライン作成ワーキンググループ（編）：睡眠薬の適正な使用と休薬のための診療ガイドライン―出口を見据えた不眠医療マニュアル．2013（last accessed 2021.8.1）
http://jssr.jp/data/guideline.html
- 新アルコール・薬物使用障害の診断治療ガイドライン作成委員会（監）：新アルコール・薬物使用障害の診断治療ガイドライン．新興医学出版社，2018

（久江洋企）

物質関連障害群③
―違法薬物，危険ドラッグなどの薬物依存

Drug Dependence of Illegal Drugs and Non-controlled Drugs

point

- 患者が素直に話せる治療環境の調整．
- 身体疾患の評価と治療を併行．
- 併存障害の診断と治療を施行．

疾患の特徴

▶ 違法薬物・危険ドラッグなどの薬物による精神・身体症状と，社会的・職業的な機能障害．

▶ 従来の「薬物乱用」「薬物依存」を含む．

診断のポイント

▶ DSM-5 では，物質ごとに大麻，精神刺激薬，その他(または不明)の物質の関連障害などと診断される．

▶ アルコール関連障害群と同様「使用障害」「中毒」「離脱」に分類される．

▶ 精神刺激薬の離脱症状には，不快気分および疲労感，不快な夢，不眠または過眠，食欲亢進，精神運動静止または焦燥が挙げられる．

治療のポイント

◆治療原則

▶ 違法薬物以外に複数の物質が関連している可能性を考慮．特にアルコールやベンゾジアゼピン系薬剤などの処方薬．

▶ 使用したことを素直に話せる場所を作る．使用に至った経緯を冷静，詳細に聴取．

◆治療導入期，解毒・離脱期の治療指針

▶ 身体診察と諸検査を行い，身体への影響の理解を患者と共有．低栄養，脳萎縮，う蝕などが治療的で説明しやすい．

▶ 意識障害がある場合は原因となりうる身体疾患を検索，鑑別．

▶ 精神状態に応じ，ベンゾジアゼピン系薬剤，抗精神病薬による鎮静をはかる．

◆解毒後の治療指針

- わが国で頻度の高い精神刺激薬使用障害では，易刺激性や衝動性，強迫が生活への支障となることがある．気分安定薬や抗精神病薬の処方を検討．
- ベンゾジアゼピン系薬剤など依存性が危惧される薬剤は可能な限り避ける．
- 併存する精神障害を評価．
- 一方的な禁止や約束ではなく，使用せざるを得なかった心理を推測．
- 心理社会的治療に導入する．ワークブックを用いた治療プログラム[1)]が普及している．
- 昼夜逆転や孤立は自尊心の低下を強め，自暴自棄な行動を起こしやすく，再使用の引き金になる．生活を規則正しくすることをまず勧める．

●患者・家族への説明

- 自助グループ，グループ治療・家族相談に導入(▶p227)．
- 本人が治療に拒否的な場合にも，まず家族の相談を受け，上記につなげる．精神保健福祉士や心理職など多職種で協働する．

［引用文献］

1) 松本俊彦，今村扶美：SMARPP-24 物質使用障害治療プログラム．金剛出版，2015

［Further Reading］

- 新アルコール・薬物使用障害の診断治療ガイドライン作成委員会(監)：新アルコール・薬物使用障害の診断治療ガイドライン．新興医学出版社，2018

（久江洋企）

認知症疾患
―四大認知症とその他の器質性疾患

Dementia, Major Neurocognitive Disorders

point

- 鑑別診断では，治療可能な認知症や内科的疾患，せん妄，うつ病を見逃さない．
- 治療の目標は，認知機能，生活の質(QOL)，BPSD の改善であり，薬物療法と非薬物療法を組み合わせて行う．
- 認知機能障害とともに精神・行動症状，ADL 障害などの包括的な評価を行い，本人，介護者の両者に適切な医療，福祉を提供．

疾患の特徴

▶2012 年の時点で，わが国の 65 歳以上の認知症有病率は 15%，認知症数は 462 万人であるが，2025 年には 65 歳以上の 20%，約 700 万人に達すると推計．

▶アルツハイマー病(AD)が最も多く，次いで血管性認知症(VaD)やレビー小体型認知症(DLB)が多い．

▶記憶障害，失語，失行，失認，遂行機能障害などの中核症状と，幻覚・妄想，うつ症状などの心理症状，脱抑制，焦燥性興奮，暴力などの行動異常を含めた"周辺症状"，認知症に伴う行動・心理症状(behavioral and psychological symptoms of dementia：BPSD)とがある．

診断のポイント

◆診断の進め方

▶病歴，身体所見，神経心理学的検査，血液検査，画像検査などを行い，内科的疾患，せん妄，うつ病，薬剤誘発性障害などを除外．特に，正常圧水頭症，慢性硬膜下血腫，脳腫瘍，ビタミン欠乏症などは治療可能な認知症(treatable dementia)であり，第一段階に鑑別する．

▶神経心理学的検査は，ミニメンタルステート検査(MMSE)，改訂長谷川式簡易知能評価スケール(HDS-R)(▶p342)，時計描画検査など，重症度評価には CDR(Clinical Dementia Rating)などを用いる．血液検査では，血算，一般生化学，血糖，甲状腺ホルモン，ビタミン B_1，B_{12} などを測定．

- 頭部 CT もしくは MRI 検査を行い，除外診断とともに，脳萎縮や脳血管性病変を確認．補助的検査として，脳血流 SPECT，FDG-PET*，アミロイド PET*，心筋交感神経(MIBG)シンチグラフィー，脳波，脳脊髄液検査*などを行う(ただし*は保険適用外でルーチンでは勧められない)．
- 代表的な診断基準は，国際疾病分類第 11 版(ICD-11)や NIA-AA(National Institute on Aging-Alzheimer's Association workgroup)基準，DSM-5．
- 家族性認知症の原因遺伝子や AD の遺伝的危険因子(ApoE ε4)などは，日常診療でのルーチンとしては勧められていない．

7 疾患

● 診断基準(DSM-5)

- A：1 つ以上の認知領域(複雑性注意，実行機能，学習および記憶，言語，知覚-運動，社会的認知)において，以前の行為水準から有意な認知の低下があるという証拠が，①本人や本人をよく知る者からの情報，もしくは②神経心理学的検査，に基づいてみられ，B：毎日の活動において，認知欠損が自立を阻害している．
- その認知欠損は，せん妄や他の精神疾患によるものではない．

◆認知症を来たす主要な疾患・病態

❶ アルツハイマー病(Alzheimer's disease：AD)

- 潜在性に発症し緩徐に進行する．初期には近時記憶障害，特にエピソード記憶障害が特徴的で，進行に伴い見当識障害や頭頂葉症状(視空間認知障害，構成障害)を認める．場合わせ，取り繕い反応が目立ち，初期から物盗られ妄想などがみられる．
- 病理学的には，老人斑(アミロイド β)と神経原線維変化(リン酸化タウ)が出現し，神経細胞脱落が起こり脳が萎縮する．
- 特異的な所見は，MRI(VSRAD)での側頭・頭頂葉の萎縮，SPECT，FDG-PET*で側頭・頭頂葉と後部帯状回の血流低下や糖代謝障害，脳脊髄液検査*でアミロイド β42 低下，アミロイド PET*陽性など(*は保険適用外)．

❷ 前頭側頭型認知症(frontotemporal dementia：FTD)

- 多く初老期に発症し前頭葉・側頭葉に限局した萎縮を認める．性格変化と社会的行動の障害が顕著で，空間的能力，記憶などの認知機能は比較的保たれる．前頭側頭葉変性症は，FTD，意味性認知症，進行性非流暢性失語を総称した症候群．

❸ レビー小体型認知症（dementia with Lewy bodies：DLB）

▶中核的特徴として，(a)注意や覚醒レベルの顕著な変動を伴う動揺性の認知機能，(b)繰り返す詳細な幻視，(c)パーキンソニズム，示唆的特徴として(a)レム睡眠行動障害，(b)神経遮断薬の過敏性，(c)SPECTまたはPETで示される基底核におけるドパミントランスポーターの取り込み低下，支持的特徴として，繰り返す転倒と失神，一過性の意識消失などがある．

❹ 血管性認知症（vascular dementia：VaD）

▶脳卒中発作後に発症し，階段状に進行し，高血圧・糖尿病など動脈硬化のリスク因子がみられることが典型的であるが，多発性脳梗塞，ビンスワンガー病(白質病変)など脳卒中発作がはっきりしないものもある．

▶神経脱落症状などの身体的機能障害や，歩行障害，排尿障害，偽性球麻痺，情動失禁などを認めることが多い．

❺ その他

▶中枢神経変性疾患(進行性核上性麻痺など)，脳腫瘍，正常圧水頭症，外傷性脳損傷，無/低酸素脳症，神経感染症(ウイルス性脳炎など)，内分泌機能異常症(甲状腺機能低下症など)，欠乏性疾患(ビタミンB_{12}欠乏など)，代謝性疾患，慢性アルコール中毒(ウェルニッケ-コルサコフ症候群)，物質・医薬品誘発性(抗腫瘍薬など)，自己免疫性疾患など．

●治療のポイント

◆治療原則

▶認知機能やQOLの改善，BPSD低減を目標とし，抗認知症薬や向精神薬による薬物療法と，ケア，リハビリテーションを含めた非薬物療法を行う．Person-centered careが基本．

▶BPSDの発現には，健康状態，うつ状態，疼痛や不快感，薬物有害事象，環境要因などが関連する．BPSDが高度で患者や周囲に危険が及ぶ場合は薬物療法を考慮．

▶入院は精査診断，精神症状の治療(高度なBPSD)，身体合併症治療，環境調整を目的に行う．

◆認知機能障害に対する薬物療法

▶ADの認知機能障害に対してはコリンエステラーゼ阻害薬(ドネペジル，ガランタミン，リバスチグミン)とNMDA受容体拮抗薬(メマンチン)の4剤を用いる(一部はDLBでも保険適用).

◉**処方例**(代表的な薬剤の一部を以下に挙げる)

- ドネペジル(アリセプト®) 5 mg/日(初回投与量3 mg/日) 1日1回 朝食後
- ガランタミン(レミニール®) 16 mg/日(初回投与量8 mg/日) 1日2回分服 朝・夕食後

◆BPSDに対する薬物療法

▶高齢者では抗精神病薬による過鎮静，低血圧，脱力による転倒，便秘，死亡率上昇のリスクと必要性を十分に検討．少量かつ短期使用にとどめる.

◉**興奮への処方例**〔代表的な薬剤を以下に挙げる(保険適用外)．専門医師に相談し慎重に行う〕

- リスペリドン(リスパダール®) 0.5〜1 mg/日 1日1回 夕食後
- クエチアピン(セロクエル®) 12.5〜25 mg/日 1日1回 夕食後

●患者・家族への説明

▶本人への病名告知について一定の見解はない．本人と家族の心情に配慮し，その後の治療計画の共有を見据えて告知する.

▶精神面と生活全般における介護負担は大きく，家族介護者の心理教育，対応技術指導，休養などを行い，社会資源を用いた包括的な支援を行う.

〔Further Reading〕

- 日本神経学会(監)，「認知症疾患治療ガイドライン」作成委員会(編)：認知症疾患治療ガイドライン2017．医学書院，2017

(色本 涼)

7 疾患

てんかん

Epilepsy

point

- 診断のために，秒単位〜分単位のてんかん発作が複数回出現し，脳波検査で突発性異常がみられることを確認.
- 第一選択薬は，焦点発作のある焦点てんかんがカルバマゼピン，全般発作のみの全般てんかんがバルプロ酸である.

疾患の特徴

1973 年の WHO による定義

▶種々の病因による慢性の脳障害である.

▶反復性のてんかん発作を主徴とする.

▶てんかん発作は大脳ニューロンの過剰な放電に由来する.

▶様々な臨床症状と検査所見を伴う.

診断のポイント

診断の進め方

▶本人の体験と目撃情報から，秒単位〜数分以内のてんかん発作が存在し，反復していることを確認．薬剤選択のため，てんかん発作分類に基づき，各々の発作を識別.

▶脳波検査で突発性異常を認める(異常波検出率を高めるために睡眠賦活法や過呼吸賦活法，光刺激賦活法などを施行).

▶脳血流 SPECT〔^{123}I-IMP(パーヒューザミン®)など〕やイオマゼニル(^{123}I)SPECT は焦点部位の検出に有効．発作直後の血中プロラクチン濃度急増も診断に有用.

鑑別診断

▶急性誘発性発作(頭部外傷，脳炎などの急性疾患による一過性発作)，失神発作，一過性脳虚血，低血糖発作，電解質異常，神経症性障害(パニック症，解離性障害/転換性障害)などを鑑別.

てんかん発作分類

❶ 焦点発作(焦点起始発作，部分発作)

■大脳領域の一部の過活動で体の一部のけいれんや感覚発作などが生じ，それに対応し脳波検査で焦点性突発性異常を認める.

▶**焦点意識保持発作(単純部分発作，意識障害のない発作)：運動**

発作は間代発作，強直発作，ミオクロニー発作，音声発作など．**感覚発作**は視覚発作，聴覚発作，嗅覚発作など．**認知発作**は既視感，未視感などの記憶障害発作，失語，失書，失読などの言語障害発作，時間感覚の変容，強制思考など．**情動発作**は恐怖，抑うつ，快楽など．**自律神経発作**は腹部不快感，動悸，呼吸困難，尿失禁など．

- **焦点意識減損発作（複雑部分発作，意識障害のある発作）**：徐々に始まる意識混濁で，典型例は動作停止と一点凝視を伴う．側頭葉てんかんの1回の発作は，自律神経発作 → 情動，認知発作 → 焦点意識減損発作 → 口をクチャクチャさせる口部自動症 → 発作後もうろう状態へと進行することが多い．
- **焦点起始両側強直間代発作（二次性全般化発作）**：部分発作から全般強直間代発作へ移行．

❷ 全般発作（全般起始発作）

■発作の開始直後から両側大脳半球が同期性に興奮し，それに対応して脳波でもほぼ同期性の全般性突発性異常を認める．

- **定型欠神発作**：突然始まり突然終わる意識障害と動作停止で，持続は4〜20秒ほどである．焦点意識減損発作と誤診しないように注意．
- **強直間代発作**：意識消失とともに突然の全身性の強直発作，続いて全身性の間代発作が出現．

◆病態生理・発作型によるてんかん分類

- **焦点てんかん（局在関連てんかん，部分てんかん）**：焦点発作をもつてんかん．ただし，焦点起始両側強直間代発作を含む．
- **全般てんかん**：全般発作のみのてんかん．

◆原因によるてんかん分類と予後

■てんかんの原因を探るために頭部MRIなどの画像検査や血液・尿検査などを行う．原因により以下の2つに大別される．

- **症候性てんかん**：頭部外傷，脳血管障害，腫瘍などの原因が確定したてんかん．一般に予後は不良．
- **特発性全般てんかん，自然終息性焦点てんかんなど**：原因は特定されないが，遺伝素因が推定される．通常予後は良好で，成人になるまでに治癒．

治療のポイント

治療の開始と終結

- てんかん発作が複数回生じ，てんかんの診断が確定し，本人・家族が長期間の服薬に同意する場合に抗てんかん薬を開始．
- 発作が1回であっても，脳波所見などからてんかん発作が反復する危険性が高いと判断された場合は薬物療法を始める．
- 投薬開始前にスティーブンス-ジョンソン症候群などの重篤な副作用が起こる危険性があることを説明し，対応策を指示．
- 治療終結に一定の基準はない．目安として5年間発作がなく，睡眠脳波で突発性異常を認めない場合に薬剤を漸減．

抗てんかん薬の選択と調整

- できるだけ単剤とする．
- 発作症状，副作用，脳波所見，抗てんかん薬の血中濃度などを確認し，投与量を調整する．薬剤による副作用をチェックするために1年に1～2回ほど血液・尿検査などを施行．

❶ 焦点てんかん(焦点発作をもつてんかん)

処方例①

- カルバマゼピン(テグレトール®)　100～1,200 mg/日　1日2回分服　朝・夕食後

- その他，ラモトリギン，レベチラセタム，ペランパネル，ラコサミド，フェニトイン，ゾニサミド，トピラマートなど．

❷ 全般てんかん(全般発作のみのてんかん)

処方例②

- バルプロ酸(デパケン®)　300～1,200 mg/日　1日3回分服　毎食後

- ただし，妊娠の可能性がある女性の場合，催奇形性を考慮し，バルプロ酸は避けたほうがよい．
- その他，ラモトリギン，フェノバルビタールなどを用いる．ミオクロニー発作に対してはクロナゼパムも使用される．

［Further Reading］

- 日本てんかん学会(編)：てんかん専門医ガイドブック，改訂第2版　てんかんにかかわる医師のための基本知識．診断と治療社，2020

（武井茂樹）

症状性精神疾患

Symptomatic Psychotic Disease

point

- 精神症状のある患者を診察するときは，常に身体疾患の影響を考慮.
- 治療は原因となっている身体疾患の治療と同時に，問題となっている患者の行動のマネジメントを行う.

疾患の特徴

▶ 脳梗塞や頭部外傷など脳に一次的な器質的障害があり，精神症状を来たす器質性精神疾患から区別され，脳以外の全身性の疾患に続発して脳に影響が生じ，惹起された精神疾患.

▶ 基礎疾患の如何にかかわらず共通な症状が現れることも多い.

▶ 意識障害，精神病，抑うつ，興奮など様々な精神症状を呈する.

診断のポイント

◆診断基準

▶ DSM-5では293.xxという項目で「他の医学的疾患による精神疾患」を診断する．またICD-10ではF00-F09の「症状性を含む器質性精神障害」の中のF06「脳の損傷及び機能不全並びに身体疾患によるその他の精神障害」に分類される.

▶ 例：293.83[F06.31]甲状腺機能低下症による抑うつ障害．抑うつの特徴を伴う.
　　293.89[F06.1]肝性脳症による緊張病性障害

▶ あらゆる精神状態は，身体疾患から生じる可能性があり，病歴，身体診察，臨床検査所見から，その精神状態が身体疾患の直接的な結果であれば診断される.

◆原因疾患

▶ 原因となりうる頻度が高く重要な疾患について以下に概説.

❶ 感染性疾患

■ヘルペス脳炎

▶ 無嗅覚症や嗅覚・味覚の幻覚，パーソナリティ変化，奇妙な行動や精神病様行動.

■神経梅毒

▶ 最初のトレポネーマ感染から10～15年後に発症．パーソナリティ変化，判断力低下，易刺激性，自己管理低下．10～20%に誇大妄想を認め，進行とともに認知症と振戦がみられ，最終的には麻痺が生じる．

■ HIV 感染症

▶ 記憶障害，精神運動機能の緩徐化，抑うつ，運動障害，認知機能障害．

❷ 膠原病

■ 全身性エリテマトーデス（SLE）

▶ せん妄，不安，パニック状態，強迫観念，抑うつ，幻覚・妄想と多彩．ステロイド治療によるステロイド精神病との鑑別が必要．

❸ 内分泌疾患

■ 甲状腺機能障害

▶ **亢進症**：錯乱，不安，激越性の抑うつ，記憶障害，見当識障害，躁病性興奮，妄想，幻覚．

▶ **低下症**：妄想，抑うつ，軽躁，幻覚．

■ 副甲状腺機能障害

▶ **亢進（高 Ca 血症）**：せん妄，パーソナリティ変化，無関心，認知機能障害．

▶ **低下（低 Ca 血症）**：せん妄，パーソナリティ変化．

■ 副腎機能障害

▶ **不全（アジソン病）**：無関心，易疲労性，易刺激性，抑うつ，錯乱，精神病症状．

▶ **亢進（コルチゾール過剰）**：二次性気分障害，激越性の抑うつ，集中力低下，記憶欠損．

❹ 代謝性疾患

■ 肝性脳症

▶ 意識障害，無関心，記憶障害，パーソナリティ変化．

■ 尿毒症性脳症

▶ 記憶障害，見当識障害，意識変化，落ち着きのなさ，四肢の蟻走感，持続性しゃっくり．

■ 低血糖性脳症（内因性インスリン過剰産生，外因性インスリン過剰投与）

▶ 前駆症状として悪心，発汗，頻脈，空腹感，不安，落ち着きのなさ．その後失見当識，錯乱，幻覚，昏迷，昏睡．

■糖尿病性ケトアシドーシス

▶衰弱感，易疲労性，無関心から始まり多飲・多尿．

❺ 栄養障害

■ナイアシン欠乏(ペラグラ)

▶アルコール使用障害に伴うことが多い．無関心，易刺激性，不眠，抑うつ，せん妄．

■チアミン(ビタミンB_1)欠乏症

▶アルコール使用障害と主に関係するウェルニッケ-コルサコフ症候群を引き起こす．無関心，抑うつ，易刺激性，神経過敏，集中力低下，記憶障害．

■コバラミン(ビタミンB_{12})欠乏症

▶悪性貧血を引き起こす．無関心，抑うつ，易刺激性，不機嫌．まれにせん妄，妄想，幻覚．

❻ 抗NMDA(N-メチルD-アスパラギン酸)受容体脳炎

▶統合失調症の症状に類似(▶p110)．

◆検査

❶ 重要な問診項目

▶**急性発症か，慢性か**：急性であるほど重大な身体疾患による可能性があるため，より注意して診察を行う．

▶**既往歴**：当然既往歴の悪化による可能性を検討．

▶**見当識障害**：意識障害を調べる際に，必ず問診にて確認．

❷ 診察

▶**バイタルサイン**：体温，脈拍など重要な指標となる．

▶**神経学的所見**：意識，瞳孔所見などの神経学的所見により頭蓋内病変の有無の指標となる．

▶**身体診察**：必ず全身の視診，聴診，触診を行う．

❸ 検査

▶**血液検査**：血算，生化学(電解質，肝機能，腎機能，CRP)，血糖，感染症(梅毒定性，HIV)，甲状腺機能(血清遊離T_3，遊離T_4，TSH)は忘れずに．

▶**CT**：迅速な頭蓋内病変の確認(その後，必要があればMRI)．

▶**脳脊髄液検査**：脳圧亢進を除外後施行する．

▶**脳波検査**：緊急性は低いが，意識障害，てんかんの評価に有用．

治療のポイント

治療原則

- 原因となっている身体疾患の治療が本質的となる．その原疾患の治療をしている医師との情報交換が大切．
- 不穏が著しい場合は，患者の安全を確保するため，離床センサーや拘束帯の使用を検討．

薬物療法(処方例はいずれも保険適用外)

- 多くはせん妄などの意識の変容を伴いつつ焦燥・興奮が出現するため，鎮静に向精神薬を対症療法的に使用．
- 症状が改善した場合は，漫然と使用を継続せず漸減中止を検討．

❶ 軽度の不安・焦燥

◉処方例①(経口投与可能の場合)

- ロラゼパム(ワイパックス®)　0.5 mg/日　1日1回　夕食後

❷ せん妄，興奮

◉処方例②(経口投与可能の場合の代表的な薬剤の一部を以下に挙げる)

- リスペリドン(リスパダール®)　1 mg/日　1日1回　夕食後
- クエチアピン(セロクエル®)　25～100 mg/日　1日1回　夕食後

◉処方例③(経口投与不可の場合)

- ハロペリドール(セレネース®)　1回2.5～5 mg＋生食100 mL点滴静注　1日1回　夕食後

患者・家族への説明

- それまで精神科の既往がない人が突然不穏になり，家族や医療スタッフが動揺し不安になることも多い．
- 医学的視点から説明し，本人をはじめ家族や医療スタッフの気持ちに寄り添うことが大切．

[Further Reading]

- 大熊輝雄(原著)，「現代臨床精神医学」第12版改訂委員会(編)：現代臨床精神医学，改訂第12版．金原出版，2013

(片山奈理子)

神経発達症群①
一自閉スペクトラム症/自閉症スペクトラム障害

Autism Spectrum Disorder

point

- 現症だけでなく，生活歴・発達歴を含めた詳細な問診を行うとともに行動観察も十分に行い，症状を十分に把握.
- 他の精神疾患が併存する場合，その治療を優先．患者の問題を整理.
- 治療は特性に応じた患者本人や家族に対する具体的な生活上の助言，環境調整が中心となるが，応用行動分析に基づく行動療法も有効.
- 易刺激性に対し，対症療法的に薬物療法が可能であるが，上記の治療が優先される．投薬開始後は副作用発現に注意し，検査などを定期的に施行.
- この診断をつけることが，患者を治せないことの免罪符になっていないか注意.

7 疾患

疾患の特徴

- 行動や興味，活動が限定的・常同的で融通が利きづらく，非言語的なコミュニケーションを用いることなどの対人的相互反応に障害がある.
- これらが発達の早期より存在し，学業的もしくは職業的，社会的な機能障害が引き起こされた状態.
- 限定的・常同的な行動や興味は本人が楽だったり，好きだったりを優先している結果ではないことに注意.
- 対人交流においては語用論的な障害(話し手の言語表現と本当に伝えたい意味とのずれが理解し難い)が特徴的とされる.
- 最近の有病率は1%前後とされるが，年々上昇傾向にあり，安易な診断が問題となりつつある.

診断のポイント

- DSM-5の診断基準では，①社会的コミュニケーションおよび対人的相互反応における持続的な欠陥，②行動，興味，または活動の限定された反復的な様式，の双方が必要である〔注：①のみ満たす場合は社会的(語用論的)コミュニケーション症の診断となる〕.

- 知的能力障害や全般的な発達遅延ではその症状を説明できない．また，症状は発達の早期から存在し，現に機能障害を引き起こしていることも必要．
- これらを十分に吟味できるよう，生活歴・発達歴を含めた詳細な問診を行うとともに十分な行動観察を行う．
- 反応性アタッチメント障害は自閉スペクトラム症の患児と区別のつきづらい症状を呈するので注意する．また，選択性緘黙や強迫症も十分な鑑別を要する．
- 安易な診断は患者の病状を改善せず，治療が進まないことを正当化する免罪符となりうるので，慎重に診断．

●治療のポイント

◇治療原則

- 他の精神疾患が併存する場合はその治療を優先．
- 自閉スペクトラム症は多くの場合，その症状自体は治療対象とならず，その特性に対する周囲の理解を促したり，生活上の工夫や環境調整を指導したりすることが対応の中心．
- 特性に起因する行動上の問題に対しては，応用行動分析(applied behavior analysis：ABA)に基づく入念に計画された行動療法が奏効する．

◇環境調整，生活指導

- 視覚的な情報の入手，理解が得意なことが多いため，図示したり，見本を示したりといった視覚的な支援は有効．
- あいまいな表現や喩え，皮肉は避け，順を追って具体的な指示を1つずつ行うことが有効．
- 学齢期には特別支援教育の対象となることが多いため，市区町村の教育センターへの相談を勧める．

◇薬物療法

- 小児の自閉スペクトラム症の易刺激性には対症的に抗精神病薬が使われることがある．わが国ではリスペリドンとアリピプラゾールに保険適用がある．あくまで環境調整や行動療法が基本であり，漫然と薬物療法が継続されないように注意．

◉処方例①

- 体重20 kg未満の場合：リスペリドン(リスパダール®) 0.25～1 mg/日　1日1回　夕食後(漸増)

- 体重 20 kg 以上の場合：リスペリドン(リスパダール®) 0.5〜3 mg/日　1日1回　夕食後(漸増)

◉**処方例②**(経口投与が可能な場合の代表的な薬剤の一部を以下に挙げる)

- アリピプラゾール(エビリファイ®)　1〜15 mg/日　1日1回　夕食後(漸増)

●患者・家族への説明

- ▶患者や家族が事前に自閉スペクトラム症という診断を念頭においていることは少なく，他の精神疾患を心配して受診することが多い．
- ▶一方で，紹介者から自閉スペクトラム症の疑いと伝えられたことに強い心理的抵抗を抱えたまま受診に至るケースも多い．
- ▶さらには診断が強いスティグマとなるケースもある．
- ▶よって自閉スペクトラム症の診断告知には細心の配慮が必要．
- ▶診断の告知よりもむしろ患者の具体的な生きづらさに共感し，特性の理解に基づく具体的な指導を行うことのほうが治療的．

7
疾患

[Further Reading]

- 本田秀夫(監)：自閉症スペクトラムがよくわかる本．講談社，2015
- 今本　繁：応用行動分析に基づくASD(自閉症スペクトラム症)の人のコミュニケーション支援―当事者の不安を解消する「7つの道具」とアセスメント．中央法規出版，2021
- 佐々木正美：自閉症児のためのTEACCHハンドブック　改訂新版　自閉症療育ハンドブック．学研プラス，2008

(野村健介)

神経発達症群②
—注意欠如・多動症/注意欠如・多動性障害

Attention-Deficit/Hyperactivity Disorder(ADHD)

point

- 生来性の不注意または多動性-衝動性により機能や発達が妨げられる．しつけの失敗や権威者への反抗と誤解されやすいので注意．
- 知能の問題や脳波異常，睡眠の問題その他の身体的な異常を可能な限り評価すべき．
- 特性を理解した上での具体的な生活上の助言が有効．患者や家族の自尊心の回復・向上に努力．
- 薬物療法は高い効果を示すことが多いが，安易な使用は避ける．使用する場合は至適用量を探索し，年単位での継続ができるように配慮．

●疾患の特徴

▶不注意または多動性-衝動性により機能や発達が妨げられる．限局性学習症が併存していない場合であっても，しばしば学業あるいは仕事の業績が損なわれる．

▶しつけの失敗や権威者への反抗と誤解されることがある．虐待やいじめのターゲットとなりやすく，それらの行為が正当化されやすい．

▶学童期の有病率は3〜7%などとされるが，調査時期や調査した国によっても異なる．成人では有病率は低下するが，成長により診断閾値以下となっても機能障害が残存するケースが多いことが知られている．

▶子どもらしい，元気でよいなどとみなされ，対応が後手に回ることが多い．対応が不十分であると予後が極めて悪いことが明らかとなっている．

●診断のポイント

▶定義上，発達の早期から状況によらず継続的に症状が存在するため，①不注意または多動-衝動性がDSM-5の診断基準の9項目中6項目以上(18歳以上では5項目以上)6カ月以上持続しており，機能や発達の妨げになっていること，②その症状が12歳未満から，③複数の状況で存在することが必要となる．また，これらの症状はありふれているため，④社会的，学業的または職業的機能を損なわせている，またはその質を低下させているという明確な証拠があり，⑤他の精神疾患ではその症状をうまく説明できないことが必要となる(詳細はDSM-5を参照).

- DSM-5からは自閉スペクトラム症とADHDとの併存診断が可能となったが，安易な併存診断は慎むべきである．患者の困りごとについて詳細に問診し，丁寧に行動観察を行うことで，それがどちらの症状なのかは，概ね鑑別可能.
- 単に睡眠時間が不足していたり，睡眠時無呼吸症候群やレストレスレッグス症候群，概日リズム睡眠-覚醒障害群(睡眠相後退型)などの睡眠の問題があったりすると，それらの症状はADHDと間違えやすく，また併存している可能性も高い．睡眠の時間と質について詳細な問診が必須.
- 未治療もしくは治療不十分なてんかん(欠神発作など)，あるいは脳波異常はADHDに類似した症状を示す．未評価なら可能な限り脳波検査は実施すべきである.
- 特に10歳代の若者では起立性調節障害との鑑別が必要.
- 発達年齢が生活年齢より低い場合は，その言動の幼さをADHDの症状ととらえられがちであるので，過剰診断に注意する.
- 逆に発達年齢が生活年齢より高い場合はADHDの症状が目立ちにくいため，過小診断に注意する.
- これらの理由から知能検査はほぼ必須.

●治療のポイント

◆治療原則

- 他の精神疾患が併存する場合はその治療を優先.
- 環境調整や生活指導，親や担任教師，職場の上司などのキーパーソンへのガイダンスをまずは行う.
- 薬物療法は治療効果が高いが，安易な実施は避け，上記の介入が可能な限り実施されていることを前提とすべき.

◆環境調整，生活指導，キーパーソンへのガイダンス

- ADHDの症状は本人が怠けているわけでも反抗しているわけでもないこと，また養育者のしつけや教育の失敗のせいでもないことを強調するとともに，今後の患者の正しい努力や周囲の人々の適切な配慮によって困りごとは軽減することを説明.

- 取り組んでいる課題に不必要なものは，可能な限り見えたり聞こえたりしないように配慮．患者にとって必要であっても，現在取り組んでいる課題に必要がなければ，集中の妨げになりうることに留意．
- 患者には片付けの方法について具体的に説明し，実施・継続できるようにサポートする．
- 大切な指示は患者の注意を引きつけてから出す，指示は一度に1つとし，簡潔かつ具体的に行う．できれば口頭ではなく，メモを渡すなどの配慮をする．
- 患者には自分でもメモをとる習慣を徐々に身につけてもらう．
- 過大な負荷は能率を著しく下げるため，負荷を調節するとともに，指示を小出しにするなどの配慮を行う．
- スケジュールの管理が苦手な患者が多いので，年齢に応じた助言を行う．継続して通院し，状況を改善するためにもスケジュール管理の改善は優先順位が高い．
- ペアレントトレーニングは保護者の子どもとの関わりを改善するプログラムで，年少児のADHDへの治療的介入法として効果が確かめられている．自治体や保健センター，医療機関で実施していることが多いので可能であれば紹介する．

◆薬物療法

- わが国では現在，中枢神経刺激薬のメチルフェニデート徐放製剤(コンサータ®)とリスデキサンフェタミン〔ビバンセ®(6～18歳未満)〕，非中枢神経刺激薬のアトモキセチン(ストラテラ®)，グアンファシン徐放錠(インチュニブ®)が使用可能である．
- 中枢神経刺激薬はその依存性・乱用が懸念され，処方にあたってはADHD適正流通管理システムへの医師および患者の登録が必須．リスデキサンフェタミンは他のADHD治療薬が効果不十分な場合にのみ使用できる．
- 6歳までは神経発達のキャッチアップを期待して薬物療法を控えることが一般的．
- 中枢神経刺激薬で最も問題となりやすい副作用は食欲不振．重度の場合にそのまま継続すると成長発達遅延につながるので減量または中止するが，軽度であれば慣れる場合も多い．
- 不眠あるいは眠気が副作用としてありうるが，これらは患者や家族のQOLを著しく低下させる．服用を続けると数週間で改善することもあるが，持続するようなら減量または中止．

▶ADHD 治療薬はその患者にとっての最適な用量で続ける必要があるが，比較的少量でも効果が現れ始めるので，患者や家族が増量を躊躇することが多い．最適な用量を見つけるため，副作用の忍容される範囲で漸増することを事前に説明しておくとよい．

▶小児の場合，成長するとともに薬物療法が不要となることも多いが，一方で年単位での継続は必要．自己判断による薬物療法の中断は患者の不利益が大きい場合がある．そのため，敢えて服薬中止をし，服薬の必要性を再検討する機会について相談し，計画的に実施していく必要がある．

7 疾患

◉処方例①(ADHD 適正流通管理システムの登録医のみ処方可能)

- メチルフェニデート(コンサータ®) 18 mg/日 1日1回 朝食直前．以後，9～18 mg/日ずつ増量．18歳未満は54 mg まで，18歳以上は72 mg まで

◉処方例②

- **18歳未満の場合**：アトモキセチン(ストラテラ®) 0.5 mg/kg/日 1日2回分服 朝・夕食後．以後，0.8 mg/kg/日，1.2 mg/kg/日と1週間おきに漸増し，1.2～1.8 mg/kg/日で継続
- **18歳以上の場合**：アトモキセチン(ストラテラ®) 40 mg/日 1日2回分服 朝・夕食後．1週間後に80 mg/日とし，80～120 mg/日で継続

◉処方例③

- **体重50 kg 未満の場合**：グアンファシン徐放錠(インチュニブ®) 1 mg/日 1日1回 夕食後．以後，1 mg/日ずつ1週間以上の間隔をあけて維持用量まで漸増
- **体重50 kg 以上の場合**：グアンファシン徐放錠(インチュニブ®) 2 mg/日 1日1回 夕食後．以後，1 mg/日ずつ1週間以上の間隔をあけて維持用量まで漸増

● 患者・家族への説明

▶医療機関を訪れる患者や家族が事前に ADHD という診断を念

頭においていることは少なく，他の精神疾患を心配して相談に来ることが多い．特に自閉スペクトラム症，あるいは知的能力障害などが疑われていることが多い．また紹介者からADHDを含む神経発達症群(あるいは発達障害)の疑いと伝えられたことに強い心理的抵抗を抱えたまま受診に至るケースも多い．よってADHDの診断告知には細心の配慮が必要．

- 前述のようにADHDはしつけの失敗や本人の怠け，権威者への反抗と誤解されていることが多く，家族も患者自身も自尊心を著しく低下させていることがまれではないため，支持的な対応が必要．
- 診断の告知よりもむしろ患者の生きづらさに共感し，特性の理解に基づく具体的な指導を行うことのほうが治療的である．また，患者が自分なりにできているところや，家族が工夫していることを前向きに評価することは自尊心の向上につながる．
- できる限り学校や職場などと情報を共有し，連携していく必要がある．医師を含めた援助者は患者や家族のうまくいかないことを責めるのではなく，それぞれがどのように配慮したら今後はそれがうまくいくようになるのかを考えるべきである．

[Further Reading]

- ADHDの診断・治療指針に関する研究会，齊藤万比古(編)：注意欠如・多動症─ADHD─の診断・治療ガイドライン，第4版．じほう，2016
- 市川宏伸(監)：AD/HD(注意欠陥/多動性障害)のすべてがわかる本．講談社，2006
- 樋口輝彦，齊藤万比古(監)：成人期ADHD診療ガイドブック．じほう，2013

(野村健介)

神経発達症群③
—知的能力障害(知的発達症/知的発達障害)

Intellectual Disability (Intellectual Developmental Disorder)

point

- 知能検査の実施は不可欠であるが，身の回りの世話や社会生活における適応の程度の評価も必要.
- 安易な診断は厳禁．上記の評価のほかにも生活歴の詳細な問診が必要.
- 知的能力の発達に影響を及ぼす身体的な疾患の評価が必要.
- 治療は精神年齢や適応の程度に応じた患者本人や家族に対する助言や環境調整，行動療法など.

疾患の特徴

▶知能の発達が全般的に遅れ，生活年齢がほぼ同じ人々と比べて日常の適応機能が障害される.

▶生涯有病率は一般人口の約1%であるが，有病率は年齢によって変動する．発達期における療育などの介入により適応機能が改善したり，知能に有意な改善を認めたりすることもある.

診断のポイント

▶DSM-5の知的能力障害の診断基準は，①知能検査によって確かめられる知的機能の欠陥，②個人の自立や社会的責任において発達的および社会文化的に求められる水準を満たすことができない適応上の欠陥，③発達期の発症，である.

▶ビネ式(田中-ビネ式，鈴木-ビネ式など)あるいはウェクスラー式(WISC-Ⅳ，WAIS-Ⅲなど)の知能検査の実施が原則．適応行動を評価するためには例えばVineland-Ⅱ適応行動尺度などの実施が望ましい.

▶知能検査の結果だけで知的能力障害の診断をすることはできない．知的能力障害と安易に診断することは，その患者の評価の大きな誤りにつながるために厳禁.

▶生活歴を聴取する中で，たとえ臨床的にはそれほど目立たないとしても，知的発達の遅れや不適応が幼少期から持続していることを確認する必要がある.

- ダウン症候群やレット症候群など，遺伝子症候群と関連している場合があるため，必要に応じて小児科などと連携して診断にあたる．
- 未治療もしくは治療不十分なてんかんに関連して知的発達が遅れることがあるので，未評価なら脳波検査は実施すべきであり，すでに治療中ならば，担当医と綿密に連携すべきである．
- 新生児マス・スクリーニングの整備されたわが国では比較的珍しいことではあるが，甲状腺機能低下症などの内分泌異常や先天性の代謝異常に続発する知的発達の遅れも可能性としてはありうるため，検査歴を聴取し，未実施であれば検査を実施．

●治療のポイント

- 患者の精神年齢や適応の程度の把握に努め，患者にもよくわかる言葉で，日常生活や社会活動上の具体的な助言を行う．
- 行動上の問題に関しては患者の理解の程度に合わせたわかりやすいルール設定や，ABA を用いた評価と行動療法が有効である場合が多い．
- 療育その他の介入を行うことで症状の改善が期待できるため，療育機関や市区町村の発達支援センターなどと適宜連携．
- 患者の知的能力に合った教育環境を用意するよう助言し，市区町村の教育センターなどと連携．

[Further Reading]

- 有馬正高(監)：知的障害のことがよくわかる本．講談社，2007
- 「見てわかる社会生活ガイド集」編集企画プロジェクト(編著)：知的障害・発達障害の人たちのための見てわかる社会生活ガイド集．ジアース教育新社，2013
- 「新・見てわかるビジネスマナー集」企画編集委員会(編著)：知的障害・発達障害の人たちのための新・見てわかるビジネスマナー集．ジアース教育新社，2020

(野村健介)

第8章

コンサルテーション・リエゾン

コンサルテーション・リエゾンの基本

Basics of Consultation Liaison

point

- 患者・家族・医療スタッフの個々のニーズと関係性を評価し，適切な介入を検討する.
- 患者・家族・医療スタッフの負担を最小限にするよう配慮する.
- 目の前の問題だけでなく，将来問題となりうることを予測して事前に対応する.

●コンサルテーション・リエゾン精神医学とは

▶精神医学と一般身体医学の境界域における臨床，教育，研究を包括した精神科のサブスペシャリティ.

▶狭義には，コンサルテーションとは依頼元の要請を受けて精神医学的診療・助言をすること，リエゾン(連携)とは精神科医が診療チームの一員として常在して機能することを指すが，現場では特に区別せず用いられることが多い.

▶身体疾患に併存する精神疾患への対応，身体疾患に併存する心理・社会的問題への対応，精神疾患の患者に身体疾患が併存した際に円滑に身体疾患の治療やケアを受けられるための支援，身体疾患の患者や関係者(家族，医療者など)との関係性における問題への支援などが含まれる.

●リエゾン精神科医に求められる資質

▶リエゾン精神科医には，精神医学の知識やスキルに加えて，身体疾患と治療の概略に関する知識や，行動医学や健康心理学の素養が望まれる(図 8-1).

①身体疾患に併存する精神症状の評価・介入(特に意識障害や器質性・薬剤性精神障害)
②チーム医療(多職種協働)
③患者の病状理解(情報提供)や意思決定の援助，社会的な援助
④全般的なストレスケア(家族ケアなども含む)
⑤生活習慣や身体症状への心理・行動介入(禁煙・疼痛関連行動など)

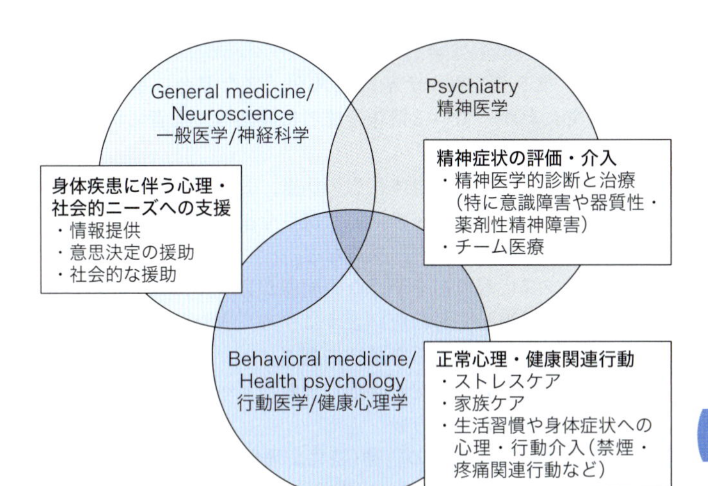

図 8-1　リエゾン精神科医に必要な資質

●必要な人に必要なことを

- リエゾン精神科医の最低限の責務は依頼主からの依頼事項に応えることであるが，表面的な依頼の背景に，患者・家族・医療スタッフのニーズが交錯していることが多いので，依頼された内容にとどまらず，「この現場では誰が何を必要としているか？」を考慮する．
- 例えば，「不眠」という依頼で紹介された患者に対して，リエゾン精神科医が「せん妄に伴う睡眠障害」と診断したとする．主治医は「睡眠薬の調整」を依頼しただけかもしれないが，看護チームは，せん妄に伴う患者の行動障害や家族の理解不足，主治医の説明不足などに苦労しているかもしれない．
- リエゾン精神科医は，そういった背景を検討し，薬物療法の提案だけでなく，病棟看護師に対してせん妄患者ケアに関する助言をしたり，主治医と看護師のコミュニケーション調整をはかったり，患者家族に対するせん妄の心理教育などを行ったりする．看護師などと定期的にカンファレンスを行うなど，情報や治療方針の共有も重要である．

患者に会う前に(予診)

- 情報は，なるべくカルテや医療スタッフなどから事前に収集し，すでにわかっている情報を患者に問診して患者に負担をかけぬよう配慮する．
  ①主訴(依頼理由)，②身体疾患の病歴，③精神症状の病歴，④現在の全身状態，⑤現在の治療状況や今後の見通し，⑥精神状態に関連する検査データ，薬剤など．
- 医療スタッフにも負担をかけない配慮が必要．カルテに書いてある内容は重複して尋ねないようにする．また，下記のように情報によって尋ねる相手を適切に選ぶ．
  ①**主に主治医**：身体状況の詳細，患者などへの病状説明状況，今後の見通し，治療方針
  ②**主に看護師**：病棟での言動(特に，理解力や行動のまとまりのなさなど，意識障害に関連する症状)，日常生活動作(ADL)，セルフケアの様子
  ③**主に家族**：入院前の生活状況〔ADL，手段的ADL(IADL)，認知・生活機能など〕

患者診察時の留意点

◆客観的観察

- 会話を始める前に，ベッドサイドの様子(持ち物は整頓されているかなど)や患者の様子(身体的消耗や苦痛の表情など)を観察し，身体状況や意識障害の参考とする．

◆対話の始め方

- 患者・家族からの信頼を得られるよう配慮する(例：「主治医の先生から，夜あまりお休みになれていないと依頼を受けて参りました．精神科チームの○○と申します」)．
- オープンクエスチョンから始める．これは，患者と信頼関係を築く上で大切であるほか，患者の話し方を観察することで意識障害や認知障害の手掛かりとするため．

◆対話の終わり方

- 去り際には患者や付き添い家族に安心感を与えられるよう配慮する．例えば，せん妄患者に対しても「色々お話しいただきありがとうございました．少し状況を混乱されている部分があるようですが，せん妄という手術後によくみられる症状で，身体の

回復とともに改善しますのでご安心ください」などと説明.

治療チームへのフィードバック

- 依頼元のニーズに過不足なく応えられるよう，相手がわかる言葉でフィードバックする．迅速な対応が必要な場合や文書で伝わりにくい内容は，カルテ上のやり取りだけでなく口頭でコミュニケーションをとる．
- 依頼元が実践可能なフィードバックをする．例えば，(薬剤過鎮静を避けるために)「午前1時以降は不穏時指示を使わないでください」などという指示は，午前2時に患者が不穏になった場合に病棟チームが困ってしまう．

カルテ記載の留意点

- 精神医学の専門家でなくても理解できるよう記述．
- 簡潔に記述(特別な理由がない限り，患者とのやり取りを逐語で長々と書かない)．
- 略語や専門用語を避ける〔例：(×)QTP → (○)セロクエル〕．不確実な情報を不用意に記述しない(一度つけた評価が独り歩きしてしまう)．例えば，"認知症"や"パーソナリティ障害"などの診断名はケアする人の認識に大きな影響を与える．一見認知症などの問題に見えても，せん妄などの一過性の症状の可能性が否定できない場合は慎重に．
- 今後の関わり方がわかるようにする(例：リエゾンチームの次回来棟予定日を記載する)．

先を見越した対応

- 現状だけでなく今後の見通しをふまえて問題が生じる前に対応．
- 例えば，入院してせん妄と認知症が顕在化した患者には，せん妄症状への対応だけでなく，退院後の生活上の支援や社会福祉支援(介護サービスの導入など)の助言を行う．リエゾン精神科医1人ですべてに対応できるわけではないので，他職種との十分な連携が大切．

(藤澤大介)

身体疾患による精神症状の評価と対応

Psychiatric Assessment of Patients with Physical Disorders

point

- 薬物因 → 一般身体因 → 脳器質因 → 脳機能因 → 心理・社会因の順位で病因の鑑別を進める.
- 「正常な心理反応」は時期と重症度を参考に判断.

●症候と鑑別診断の進め方

◆精神症状の評価

▶身体疾患患者に限らないが，精神症状の評価は，「意識障害 → 認知機能障害 → 気分の障害 → 思考の障害 → 発達の障害」の順に進める.

▶例えば「元気がない」患者の評価では，「病名告知による落ち込み」の前に，意識障害(例：低活動性せん妄)や器質性精神障害(例：アパシー)の可能性などを検討．上位の障害が存在するときには下位の障害を確定できない.

▶例えば意識障害の患者が抑うつ症状を訴えた場合，せん妄とうつ病の併存の可能性はあるが，うつ病の診断は意識障害が消失するまで確定できない(ただし未確定でも治療を開始することが臨床的に大切な場合はある).

◆病因の同定

▶身体疾患患者に限らないが，病因を検討する際は，「薬物因 → 一般身体因 → 脳器質因 → 脳機能因(いわゆる内因性精神障害) → 心理・社会因」の順位で評価.

▶各要因の例は次の通り.

薬物：ベンゾジアゼピン系薬剤による意識障害

一般身体：甲状腺機能低下

脳器質：脳腫瘍

脳機能：うつ病

心理・社会：適応障害

▶患者家族や，慣れない医療スタッフは，逆の順位で本人の病状をとらえがちなので留意が必要(例：意欲がないことを“病気のストレスのせい”と考えて脳障害の可能性まで考えが及ばない).

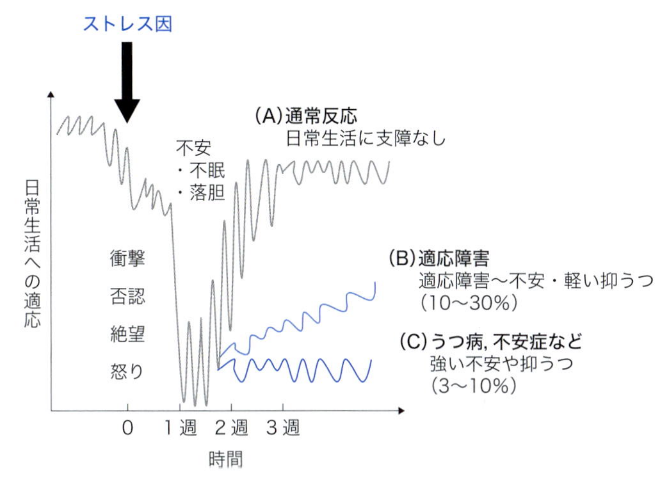

図 8-2　ストレスへの心理反応

●精神障害か正常な心理反応か

◆時期と重症度の2つから判断

❶ 時期

- ストレス因からの時間と経過によって，正常な心理反応か，介入が必要な精神状態(精神障害)か評価する．
- 平均的な反応(図 8-2A)では，がん告知などのストレスイベントの直後は，絶望感や病状否認などの強い精神的動揺を来たすこともあるものの(第一相)，その後，不安や抑うつ症状を経て(第二相)，しばらく時間が経つと現実を受け入れて前向きな活動を開始できるようになる(第三相)．
- 個人差はあるが各相に1週間くらいかかることが多い．
- 精神変調が一般よりも強く長く続く場合に適応障害(図 8-2B)と診断され，さらに症状が強い場合，うつ病や不安症の診断も考慮(図 8-2C)．

❷ 重症度

- 患者の主観的苦痛が強い場合や機能障害を生じている場合は介入が必要．機能障害とは，例えば医療場面での決断困難，医療行為の阻害(薬を飲まないなど)，心因性と考えられる身体症状(動悸，呼吸苦，痛み)，仕事・家事・対人交流の支障など．

▶ 次の特徴はうつ病よりも正常の心理反応を示唆する；
症状が軽度，気分の変動が日々の出来事と密に関連，保証や励ましで気分が改善する，自己無価値感・著しい罪責感・広範な悲観的考えがない，自殺念慮はあっても一過性で計画性を伴わない．

◇対応

▶ 正常の心理反応と判断された場合は，支持，傾聴と，落ち込み・不安の背景にある心配に対して，解決案を示したり，関連する職種につなげたりする．

● 身体症状と精神症状の鑑別

▶ 身体症状と精神症状の鑑別が難しい(例：食思不振が抗がん治療の副作用のせいなのか，抑うつ症状かわからない)場合は，精神障害を除外せず包含的に診断(＝精神障害があると診断)する．

▶ 例えば，食思不振や倦怠感が，身体疾患や治療のせいである“明らかな証拠”がなければ，うつ病の見落としによる不利益を勘案し，抑うつ症状の1つとして抗うつ治療を開始する．

［Further Reading］

・ 内富庸介，小川朝生(編)：精神腫瘍学．医学書院，2011

（藤澤大介）

せん妄の診断と治療

Diagnosis and Treatment of Delirium

point

- 「身体疾患や薬剤などが原因で，一定の期間，脳が機能不全を起こしている状態」(生物学的基盤をもった脳症)と認識する．
- 入院中の高齢者に発症しやすい．
- 原因となる身体疾患または薬剤を同定し，可能な限り，原因疾患の治療，原因薬剤の減量・中止を試みる．
- 様々な不良な転帰と関連するため，予防，早期発見・対応が重要である．
- チーム対応が不可欠である．

疾患の特徴

▶ せん妄とは，身体疾患や薬剤などにより惹起され，他の神経認知障害では説明できない，急性に発症する注意・意識・認知の障害である．

▶ 意識障害を背景に，幻覚・妄想，情動・気分の障害，興奮・焦燥，拒絶・攻撃性などの多彩な精神症状を呈する．

▶ せん妄は入院中の高齢者に発症しやすく，術後の高齢者の15～33%に認められる．

▶ せん妄は死亡率の上昇や認知機能低下など様々な不良な転帰と関連しており，予防，早期発見・対応が重要である．

診断のポイント

◆診断基準(詳細は DSM-5 を参照)

▶ 以下の5つをすべて満たした状態である．

①注意の障害，意識の障害，認知の障害のすべてを伴う．
②短期間のうちに出現(通常数時間～数日)し，変動する．
③認知症などの他の疾患ではうまく説明されない．
④昏睡ではない．
⑤医学的疾患，物質中毒または離脱(乱用薬物や医薬品)による．

◆診察のコツ

▶ 意識障害の判定のため，見当識障害，注意障害を評価する．注意障害の有無は，シリアル7課題(100から7を順に引いてもらう)，逆唱課題(数字を逆から言ってもらう)，順唱課題(数字をそのまま言ってもらう)などを行う．ただし，診察時に意識清明であっても，せん妄は日内変動があることに注意する．

- せん妄時の記憶について質問する．部分的にしか記憶していなかったり，夢の中の出来事と述べたりすることがある．ただし，軽度のせん妄はせん妄時の様子を記憶していることが多い．
- 診察時の顔貌(ぼんやり，目が虚ろ，視線が合わないなど)や行動(落ち着かない，まとまりがないなど)にも注目する．
- 日内変動の有無，発症は急性か緩徐か，もともとの認知機能などを，看護師や家族から情報聴取し，診断に役立てる．
- 低活動性せん妄は抑うつ状態と間違えられやすい．
- 不眠への対応を求められた場合でも，せん妄のことがあるため，せん妄の除外を行う．
- 物質関連のせん妄(アルコール，ベンゾジアゼピン系薬剤など)には，物質によるせん妄か離脱せん妄かによって治療が異なるため，十分な評価を行う．

◆診断に有用なツール

- せん妄のスクリーニングには，CAM(Confusion Assessment Method)(気管挿管中はCAM-ICU)やICDSC(Intensive Care Delirium Screening Checklist)が有用である．
- せん妄は意識障害であり，必要な場合は積極的に脳波を測定し，びまん性の徐波の出現を確認する．ただし，認知症でも同様の所見が認められることがあるため，注意する．

◆せん妄の分類

- **過活動型**：活動の増加，不穏，徘徊など．
- **低活動型**：活動の低下，傾眠，無気力など．
- **混合型**：両方の型が24時間以内に出現する場合．

◆原因疾患

- 頭蓋内病変(脳炎，髄膜炎，脳梗塞，脳出血，脳転移，髄膜播種など)，電解質異常(高Na血症など)，低酸素，血糖異常，栄養障害，肝機能・腎機能障害，内分泌疾患，血液疾患(貧血など)，心疾患，膠原病，感染(肺炎，尿路感染，敗血症，HIV感染など)，悪性腫瘍および傍腫瘍性症候群など．

◆原因物質

- 抗コリン薬，ベンゾジアゼピン系薬剤，H_2受容体拮抗薬，抗菌薬，抗うつ薬，炭酸リチウム，抗パーキンソン病薬，ステロイド，降圧薬，麻薬性・非麻薬性鎮痛薬，抗腫瘍薬，アルコール，覚せい剤，麻薬，大麻など．

- せん妄出現直前に開始・増量している薬剤は特に疑わしい．

◆準備因子（せん妄のハイリスク素因）

- 高齢（70歳以上），認知機能障害，重症の身体疾患，頭部疾患の既往（脳梗塞，脳出血，頭部外傷など），せん妄の既往など．

◆促進因子（せん妄を誘発しやすく，悪化，遷延化につながる）

- ①**身体的要因**：疼痛，便秘，尿閉，脱水，発熱，口渇，無動，カテーテル・ドレーン類，拘束，視力低下，聴力低下など．
- ②**精神的要因**：ストレス，不安，抑うつなど．
- ③**環境変化要因**：入院，ICU入室，明るさ，騒音など．
- ④**睡眠要因**：不眠，睡眠-覚醒リズムの障害など．

◆認知症とせん妄の違い

- 認知症との鑑別のポイントとしては，せん妄は急性発症（日～週単位）で日内変動が大きいこと，認知症は緩徐発症（月～年単位）で日内変動は少ないことなどが挙げられる．
- 入院前の状態を家族や同居者に確認することが重要である．
- 認知症にせん妄が重複することも多く，鑑別が難しいことも多い．

●治療のポイント

◆治療原則

- 原因疾患の同定・治療，原因薬剤の減量・中止が原則だが，困難なことも多い．特に終末期せん妄では最期まで改善しないこともある．
- 非薬物療法的対応を行いつつ，必要に応じて薬物治療も行う．
- せん妄の発症リスクとなるベンゾジアゼピン系薬剤は可能な限り中止し，オピオイドはローテーションを検討する．

◆非薬物療法的対応

- 個室など刺激や騒音の少ない部屋にする．
- 事故や自殺を防ぐために，障害物や危険物（刃物やひも類など）を除去する．ベッド柵，離床センサーなども検討する．
- 点滴の必要性（施行時間，位置など）を検討する．
- 日中は十分な明るさを保ち，夜間は薄暗くする．日中はなるべくベッドをギャッチアップしたり，車椅子に座らせたり，可能ならば散歩などの活動を促し，長時間の昼寝は避ける．
- 協力が得られる場合は，家族に日中付き添ってもらう．
- 医療スタッフや家族は，日付・時刻，治療スケジュールなどを頻繁に伝える．「おはよう」「こんばんは」などの挨拶や，時計，カレンダー，TV，ラジオなどを利用して，見当識を保つようにする(re-orientation)．
- 家族写真や日用品など，患者が親しみ使い慣れている物を部屋に置く．
- 眼鏡や補聴器，義歯，耳垢除去などで感覚器障害を補正する．
- 低活動性せん妄の場合は特に患者の意欲が乏しく，リハビリテーションが進まないことがあるが，せん妄の改善にも有効なため，可能な範囲で誘導しながら進める．

◇薬物療法

- 単剤，夕方または就寝前投与を原則とする．低用量から開始し(特に高齢者や身体的に重症の場合)，状態をみながら漸増する．
- 頓服薬を活用する．定時薬と合わせて最大用量までであれば追加可能とし，頓服薬の使用量をみて翌日の投与量を検討する．
- 漫然とした投与を避ける．リエゾン終診時には可能な限り中止する．

❶ せん妄の予防

- ラメルテオン，スボレキサントはせん妄予防効果がある．

◉処方例(いずれも保険適用外)
- ラメルテオン(ロゼレム®)　8 mg/日　1日1回　夕方
- スボレキサント(ベルソムラ®)　15〜20 mg/日　1日1回　夕方〜就寝前

❷ せん妄発症後，経口投与可能な場合

- 睡眠-覚醒リズム障害の改善を目的とした薬物療法を開始する．
- ベンゾジアゼピン系薬剤は可能な限り避ける．
- まずは，オレキシン受容体拮抗薬(スボレキサント，レンボレキサント)を考慮する．
- 抗ヒスタミン薬のヒドロキシジンは，鎮静作用はあるが抗コリン作用はほとんどないため，せん妄でも使用しやすい．ただし，QT延長がある場合は注意する．
- 抗うつ薬のトラゾドン，ミアンセリンは，鎮静作用があるため，

選択肢となる．トラゾドンはワルファリンと併用禁忌である．

▶抗精神病薬としてはクエチアピン，糖尿病がある場合はペロスピロンが，半減期が短く使用しやすい．

◉**処方例**（代表的な薬剤の一部を以下に挙げる）

- スボレキサント（ベルソムラ®） 15〜20 mg/日 1日1回 夕方〜就寝前 （保険適用外）
- レンボレキサント（デエビゴ®） 5〜10 mg/日 1日1回 夕方〜就寝前 （保険適用外）
- ヒドロキシジン（アタラックス®-P） 25〜75 mg/日 1日1回 夕方〜就寝前 （保険適用外）
- トラゾドン（レスリン®，デジレル®） 25〜75 mg/日 1日1回 夕方〜就寝前 （保険適用外）
- ミアンセリン（テトラミド®） 10〜30 mg/日 1日1回 夕方〜就寝前 （保険適用外）
- クエチアピン（セロクエル®） 25〜75 mg/日 1日1回 夕方〜就寝前 （保険適用外）
- ペロスピロン（ルーラン®） 4〜12 mg/日 1日1回 夕方〜就寝前 （保険適用外）

❸ せん妄発症後，経口投与不可な場合

▶点滴で使用できる薬剤は限られている．まずはヒドロキシジン，無効な場合はハロペリドールを考慮する．

▶ヒドロキシジンは抗ヒスタミン薬であるが抗コリン作用はほとんどないため，せん妄でも使用しやすい．

▶ハロペリドールは様々な副作用が出現するリスクがあり，慎重に使用する．特に高齢者では低用量を使用する．

▶経口投与可能になり次第，経口薬に変更する．

◉**処方例**

- ヒドロキシジン（アタラックス®-P） 1回25 mg＋生食100 mL 点滴静注 1日1〜3回 （保険適用外）
- ハロペリドール（セレネース®） 1回1.25〜2.5 mg＋生食100 mL 点滴静注 1日1〜2回

❹ アルコール離脱せん妄の場合

▶ジアゼパム（セルシン®），ロラゼパム（ワイパックス®）などのベンゾジアゼピン系薬剤が第一選択である（いずれも保険適用外）．

患者・家族への対応

- 本人・家族は動揺しているため，本人・家族に寄り添い支持的な態度で接する．
- 本人が混乱していても，可能な範囲で説明する．
- 家族には，せん妄とは何か，その要因，予測される経過，治療について説明する．同時に家族がせん妄へのケアとしてできることを伝える．
- 家族の理解が得にくい場合は，実際に患者に付き添ってもらいながらせん妄がどのようなものかを観察してもらう．

チームでの対応

- 医師，看護師，その他の医療スタッフが一丸となり，チームとして対応する．
- 非薬物療法的対応は看護師の協力が必須であり，また直接対応する看護師の負担は大きいため，コミュニケーションを欠かさず，またせん妄の理解を促すための教育を行う．
- 予定入院患者の場合は，入院前から患者のせん妄のリスクを評価し，患者と家族にせん妄の心理教育をしておく．また，患者がベンゾジアゼピン系薬剤を服用している場合は，事前に薬剤を変更しておく．

［Further Reading］

- せん妄．日本精神神経学会(日本語版用語監修)，髙橋三郎，大野　裕(監訳)：DSM-5 精神疾患の診断・統計マニュアル．pp588-593，医学書院，2014
- 日本総合病院精神医学会せん妄指針改訂班(編)：せん妄の臨床指針(せん妄の治療指針，第2版)．星和書店，2015
- 日本サイコオンコロジー学会(編)：がん患者におけるせん妄ガイドライン．金原出版，2019

（竹内啓善）

緩和ケアにおける精神医学

Psychiatry in Palliative Care

point

- 緩和ケアとは，生命を脅かす疾患に直面する患者や家族の苦痛を和らげ，生活の質(QOL)を改善する医療.
- 精神科医には，精神症状の緩和，心理的支援，意思決定の支援，終末期の諸問題への対応，家族ケア，医療従事者への支援など，多くの役割が求められている.
- わが国において，緩和ケアはがん医療を中心として普及してきており，がん患者と家族の心理・精神的問題を扱う学問はサイコオンコロジー(精神腫瘍学)と呼ばれている.

緩和ケア

- 「緩和ケアとは，生命を脅かす病に関連する問題に直面している患者とその家族のQOLを，痛みやその他の身体的・心理社会的・スピリチュアルな問題を早期に見出し的確に評価を行い対応することで，苦痛を予防し和らげることを通して向上させるアプローチである」[1]とWHOで定義されているように，患者の苦痛を全人的にとらえ，アプローチしていく医療.
- 全人的苦痛を①身体的苦痛，②精神的苦痛，③社会的苦痛，④スピリチュアルペインの4つの側面からとらえ，これらを評価することを包括的アセスメントと呼ぶ.
- この中で精神科医には，精神症状の緩和，心理的支援，意思決定の支援，終末期の諸問題への対応，家族ケア，医療従事者への支援など，多くの役割が求められている.
- わが国において緩和ケアは主にがん医療を中心に普及してきたが，心不全，腎不全，慢性閉塞性肺疾患(COPD)，認知症，神経疾患などの非がん疾患の緩和ケアの拡充も求められている.

サイコオンコロジー(精神腫瘍学)

- がん患者とその家族の精神・心理的問題を専門に扱う学問.
- 患者は，がんの疑いに始まり，病名告知時，疼痛などの症状が悪化したとき，再発時，治療の選択肢がなくなったときといった悪い知らせに伴い，大きな心理的ストレスを受け，中には適応障害やうつ病といった診断がつく状態に至ることもある[2].

- がん患者の抑うつ，不安に関するメタアナリシスでは，うつ病は約 1/6 の患者に，うつ病と適応障害を合わせると約 1/3 の患者に認められると報告されており，一般人口と比べて高い割合になっている[3].
- 不安・抑うつは患者にとって苦痛を伴う症状であると同時に，QOL の低下，適切な意思決定への障害，入院期間の延長や医療経済上の問題にもつながり，精神科医による適切な介入が望まれる.

●終末期の諸問題

- 緩和ケアは終末期に限定されたものではなく，病期のどの時点においても行うべき必要な医療であるが，種々の苦痛が出現してくる終末期では，緩和ケアの必要度が高くなる.
- 終末期の緩和医療において，特に精神科医が取り組むべき問題として，ADL が損なわれていく中で直面する自己尊厳の問題や死に対する受容の問題などのスピリチュアルな問題，せん妄などの精神症状の緩和，家族のグリーフケアなどがある.

［引用文献］

1）大坂　巌，渡邊清高，志真泰夫，他：わが国における WHO 緩和ケア定義の定訳―デルファイ法を用いた緩和ケア関連 18 団体による共同作成. Palliat Care Res 14：61-66，2019
2）清水　研：うつ病，適応障害. 内富庸介，小川朝生（編）：精神腫瘍学. pp96-108，医学書院，2011
3）Mitchell AJ，Chan M，Bhatti H，et al：Prevalence of depression, anxiety, and adjustment disorder in oncological, haematological, and palliative-care settings：a meta-analysis of 94 interview-based studies. Lancet Oncol 12：160-174，2011

（竹内麻理）

臓器移植と精神医学

Organ Transplantation and Psychiatry

point

- ドナーとレシピエントの両方に関する支援が求められる.
- ドナーの自発意思や意思決定能力の評価が求められる.
- レシピエントの心理社会的支援やアルコール関連障害への介入も重要である.

移植医療を取り巻く諸問題

- 生体臓器移植と死体臓器移植がある.
- 生体臓器移植は，レシピエントにとっては「他者の身体の一部をもらいながら自身の生命を維持する」「他者のQOLを損ねながら自身の生命維持やQOL向上を目指す」事象であり，ドナー側からは「自身が臓器提供に合意しなければ，目の前の患者の生命やQOLが損なわれる」事象であるという，生命倫理的葛藤を内在している.

ドナーへの関わり

- 金銭授受や周囲からの強制(心理的圧力)を伴う臓器提供を防ぐため，日本移植学会は，ドナーの自発意思に関する「第三者」による評価を規定しており，「第三者」には「精神科医等」が想定されている.
- 精神科医には，意思決定能力の評価と自発意思の確認を通した，ドナーの権利擁護が求められている.
- ドナーには，日常生活と臓器提供の折り合いや家族間の感情ストレスが生じうるし，臓器提供後も継続的な体調管理や社会復帰上の苦労が伴いうる. そうした心理社会的支援も期待される.

意思決定能力の評価

- 臓器提供に限らないが，意思決定能力(判断・同意能力)の判定は，次の4要素が中核と考えられている[1].
  ①医療情報の理解力(特にリスクとベネフィットの理解)
  ②医療情報を自分の問題と結びつけて考えられる能力
  ③論理的思考力(特に，当該の治療の効果，その治療を行わない

場合やほかの治療との比較，日常生活に対する影響など）
④意思を表明する能力

●レシピエントへの関わり

◆心理・社会的支援

▶レシピエントは，臓器提供にまつわる家族内葛藤などのストレスや，移植手術や合併症，移植手術後の免疫抑制薬服用など，長期にわたる治療と生活上の制約を経験する．十分な心理社会的支援が必要である．若年者は特にそうである．

◆アルコール性肝障害

▶アルコール性肝障害への移植例では，移植後の再飲酒の予防や，セルフケアに支援を要することが多い．
▶再飲酒のリスク査定を求められることも多いが，厳密な予測は不可能であり，査定よりも，再飲酒を防ぐための支援を目指すことが自然である．

［引用文献］

1）Appelbaum PS：Clinical practice. Assessment of patients' competence to consent to treatment. N Engl J Med 357：1834-1840, 2007

［Further Reading］

・日本総合病院精神医学会治療戦略検討委員会・臓器移植関連委員会（編）：生体臓器移植ドナーの意思確認に関する指針．星和書店，2013
・日本移植学会．http://www.asas.or.jp/jst/（last accessed 2021.11.7）
・日本臓器移植ネットワーク．https://www.jotnw.or.jp/（last accessed 2021.11.7）

（藤澤大介）

女性精神医学―妊娠・周産期，月経関連

Psychiatric Illness in Women

point

- 女性の精神障害は，妊娠・出産・子育てなどライフイベントに伴うストレスや，女性ホルモンの変動が関与している．

妊娠・周産期関連障害：妊娠・周産期のうつ病

疾患の特徴

▶有病率は妊娠期のうつ病が8～15%，産後のうつ病が10～15%であり，妊娠・周産期の精神障害の中で最も頻度が高い．妊産婦の自殺は妊産婦死亡の死因として最も多く，その背景にうつ病を認める割合が高い．

▶妊娠初期と産後数カ月以内の罹患のリスクが高く，産後うつ病の好発時期は産後4週以内である．

▶この時期のうつ病は，胎児や乳幼児の発達に否定的な影響を及ぼし，乳幼児虐待のリスクともなるため，早期の対応が重要．

▶養育に支援を要する場合は，市町村に情報提供を行う．その際，当事者や家族の同意を得ることが望ましいが，得られなくても児童福祉法の児童虐待の発生予防の観点から守秘義務違反に当たらない．（「虐待」の項目参照▶p292）

▶症状は，他の時期のうつ病と同様であるが，「赤ちゃんに愛情がもてない」など育児に関連する内容となりやすい．

診断のポイント

▶うつ病の既往，子どもの障害，社会的支援の欠如はリスク要因．

▶エジンバラ産後うつ病質問票(Edinburgh Postnatal Depression Scale)を用いたスクリーニングが可能．

▶診断はDSM-5のうつ病の診断基準に従う（▶p173）．

治療のポイント

❶ 軽症～中等症

▶心理教育や認知行動療法(CBT)が最も推奨される．

▶過去に重症のうつ病の既往がある場合は，薬物療法を考慮．

❷ 重症

▶ 同意が得られれば，三環系抗うつ薬，選択的セロトニン再取り込み阻害薬(SSRI)，セロトニン・ノルアドレナリン再取り込み阻害薬(SNRI)などの薬物療法を行う．

▶ 妊娠中・母乳栄養中には，胎児・新生児に薬物が移行するため，奇形や中枢神経系の発達への影響などを考慮する．最新のエビデンスに基づきリスクとベネフィットについて説明し，患者や家族の意思を尊重しながら治療法をともに決定していく(「精神障害のある人の周産期の支援・薬の使い方」の項目参照▶p275)．

▶ 薬物療法の同意が得られない場合，高頻度のCBTなど重点的な心理療法を検討．

月経関連障害：月経前不快気分障害(premenstrual dysphoric disorder：PMDD)

● 疾患の特徴

▶ 月経開始前最終週から月経終了後の週にかけて，精神的，身体的な症状がみられる月経前症候群(premenstrual syndrome；PMS)のうち，抑うつ気分，いらだたしさ，易怒性などの精神症状を強く認め，対人関係や社会生活などに支障を来たすものを指す．

▶ 有月経女性の3～8%に存在．

● 診断のポイント

▶ DSM-5の診断基準では，「著しい感情の不安定性」「著しいいらだたしさ」「著しい抑うつ気分」「著しい不安」のうち1つ以上が存在し，①興味の減退，②集中困難，③倦怠感，④食欲の変化，⑤睡眠障害，⑥制御不能，⑦他の身体症状，と合わせて合計5項目以上を，ほとんどの月経周期の月経開始前最終週に認める．

● 治療のポイント

▶ 最も確立されているPMDDの治療はホルモン療法と薬物療法．

▶ SSRIの月経前10～14日間の間欠投与が有効．間欠療法が効果不十分の場合には継続療法を行う．

▸ PMS に有効とされる食事療法や運動療法は，PMDD に対する十分なエビデンスはないものの，症状緩和につながることがある．Ca，ビタミン D，B_6 の摂取や有酸素運動が推奨される．

▸ CBT は PMDD における機能障害の改善に有効．弁証法的行動療法は自殺関連行動の改善に有効．

◉処方例

- セルトラリン（ジェイゾロフト®） 50 mg/日 1日1回 夕食後（黄体期のみの服用．軽症例では 25 mg でも可）（保険適用外）

[Further Reading]

- 日本精神神経学会，日本産科婦人科学会（監），「精神疾患を合併した，或いは合併の可能性のある妊産婦の診療ガイド」作成委員会（編）：精神疾患を合併した，或いは合併の可能性のある妊産婦の診療ガイド：総論編．日本精神神経学会，日本産科婦人科学会，2020
- 本庄英雄（監），日本女性心身医学会（編）：最新　女性心身医学．ぱーそん書房，2015

（細金奈奈）

薬剤性精神症状

Drug-Induced Psychiatric Symptoms

point

- 薬剤を原因として抑うつ，躁，幻覚・妄想，認知機能障害といった多彩な精神症状が出現しうる.
- 急性中毒，副作用，離脱症状のいずれでも生じうる.
- 高齢者や身体的に虚弱な患者では特に注意.

概要

- 多くの身体疾患治療薬が，精神症状を誘発しうる.
- 急性中毒，副作用，離脱症状のいずれでも生じうる.
- 高齢者や身体的に虚弱な患者では特に注意.
- 精神症状の改善のためには被疑薬の減量・中止が第一選択であるが，身体疾患の治療上，減量・中止が難しい場合も少なくないため，当該薬を処方している主治医と十分に協議をしながら対応することが大切である.

代表的な薬剤と精神症状(表 8-1)

- 精神症状を起こす代表的な薬剤を以下に挙げる.

ステロイド

- 抑うつ状態，躁状態，幻覚・妄想，認知機能障害など多彩な症状が起こりうる.
- 症状はどのタイミングでも起こりうるが，使用開始後 1〜2 週間程度での出現が多い.
- 用量依存性に出現率が上昇する(プレドニゾロン 40 mg/日以下で 1.3%，41〜80 mg/日で 4.6%，80 mg/日以上で 18.4%)との報告があるが，まだ不明な点も多い.

インターフェロン

- 抑うつ状態が最も多く，次にせん妄が多い．そのほかにも躁状態，不眠，不安焦燥，幻覚・妄想など様々な症状が起こりうる.
- 開始後 1 カ月以内が最も症状が出現しやすい.
- 何らかの対処が必要な中等症以上の精神症状は 5〜数十%，軽症例を含めると約 30%で起こるとされている.

表 8-1　薬剤性精神障害の原因となる薬(表 2-2 再掲)

• **精神症状の発現頻度が高い薬** ステロイド，インターフェロン，抗パーキンソン病薬，抗てんかん薬，抗コリン薬，モルヒネ製剤，ジギタリス製剤，リドカイン，メチルドパ，向精神薬
• **精神症状の発現頻度はそれほど高くないが，使用頻度が高い薬** 抗菌薬，β遮断薬，H_2 受容体拮抗薬，非ステロイド性抗炎症薬(NSAIDs)

◆抗パーキンソン病薬

▶ L-DOPA，ドパミンアゴニスト，MAO-B 阻害薬など，ドパミン作動効果をもつ薬剤が多く，幻覚・妄想といった症状が起こりうる．

◆抗てんかん薬

▶ 新規抗てんかん薬を含め，多くのてんかん薬が精神症状を引き起こす．レベチラセタムの易刺激性・攻撃性，ゾニサミドの抑うつが代表的．

◆抗菌薬

▶ 頻度は高くないが，キノロン系やマクロライド系抗菌薬(特にシプロフロキサシン，クラリスロマイシン)による精神病症状が報告されている．

◆向精神薬

▶ 様々な精神症状が起こりうるが，ベンゾジアゼピン系抗不安薬・睡眠薬や抗コリン作用をもつ薬剤によるせん妄，認知機能障害が問題となることが多い．

● 治療

▶ 可能であれば被疑薬の減量，中止が原則．

▶ 被疑薬の減量が難しい場合，対症的な薬物療法を検討する(抑うつ状態に対し抗うつ薬，幻覚・妄想状態に対し非定型抗精神病薬など)．並行して心理的ケアや環境調整も行う．

● 注意すべき点

▶ ステロイドや向精神薬は急な減量により離脱症状を起こしうるため注意が必要．

▶ 被疑薬の減量，中止により症状改善が期待できることが多いが，症状が遷延することもある．

［Further Reading］

- 姜 善貴：各種精神症状・疾患への対応 薬剤性精神障害．臨と研 97：1101-1104，2020

（佐藤延彦・中島振一郎）

精神障害のある人の周産期の支援・薬の使い方

Perinatal Support and Medication in People with Mental Disorders

point

- 妊娠希望を日常診療で聴取し，前もって対策を講じる.
- 妊娠・出産は心理社会的・身体的に負荷が強まるライフイベントであり，環境調整，心理療法，薬物療法を含めた多方面からの支援を検討する.
- 症状増悪時の重症度やその際起こりうるリスクの評価を行い，薬物療法の継続や中止，代替治療を患者と十分に検討する.
- 周産期を通して通院加療を継続し産院や行政と連携をはかる.
- 母乳育児の希望も早い段階で確認し，早期に情報提供する.

SDM(shared decision making)

▶添付文書の記載(多くが有益性投与)を含め広く情報提供し，個別のリスク・ベネフィットを十分に検討し，患者の意思決定を支援する.

◆治療のベネフィット

▶妊娠期のうつ・不安は，児の神経発達に長期的影響を及ぼす.

▶妊娠中の精神疾患再発率は服薬継続により軽減できる〔うつ病26% vs. 68%，双極性障害25% vs. 75%(服薬継続 vs. 中止)〕.

◆妊娠中の投薬の基本事項

▶**妊娠3週まで**：無影響期

▶**4〜7週**：絶対過敏期

▶**8〜12週**：相対過敏期

▶過敏期では奇形発生のリスクを，以降では胎児毒性や新生児不適応症候群のリスクを考慮する.

▶先天異常のベースラインリスクは100出生あたり2〜3人程度.

▶神経管閉鎖障害予防のため，妊娠1カ月前から妊娠3カ月までサプリメントで葉酸0.4 mg/日の摂取を指導する.

◆母乳育児の基本事項

▶母乳栄養は児の感染予防や認知能力の発達などの点で人工栄養に比べて優れており，薬物治療を理由に安易に避けさせない.

▶母乳栄養の継続が心理・身体的負荷を助長するケースもあり，

希望と状態に合わせて母乳/人工乳/混合栄養を相談し支援する．

◆環境調整

▶本人の病状・周産期の治療方針をパートナー・家族とも共有する．

▶本人の了承を得て住所地の母子保健担当窓口など，地域保健福祉機関に積極的に情報提供する（病状経過，治療方針，養育能力・環境，家族の支援など）．

▶産後は精神科通院が困難となりやすいことも考慮し，予防的に妊娠期から助産師・保健師による妊婦訪問や精神科訪問看護を導入することも選択肢とする．

●妊娠期の薬物治療

❶抗うつ薬

▶**催奇形性**：妊娠初期のSSRI使用は，先天異常との関連を示唆する報告があるが，大奇形とは関連が認められていない．パロキセチンの添付文書には先天性心疾患のリスク増加が記載されているが，否定的な報告もあり結論未定．セルトラリンは最も報告が多く，安全性が比較的高い．SSRI以外の抗うつ薬使用と先天異常・先天性心疾患の関連を検討した報告は少なく，リスク評価は不十分．

▶**新生児遷延性肺高血圧症**：出産後数時間以内に頻呼吸・陥没呼吸を認め，酸素投与に反応しないチアノーゼを呈する疾患．抗うつ薬全般で妊娠後期の曝露により増加する（オッズ比2.50）が，絶対リスクは1,000出生あたり4人以下で高くない．

▶**新生児不適応症候群**：薬剤残存または離脱の影響で出生児に起こる症状．抗うつ薬全般でリスク（SSRIで約30%）を有する．妊娠末期に使用した場合により認められやすい．まれにけいれんなどの重篤な症状が出現するが，いずれも一過性で数週間以内に自然回復することが多い．

▶うつ病患者では中等度以上の場合や反復性の場合は服薬継続のベネフィットが大きい．

❷抗精神病薬

▶**禁忌**：ハロペリドール，ブロムペリドール，チミペロン，モサプラミン

▶**催奇形性**：一定しないが抗精神病薬全体で大奇形との関連

(オッズ比 1.62)報告あり．別の報告でクエチアピン，オランザピン，アリピプラゾールでは関連ないが，リスペリドンで関連あり(オッズ比 1.26)．

- すべての抗精神病薬で，妊娠後期の曝露により新生児不適応症候群や錐体外路症状のリスクを有する．
- 統合失調症では原則として服薬を継続し，安定した妊婦では薬剤変更は行わないほうがよい．
- 双極性障害では病相に応じた抗精神病薬の使用を検討する．

❸ 気分安定薬

- **禁忌**：炭酸リチウム
- **原則禁忌**：バルプロ酸
- 炭酸リチウムは先天性心疾患と，バルプロ酸 Na は神経管閉鎖障害，形態学的先天異常，認知機能障害・発達障害と関連があり，代替治療が困難な場合を除いては使用しない．
- ラモトリギンは大奇形の発生率を上げないとされるが，皮疹のリスクも考慮し，過去に効果と安全性が確認されている場合のみとする．妊娠経過で血中濃度が大きく変化するため注意を要する．

● 授乳期の薬剤選択

- ほとんどの向精神薬では，相対的乳児薬物投与量(relative infant dose：RID)が 10％以下と母乳への移行量が少なく，比較的安全に使用できる．
- 炭酸リチウムは RID が 12～30.1％と高く，児にリチウム中毒と関連した有害事象の報告があるため，使用する場合は注意深く観察する．
- ラモトリギンは RID が 9.2～18.3％で中リスクであり，評価が分かれる．
- 半減期の短い薬剤では，希望に応じて内服後授乳までの時間をあける(搾乳して破棄など)ことで乳児の摂取量を最小限にできる．
- データベース(以下参考)から個別の薬剤の最新情報をチェックする．

  LactMed(http://toxent.nlm.nih.gov)

［Further Reading］

- 日本周産期メンタルヘルス学会：「周産期メンタルヘルス コンセンサスガイド 2017」
  http://pmhguideline.com/consensus_guide/consensus_guide2017.html
- 日本精神神経学会，日本産科婦人科学会(監)，「精神疾患を合併した，或いは合併の可能性のある妊産婦の治療ガイド」作成委員会(編)：精神疾患を合併した，或いは合併の可能性のある妊産婦の診療ガイド．各論編．2021
  https://www.jspn.or.jp/uploads/uploads/files/activity/Clinical_guide_for_women_with_mental_health_problems_during_perinatal_period_details_ver1.1.pdf
- 伊藤真也，村島温子，鈴木利人(編)：向精神薬と妊娠・授乳 改訂2版．南山堂，2017

（南　房香）

第9章

諸問題への対応

困難な患者

Difficult Patients

point

- 特定の精神疾患を指すのではなく，医療従事者に陰性感情を引き起こす患者を指す．
- 陰性感情を引き起こす要因には患者，医療従事者，状況の 3 要因があり，客観的な要因分析が重要である．
- 対応に行き詰まったら，1 人で抱え込まず，他の医師や他職種スタッフに助言を求める．

特徴

- 困難な患者とは，医療従事者に怒り，嫌悪，恐怖，無力感，罪悪感などの陰性感情を引き起こす患者のことを指す．
- 精神医学的には不均一な集団である．
- 陰性感情が引き起こされる要因には患者，医療従事者，状況の3要因があり，それぞれの要因はしばしば相互的に影響を与え合う(図 9-1)．
- 患者家族などの関係者が医療従事者に陰性感情を引き起こす場合にも，患者は困難な患者となりうる．
- 困難な患者の影響は，頻回の外来受診や多剤処方による医療費の高額化や，医療従事者のバーンアウト(燃え尽き症候群，▶ p321)にもつながる．
- 他科からのコンサルテーションで困難な患者の対応を依頼されることがある．

対応

- 自己破壊的行動，あるいは他害行為といった危険行動のリスクを評価し，緊急性が高い場合には速やかに人手を頼むなどの対応を行う．
- 緊急性が低い場合には自身に引き起こされた感情に振り回されないよう努めながら，困難が生じている要因を客観的に分析し，理解を試みる．
- 患者要因が大きい場合，医療従事者に陰性感情を引き起こすような行動をとらざるを得なかった患者なりの事情がある．支援

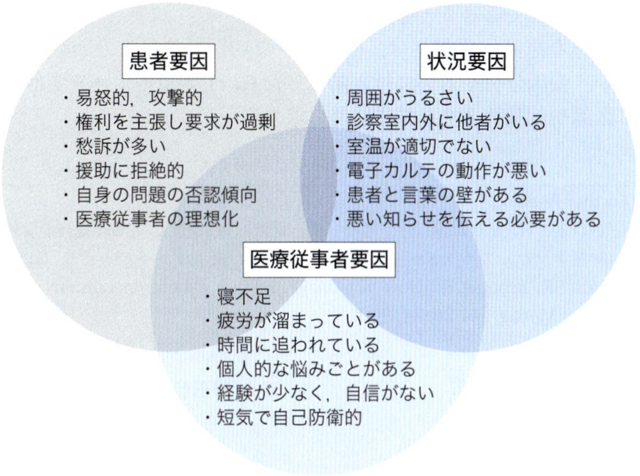

患者要因
・易怒的，攻撃的
・権利を主張し要求が過剰
・愁訴が多い
・援助に拒絶的
・自身の問題の否認傾向
・医療従事者の理想化

状況要因
・周囲がうるさい
・診察室内外に他者がいる
・室温が適切でない
・電子カルテの動作が悪い
・患者と言葉の壁がある
・悪い知らせを伝える必要がある

医療従事者要因
・寝不足
・疲労が溜まっている
・時間に追われている
・個人的な悩みごとがある
・経験が少なく，自信がない
・短気で自己防衛的

図 9-1　医療従事者に陰性感情を引き起こす 3 要因

する姿勢を示し，患者の協力を求めながら，事情を整理することを援助する．

▶依存的な行動には，受診や電話の仕方など枠組みを作り，その中で親切に対応する．

▶攻撃的な言動には，「そのようにされると，私はあなたの話をきちんと聞くことができません」「話を聞きたいので，まず座っていただけますか」など穏やかに言動の修正を求める．

▶医療従事者要因が大きい場合，そのことをよく自覚し，改善可能な点は速やかに改善する．自身の感情に振り回されないよう一層努める必要がある．

▶状況要因が大きい場合，改善可能な点は速やかに改善する．「診察室なのに，工事の音がうるさいですね」など，状況要因があることを患者と共有することは，患者との関係性構築に役立つ場合がある．

▶他科からのコンサルテーションの場合，コンサルティが本来の能力を発揮できる支援が重要である．彼らは困難な患者のために本来の力を発揮できなくなっている．例えば，患者の過剰な要求には NO と言ってよいことや，患者を完全に満足させるのは不可能であることを保証する．

- 困難な患者への対応は，経験の少ない医師にはとりわけ難しい．要因分析や対応に行き詰まったら，1人で抱え込まず他の医師や他職種スタッフに助言を求める．

〔Further Reading〕

- ネッド・H. カセム(編著)，黒澤　尚，保坂　隆(監訳)：MGH 総合病院精神医学マニュアル．メディカル・サイエンス・インターナショナル，1999
- Hull SK, Broquet K：How to manage difficult patient encounters. Fam Pract Manag 14：30-34, 2007

(澤田恭助・白波瀬丈一郎)

詐病

Malingering/Simulation

point

- はじめから詐病と診断せず，十分な時間をかけて患者を観察し情報を集める．
- 患者の利益になるような外的で明らかな動機があるかどうか，意図的かどうかを慎重に判断する．
- 鑑別診断として，客観所見に乏しい身体疾患を見逃さない．

疾患の特徴

▶外的な動機から意図的に病気のふりをして，心身の諸症状を呈する状態(頭痛，筋痛，脱力，麻痺，感覚鈍麻，視力低下，難聴，めまいなど)．

診断のポイント

▶DSM-5(V65.2)では，虚偽のまたは著しく強調された身体的あるいは心理的な症状を意図的に作り出すことであり，病気を装うことで何かしら利益を得る外的な動機には，兵役を逃れる，仕事を避ける，金銭的な補償を獲得する，犯罪の訴追を免れる，薬物を得るなどがある，と記述されている．司法医学的な背景があること，本人の訴えと客観的な所見に顕著な乖離があること，診断評価や服薬遵守に協力的でないこと，反社会性パーソナリティ障害を有すること，の複数に該当すれば可能性が高いとされている．

▶はじめ患者は偽っているが，そのうちに症状が自生的に出て，いわゆる神経症に移行する場合がある．拘禁者に生じると拘禁神経症，兵士に生じると戦争神経症，補償がからむと賠償神経症になる．さらに幻覚，妄想，昏迷，認知症などの精神病症状を起こす場合を心因性詐病精神病という．

鑑別を要する疾患

◇客観所見に乏しい身体疾患

▶線維筋痛症，頸椎症，筋痛性脳脊髄炎(慢性疲労症候群)，うつ病など，自覚症状と客観・検査所見とが乖離しやすい疾患．

9 諸問題への対応

◆作為症

- 利益を得るような明らかな動機がないのに意図的に症状を捏造し疾患を誘発する場合は作為症/虚偽性障害(factitious disorder/DSM-5：300.19，ICD-11：16)という．
- 症状の捏造に，なぜこうするのかという意味が乏しく，詐病とは外的な動機を，解離症とは内的な動機を欠く点で区別される．
- パーソナリティの歪み，未熟で自己顕示的な性格傾向，虚言を認める．
- ポリサージェリ(頻繁手術症)は手術を反復する作為症．腹痛や嘔吐による腹部手術，難治性腰痛による脊椎手術，目鼻の形成手術を繰り返す場合などがある．
- ミュンヒハウゼン症候群は，虚偽の多い劇的な生活史を述べ，症状を捏造して入退院を繰り返し，治療者を困惑させる患者の総称．エ(ア)ッシャー症候群，病院はしご症候群などとも呼ばれる．
- 急性腹症型，出血型，神経病型，皮膚型，心臓型，呼吸器型，異物型，虚偽貧血，自己誘発性低血糖，主に母親が子どもに派手な症状を起こさせて受診する代理ミュンヒハウゼン症候群などがある．

◆解離症，変換症/転換性障害

- 自己同一性の破綻する解離性同一症(多重人格)や自分の過去を忘れる解離性健忘(全生活史健忘)などの解離症，運動・感覚障害を生じる変換症/転換性障害では，外的な動機はなく意図的でもないが，病気に対する内的な動機，潜在的な願望があるとされる(▶p139)．

●治療のポイント

- 実際の臨床では，動機が外的なのか内的なのか，意図的なのかそうでないのかの区別は難しい．有効な治療はないが，外的な動機がなくなると症状も消失ないし軽減する．

（濱田秀伯）

死別反応/悲嘆

Reactions to Bereavement, Grief

point

- 悲嘆は通常，死別後 6 カ月以内にピークを迎え，軽減していく正常な反応である．
- 遷延化した悲嘆(複雑性悲嘆，遷延性悲嘆症)には，悲嘆に焦点化した精神療法が有効である．

定義

▸ 死別(bereavement)は重要な他者を失う体験自体のことを指し，悲嘆(grief)は死別に対する様々な心理的・身体的反応を含む，主に情動的な反応を指す[1]．

通常の悲嘆：単純な悲嘆，単純な死別反応

通常の悲嘆のプロセス

▸ 通常の悲嘆には，以下の反応がある[1]．

▸ **情動的**：抑うつ，罪責感，怒り，孤独感，切望，嘆きなど．

▸ **認知的**：故人への没頭，否認など．

▸ **行動的**：ひきこもりなど．

▸ **身体的**：食欲不振，不眠，身体愁訴など．

▸ 故人の声を聞く・姿を見る幻覚もしばしば認める．

▸ 悲嘆のプロセスにおいては，喪失志向(悲しむ，回復への変化を否定するなど)と回復志向(生活の変化に取り組む，新しい役割をもつなど)の間を揺れ動く．個人差があるが，悲嘆は死別後 6 カ月以内にピークを迎え，徐々に軽減する．

推奨される対応

▸ 遺族が安心して気持ちを表出できるような支持的な対応が有用．多くの事例は特別な治療を必要としないが，うつ病や通常ではない悲嘆(複雑性悲嘆，遷延性悲嘆症)への移行に注意．

複雑性悲嘆，遷延性悲嘆症

概念

▸ 悲嘆が長期に持続し，社会的，職業的な機能障害を来たした，通常ではない悲嘆という概念．ICD-11 と DSM-5-TR では

表 9-1　複雑性悲嘆とうつ病の相違

	複雑性悲嘆	うつ病
中心となる感情	嘆きと切望．抑うつは喪失に焦点があてられている	抑うつとアンヘドニア
罪責感	故人に関連している	無価値感に関連している
思考	故人についての考えや思い出への没頭	自分，他者，世界についての悲観的な思考
自殺念慮	故人と一緒になりたいという考えによる	無価値感や生きるに値しないという考えによる．抑うつの苦痛に耐えられないことによる

「prolonged grief disorder（遷延性悲嘆症，和訳は 2022 年 2 月時点のもの）の名称となり，前者では死別後 6 カ月以上，後者では成人は 12 カ月以上，子どもは 6 カ月以上経過していることが条件．

▶ 身体疾患（心疾患，がんなど），自殺念慮・自殺行動，物質使用障害のリスクを高める[2]．

◆有病率

▶ 自殺，災害，犯罪などの突然の死別や暴力的な死別の遺族では高い．成人の暴力的ではない死別の遺族では 9.8%[3]．

◆鑑別診断

▶ うつ病（表 9-1）．

●推奨される治療

▶ 精神療法が中心．抑うつが強い場合は薬物療法の併用を検討．

▶ **精神療法**：自然な悲嘆のプロセスを再編成することが目標．対人関係療法（IPT）と認知行動療法（CBT）とサイコドラマを統合した，複雑性悲嘆治療（complicated grief treatment：CGT）が有効．

▶ **薬物療法**：抗うつ薬単独の効果のエビデンスは不十分．CGT と選択的セロトニン再取り込み阻害薬（SSRI）の併用療法は CGT 単独と比べて悲嘆症状への効果は変わらないものの，抑うつ症状を有意に軽減．ベンゾジアゼピン系抗不安薬は無効．

▶ 悲嘆が背景にあってもうつ病の診断基準を満たす場合はうつ病の治療を行う．

［引用文献］

1) Stroebe M, Schut H, Stroebe W：Health outcomes of bereavement. Lancet 370：1960-1973, 2007
2) Shear MK：Clinical practice. Complicated grief. N Engl J Med 372：153-160, 2015
3) Lundorff M, Holmgren H, Zachariae R, et al：Prevalence of prolonged grief disorder in adult bereavement：A systematic review and meta-analysis. J Affect Disord 212：138-149, 2017

（宮島加耶）

自殺とポストベンション

Suicide and Postvention

point

- 自殺は「衝撃的な死」であり，遺された人(家族だけでなく，知人，ほかの患者，そして医療者)に深刻な心理的影響を及ぼす．その全員がケアの対象となることを認識する．
- 遺された人の主体性を尊重し，受容，共感，傾聴の姿勢に徹することが重要．
- 支援のあり方は一通りではない．自分たちだけで支援を完結しようとせず，ほかの支援者や相談窓口の紹介も行う．

定義

▶ポストベンションとは，自殺が生じてしまった場合に，遺された人々に及ぼす影響を可能な限り小さくするための対応．遺された人々の悲嘆のケアと，続発する自殺予防の役割をもつ．

▶自殺はタブー視されやすく，遺された人々に悲嘆のケアは行き届きにくい．孤立を避ける情報提供や支援の働きかけが重要．

▶遺された人のなかには，自力で回復する人，積極的なケアを必要としない人もいる．

▶一方で，適切な支援なく悲嘆反応が遷延すると複雑性悲嘆に発展し，うつ病，心的外傷後ストレス障害(PTSD)などの精神疾患が併存した結果，遺された人自身の自殺リスクが高まることもある．

◇遺された人々の心理的反応と身体の反応

▶前項を参照(▶p285)．

対応のポイント

◇対応の原則

▶そっとしておくのではなく，声をかけることが重要．気持ちを聞き出すのではなく，情報提供を行うとともに，気にかけていることを伝える．

▶遺された人の主体性，ペースを尊重する．話すことを強要せず，必要なときにいつでも相談できることを伝える．

▶心や身体に様々な反応が起こりうること，あらゆる感情は自然な反応であることを伝え，対処方法，相談先・受診先の情報提供を行う．

▶遺された人にとっての支援者の存在を確認し，関わりを促す．

▶死亡後の退院手続き，死亡届や各種名義変更の手続きへの対応など，今必要としていることへの物理的支援も大切なケア．

▶各自治体の役所や精神保健福祉センターの Web サイトに自死遺族向けのリーフレットや情報が提供されており，各種相談窓口や自助グループの案内が記載されている．印刷するなど情報提供を行う．

◆支援者に求められる姿勢，資質

▶①傾聴する，②守秘義務を大切にする，③忍耐心，④責任感をもって患者に接する，⑤謙虚であること，⑥バランス感覚，⑦自己の限界性を認識できる感性．

●医療者のケア

▶精神医療従事者は，担当患者の自殺を一定の割合で経験する．

▶医療者(受け持ち，目撃者，直後の対応者など)もまた遺された人である．悲嘆のケアを自他ともに意識し，上述の対応が重要．

▶院内自殺事故では，遺族ケア，他患者のケア，群発自殺予防，スタッフのケアのほか，場合によって警察や報道関係者などの院外機関への対応など，多様な対応が必要となる．

▶医療安全部門や管理職を含め，多部門で対応することが重要．

▶患者と密に関わった人以外にも，予想を超える範囲の職員も影響を受けている可能性がある．

▶病棟カンファレンスを開き，心理教育と相談先を共有しておくことが重要．

［Further Reading］

- 平山正実：自死遺族を支える．エム・シー・ミューズ，2009
- 高橋祥友，福間　詳(編)：自殺のポストベンション—遺された人々への心のケア．医学書院，2004
- 河西千秋，加藤大慈，橋本廸生：病院内の自殺事故—その予防と事後対応．病院 69：511-515，2010

(川原庸子)

ライフサイクルと精神ケア

Life Cycle and Mental Care

point

- 人間の一生には，それぞれの段階に特有の課題がある.
- エリクソンは８つの時期に分け，それぞれの時期に発現する素因と拮抗する否定的素因を挙げている.
- 各時期に特有の課題を理解して診療にあたると，個人の問題の背景理解や治療介入の方向性の決定に役立つ.

各時期の課題と特徴

▶８つの時期の課題と特徴は以下の通り.

❶ 乳児期(0～1 歳)

▶課題は基本的信頼対基本的不信．乳児は養育者との間に安定した愛着関係を築き，自己と世界に対する信頼感を体験する.

▶この信頼感は心の健康な発達の基礎となる.

❷ 幼児期(1～3 歳)

▶課題は自律対恥と疑惑．筋肉コントロールが可能になり，排泄のしつけが行われる．幼児は養育者に認められながら，自律性を獲得するが，失敗すると恥を感じる.

▶分離不安と飲み込まれる不安の間で，幼児は次第に養育者との適切な距離を学ぶ.

▶過度のコントロールは強迫性格につながる.

❸ 児童期(4～6 歳)

▶課題は自主性対罪の意識．性差を意識するようになり，異性の親を愛情の対象とし，同性の親がライバルとなる.

▶空想の中で強いもの，美しいものへのあこがれがみられるが，同時に同性の親から脅かされる不安(去勢不安)による罪悪感も生じ，次第に両親と適切な三者関係を作れるようになる.

❹ 学童期

▶課題は勤勉対劣等感．小学校に入学し，子どもは集団生活の中で，生きていくための基礎的な技術をはじめ，その社会で要求される様々なことを学習し，ものを生み出す喜びを感じる.

▶学習・集団適応に失敗すると劣等感が生じる.

❺ 思春期・青年期

▶ 課題はアイデンティティ対アイデンティティ拡散．二次性徴による性成熟と身体的変化に伴い，心理構造も大きく変化する．

▶ 様々な役割実験を繰り返し，自分とは何者かを模索する．

▶ 自己を定義づけできれば責任ある社会の構成員となる．

❻ 成人期

▶ 課題は親密性対孤立．生まれ育った家族を離れ，同年代の親密な人間関係を体験する．そしてパートナーを見つけ，新たな家庭を作る．

▶ このような親密な人間関係を作れない場合は，温かみのない形式的な関係にとどまり，孤立する．

❼ 壮年期

▶ 課題は世代性対自己陶酔．新たに作った家庭の中で次の世代を育てようという親らしい気持ちをもつ．広く生徒・部下を育てる気持ち，創造性なども含まれる．

▶ そこに関心が向かないと，自分自身の願望を満たすことに集中する．

❽ 老人期

▶ 課題は統合性対絶望．人生の終盤，自分の人生を振り返り，自分の人生は自分のものであり，自分自身の責任であることを受け入れる．

▶ 受け入れられないと絶望し死の不安に怯える．

[Further Reading]

- エリク・H・エリクソン(著)，西平　直，中島由恵(訳)：アイデンティティとライフサイクル．誠信書房，2011

（濱田庸子）

虐待

Abuse

point

- 日本では虐待に関する法律が４つあり，それぞれに通報先と通報の義務が定められている．
- 通報の義務は守秘義務より優先される．
- 虐待の事例，虐待が疑われる事例は，自分だけで判断したり抱えたりしない．

法律

▶日本では人への虐待に関連した法律が４つある．
①児童虐待の防止等に関する法律（**児童虐待防止法**）
②配偶者からの暴力の防止及び被害者の保護等に関する法律（**DV 防止法**）
③高齢者虐待の防止，高齢者の養護者に対する支援等に関する法律（**高齢者虐待防止法**）
④障害者虐待の防止，障害者の養護者に対する支援等に関する法律（**障害者虐待防止法**）．

▶①の児童とは 18 歳未満の者であり，③の高齢者とは 65 歳以上の者である．

▶また②の対象には，法的に婚姻関係にある配偶者のみならず，一緒に暮らしている交際相手も含まれる．

▶④の障害者とは身体・知的・精神の３障害すべてを指し，虐待を行う者としては，養護者，福祉施設従事者，事業所における使用者などを想定している．

▶虐待の類型は一般的に，身体的虐待，心理的虐待，性的虐待，ネグレクトの４つがあるが，高齢者と障害者の虐待には５つ目として経済的虐待が加わる．これは，本人の預貯金や資産を無断で使用したり売却したりすることが挙げられる．

▶4 法律とも，虐待を発見した者には通報の義務が定められている．通報先は，**児童虐待**：福祉事務所もしくは児童相談所，**DV**：女性相談所や婦人相談所などの配偶者暴力相談支援センターあるいは警察，**高齢者**：市区町村や地域包括支援センター，**障害者**：市区町村障害者虐待防止センター．事業所における障害者虐待の場合は都道府県障害者権利擁護センターも窓口になっている.

- 通報に対する義務の度合いは4法律で微妙に異なっている.
- 児童虐待, 高齢者虐待, 障害者虐待では虐待を発見した者には通報の義務が生じる.
- 一方, DV防止法では「医療関係者は(中略)センター又は警察官に通報することができる」ものの「その者の意思を尊重するように努める」と弱い勧告にとどめている.
- ただ当事者への情報提供については, 「医療関係者は(中略)センター等の利用について, その有する情報を提供するよう努めなければならない」と義務づけている.
- 医療関係者において, 上記4法律の通報義務は守秘義務より優先される. 通報により治療関係が崩れる心配がある場合は, そうした懸念も通報先機関の職員に説明すればよい.

●対応

- 虐待事例の特徴として, 虐待されてもそこにとどまり続ける依存関係と, 虐待が人目に触れないところで生じているという密室性・閉鎖性がある. 医療関係者は, そうした密室で行われている虐待を垣間見る機会が一般より多い職種である.
- 閉鎖性に留意して, 虐待の加害者であれ被害者であれ医療からドロップアウトしないように, つながりを保ち続けられるように努める. 治療関係が切れて密室に戻ってしまう場合や, 安全性が脅かされていると判断される場合には, ためらわずに児童相談所などの公的機関に通報する.
- 医療関係者自身の閉鎖性にも留意. 虐待が疑われる事例は1人で抱えず, 誰かに相談すべきである. 院内に虐待に関連する委員会やチームなどが存在する医療機関も少なくない. そうした専門グループがない場合には, 上述したように通報先となるセンターなどに相談するのもよい.

(嶋田博之)

自動車運転

Automobile Driving

point

- 自動車運転には「認知」「予測」「判断」「操作」の４つの機能領域が重要である.
- 日常生活が障害されている回復困難な認知症では，原則として運転免許は停止ないし取り消しとなる.
- 相対的欠格事由に該当する疾患として，てんかん，精神疾患，発作性疾患，重度の眠気を呈する睡眠障害，神経変性疾患，治療可能な認知症，高次脳機能障害などが挙げられる.
- 運転能力を評価する方法としては，神経心理学的検査や運転シミュレータ，家族・同乗者による評価，実車による評価がある.

●精神疾患と自動車運転

▶自動車運転は複雑なマルチタスクを処理する道具操作であり，難度の高い手段的日常生活動作(IADL)である．具体的には「認知」「予測」「判断」「操作」の４つの機能領域が十分保たれている必要がある.

▶精神疾患患者はこのような安全運転に関わる機能領域が損なわれている可能性がある．しかし，運転免許の可否は病名ではなく，状態像，すなわち上述の安全運転に関わる機能領域が保たれているかどうかで判断すべき.

▶運転免許の可否を決めるのは都道府県公安委員会であり，医師ではない．しかし，担当医は受け持ち患者の運転安全性を勘案し，危険性が高いと判断した場合，都道府県公安委員会に任意で届出をすることができる.

▶免許の取得・更新時には精神疾患を含む一定の病気に関する質問票の提出が義務づけられており，虚偽の記載には罰則も設けられている.

◆高齢者，認知症

▶運転能力への影響が最も懸念される病態は認知症である．いわゆる四大認知症であるアルツハイマー病，前頭側頭型認知症，レビー小体型認知症，血管性認知症など，回復困難な認知症では，運転免許の停止ないし取り消しとなる.

▶道路交通法では，75 歳以上の高齢者が運転免許を更新する際に，一律に認知機能検査の受検が義務づけられている．2017年3月の改正道路交通法の施行により，認知症が疑われるドライバーに対する臨時適性検査の対象範囲がこれまでより拡大されることとなった．

- 臨床的に問題となるのは，軽度の認知症の場合，あるいは認知症に至っていない軽度認知障害(mild cognitive impairment：MCI)の場合である．
- MCIでは運転免許の停止や取り消しにはならないが，認知症への進展(認知症化)の有無を確認しながら，半年に1回程度の定期的な運転適性の評価を行っていく．

てんかん

- てんかんと自動車運転に関しては，日本てんかん協会が指針を出している[1]．
- 警察庁の「一定の病気に係る免許の可否等の運用基準」[2]によれば，以下の場合には免許の拒否などは行わないとされている．
  ①発作が過去5年以内に起こったことがなく，医師が「今後，発作が起こるおそれがない」旨の診断を行った場合．
  ②発作が過去2年以内に起こったことがなく，医師が「今後，X年程度であれば，発作が起こるおそれがない」旨の診断を行った場合．
  ③医師が，1年間の経過観察の後「発作が意識障害および運動障害を伴わない単純部分発作に限られ，今後，症状の悪化のおそれがない」旨の診断を行った場合．
  ④医師が，2年間の経過観察の後「発作が睡眠中に限って起こり，今後，症状の悪化のおそれがない」旨の診断を行った場合．

その他の疾患

- 相対的欠格事由に該当する疾患として，以下のものが挙げられる．
- 精神疾患(統合失調症，気分障害，薬物中毒など)
- 発作性疾患(再発性の失神，無自覚性の低血糖症など)
- 重度の眠気を呈する睡眠障害(睡眠時無呼吸症候群など)，パーキンソン病などの神経変性疾患，治療可能な認知症
- 高次脳機能障害(脳血管障害，頭部外傷，脳腫瘍，脳炎などによる)

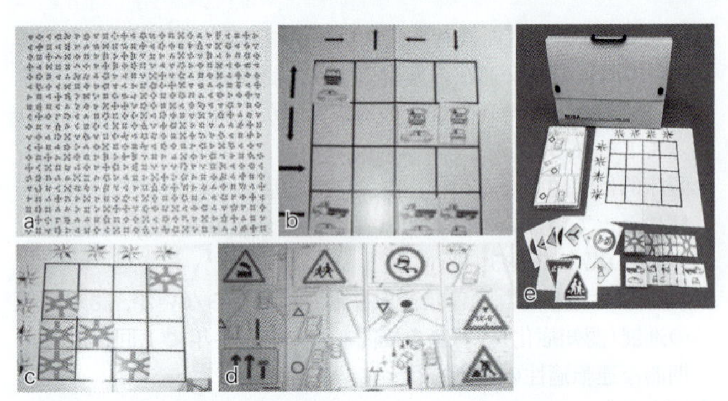

図 9-2　SDSA（Stroke Drivers Screening Assessment）
脳卒中ドライバーのスクリーニング評価 日本版

a：dot cancellation，b：direction，c：compass，d：road sign recognition，e：全体像．
運転可否予測に特化した検査で信頼性，妥当性が検証されている．
検査時間は 30 分，4 つの下位検査で構成される．
英国で開発され，複数の言語に翻訳され活用されている．

●運転能力の評価

- 運転能力の評価には，神経心理学的検査や運転シミュレータ，家族・同乗者による評価，実車による評価がその方法として挙げられる．
- 神経心理学的検査の中で，注意力と視空間認知能力に関する評価は運転能力を予測する最も有力な指標となる．
- 高次脳機能障害の場合，自動車運転に関する神経心理学的検査法の適応と判断については，日本高次脳機能障害学会の Web サイトが参考になる[3)]．
- 運転可否の予測に特化した検査で信頼性と妥当性が検証されているものとして，『SDSA 脳卒中ドライバーのスクリーニング評価　日本版』がある[4)]（図 9-2）．
- 運転能力が境界領域と思われる人に対しては，教習所などで積極的に実車による評価を実施していくことが望ましい．

●薬物療法との関連

- 現在，セロトニン・ノルアドレナリン再取り込み阻害薬（SNRI）のすべてと SSRI の一部の薬剤を除くと，ほとんどすべての向精神薬は添付文書に自動車運転などを行わないように記載されている．しかし，地域や環境によっては自動車運転をしないと生活できない場合も多く，その一方で向精神薬が運転能力に及ぼす影響には十分なエビデンスがない．この点は今後の課題である．

［引用文献］

1) 日本てんかん協会：てんかんと自動車運転．http://www.jea-net.jp/epilepsy/drive.html(last accessed 2021. 11. 21)
2) 別添　一定の病気に係る免許の可否等の運用基準．警察庁交通局運転免許課長：一定の病気等に係る運転免許関係事務に関する運用上の留意事項について(通達)．令和 2 年 12 年 23 日．https://www.npa.go.jp/laws/notification/koutuu/menkyo/menkyo20201223_r232.pdf
3) 日本高次脳機能障害学会 BFT 委員会 運転に関する神経心理学的評価法検討小委員会：脳卒中，脳外傷等により高次脳機能障害が疑われる場合の自動車運転に関する神経心理学的検査法の適応と判断．2020 年 6 月 1 日版．https://www.higherbrain.or.jp/07_osirase/img/20200706_unten2.pdf
4) Lincoln NB, Radford KA, Nouri FM(著)，三村　將，仲秋秀太郎(監訳)，加藤貴志，椎野恵美(訳)：SDSA 脳卒中ドライバーのスクリーニング評価日本版．新興医学出版社，2015

［Further Reading］

- 蜂須賀研二(編著)：高次脳機能障害者の自動車運転再開とリハビリテーション 2．金芳堂，2015
- Schultheis MT, DeLuca J, Chute DL(編著)，三村　將(監訳)，佐々木努，加藤貴志，山田恭平(訳)：医療従事者のための自動車運転評価の手引き．新興医学出版社，2011

（三村　將）

外国人患者への配慮と対応

Transcultural Consideration

point

- 問診時は来日による環境の変化を考慮.
- 知能検査など検査施行時は，教育環境や言語的困難を配慮.
- 薬剤選択は患者とよく相談し，長期投与時は帰国後にも使用可能かを考慮.
- 治療が奏効しない場合，早期帰国も検討.

疫学と背景

▶在留外国人数は2020年6月時点で288万人を超え，2016年末からの3年半で50万人以上増加している(法務省調べ).

▶外国人患者のストレス因子として，家庭のサポートの有無，仕事負担度，年齢などが示唆されているが，要因はその他多岐にわたる.

問診・検査時の注意点

▶来日による環境変化(食生活や言語など)を考慮．また来日理由を必ず確認．患者によっては，難民・母国での生活困窮・心的外傷体験などを有していることがある.

▶来日時の帯同家族の有無，また同じ国籍の人と交流があるかを確認．ただし，同国籍のコミュニティに属していても，凝集した人間関係になっており，それがストレス因になる可能性もある.

▶在留外国人は，劣悪な労働環境下にいる，人種差別を受けているなど社会的弱者となっている可能性を考慮.

▶国民性や宗教に配慮し診察を行う．また知能検査などを行う際は母国の教育環境や言語的困難を配慮.

治療での配慮

▶治療者と患者の母国語が異なる場合の診察，ラポール形成，精神療法は困難を極める．可能であれば，患者の母国語を話せる精神科医への紹介，または医療通訳を手配.

▶治療薬を選択する際は患者とよく相談する．日本で承認されている一部の向精神薬は，海外で使用を禁止されているものもあり，患者がその薬剤使用に抵抗感をもっている場合がある．また患者が母国へ帰国後も長期薬物投与が必要と予想される場合は，母国で継続可能な薬剤をできる限り選択．

- 必要に応じ，日本にある患者の母国コミュニティにつなぐ．また家族と離れて暮らしている場合はその家族に援助を要請することも重要．
- 必要に応じ，大使館などの協力をあおぐ．
- 外国人支援を行っている都道府県や市区町村もあり，連携や情報提供を行う．
- 改善が乏しければ早期帰国を指示．
- 現在，ビデオ会議システムを用いたオンライン診療の有用性が研究されている．外国人診療においても臨床応用が期待される．

9 諸問題への対応

［Further Reading］

- 厚生労働省：外国人向け多言語説明資料 一覧(last accessed 2021. 12. 13). https://www.mhlw.go.jp/stf/seisakunitsuite/bunya/kenkou_iryou/iryou/kokusai/setsumei-ml.html
- 自治体国際化協会：外国人のくらし よくある相談事例集(last accessed 2021. 12. 13). http://www.clair.or.jp/j/multiculture/docs/soudan-jirei.pdf(外国語対応の医療機関や医療相談についての情報あり)
- 多文化間精神医学会：在日外国人サービス(last accessed 2021. 12. 13). https://www.jstp.net/ForeignJapan.htm(外国人診療支援資料などの情報あり)

（友田有希）

第10章

覚えておきたい 法律・制度

精神保健福祉法

Act on Mental Health and Welfare for the Mentally Disabled

point

- 本法では，精神障害者の入院，特に強制入院制度に関する事項などが定められている．
- 本法の対象となるのは，精神科病院および一般病院の精神病床．

特徴

- 正式名は「精神保健及び精神障害者福祉に関する法律」．
- 患者が精神疾患であっても，精神科病院ないしは精神病床に入院していないもの（一般病床へ自由入院している患者）には，本法は適用されない．
- 逆に精神疾患以外であっても，精神科病院ないしは精神病床に入院している患者には，本法が適用される．
- 本法の適用は，主治医が標榜している診療科とは関係がない．

精神保健指定医

- 精神保健指定医（以下，指定医）とは，本法により規定される国家資格であり，学会などが認定する専門医制度とは根本的に異なる．
- 指定医は本法が規定する強制入院・行動制限など人権への侵害のおそれがある医療行為に関して，唯一判定を行うことができる．

入院

- 本法に規定される入院形態は，措置入院，緊急措置入院，医療保護入院，応急入院，任意入院があり，任意入院以外は強制入院である〔本法以外による強制入院としては，医療観察法による鑑定入院，刑事訴訟法上の鑑定入院（鑑定留置）がある〕．

◆措置入院，緊急措置入院

- 第 29 条で規定されている．
- 自傷他害のおそれがある精神障害者に対して，2 名（緊急措置入院では 1 名）の指定医により入院が必要と認められた場合，都道府県知事の権限と責任において強制入院させる入院形態．

▶何らかの触法行為を犯した者のうち，原因として明らかに精神障害が疑われる場合に，警察官の通報により指定医が診察した結果，この形態での入院となる事例が多い(▶p308).

◆医療保護入院，応急入院

▶第 33 条で規定されている.

▶医療保護入院は，指定医により「医療および保護のために入院の必要がある」と判断されたが，本人からの同意が得られない患者について，家族などからの同意が得られた場合に適用される入院形態.

▶応急入院は，緊急性を要するが，家族などとの連絡がつかない場合に適用される入院形態.

▶家族が 1 人もいない場合や意思表示が困難な場合は，市町村長の同意による医療保護入院も可能.

▶応急入院は緊急性を要する比較的まれな入院形態であり，応急入院指定病院のみで実施できる.

▶家族などからの同意が得られない場合には，医療保護入院を適用することができず，入院は成立しない.

◆任意入院

▶要件としては本人の同意(第 20 条)が規定されている.

▶開放処遇(いわゆる開放病棟への入院)が原則(▶p22).

●行動制限

▶精神病床への入院患者における「隔離」「身体拘束」「通信面会の制限」など，また任意入院患者への「開放処遇制限」などについては，指定医の判断が必要(▶p18).

[Further Reading]

・ 精神保健福祉研究会(監)：四訂　精神保健福祉法詳解．中央法規出版，2016

(田渕　肇)

障害者総合支援法，障害年金制度など

Comprehensive Support Law for Persons with Disabilities, Disability Pension System, etc.

point

- 精神保健福祉に関する社会資源(公的給付やサービス)には，自立支援医療(精神通院医療)，ヘルパー，グループホーム，就労支援，精神障害者保健福祉手帳，障害年金などがある．
- どのような社会資源があるのか整理し，申請に必要な診断書や医師意見書の記載方法を理解する．
- 精神科医療における様々な社会資源と申請・更新時に医師が記載すべき書類(申請先)を挙げる．
- 書類は，家族や看護師，精神保健福祉士(PSW)などの協力を得て，症状や日常生活能力が正しく伝わるように書く．重症度の判定においては，妥当性・公平性に留意すること．

障害者総合支援法に関連する社会資源

▶ ①**自立支援医療(精神通院医療)**：ICD-10 の F0〜3 に該当するか，「重度かつ継続的な治療」を要すると認められた人は，精神科の入院以外の医療費の自己負担が 1 割になる．→**自立支援医療(精神通院医療)診断書**を市区町村の障害福祉課に提出し申請．

▶ ②**ホームヘルパー**，③**グループホーム**，④**就労支援**：(▶p85)

▶ ⑤**地域活動支援センター**：精神障害のある人の日中の居場所，仲間との交流の場．創作活動，レクリエーション・プログラム，製品作りなど様々な活動を行う．

②〜⑤ → **障害支援区分認定のための医師意見書**を市区町村の障害福祉課に提出し申請．

精神障害者保健福祉手帳

▶ 精神疾患のため日常生活・社会生活に継続的な障害があり，初診日から 6 カ月以上の人に対する税金の減免(所得税，住民税，相続税，自動車税など)，電話料金・交通費の割引，公営住宅の優先入居など，様々な優遇措置．1〜3 級がある．→**精神障害者保健福祉手帳診断書**を市区町村の障害福祉課に提出し申請．

障害年金

▶厚生，共済，国民年金に加入し，ICD-10のF0〜3などの疾患があり，初診日から1年6カ月以上で一定以上の障害が続く人に，障害基礎年金から月におよそ1級8万円，2級6万円を支給(厚生，共済年金では1〜3級を上乗せ)．→**年金診断書(精神障害)**を，障害基礎年金は市区町村に，障害厚生年金は社会保険事務所に，障害共済年金は共済組合に提出し申請．

生活保護

▶世帯の総収入が最低生活費未満の人に，食費，光熱費などを支給(現金給付)．障害者加算，住宅扶助などもつく．医療扶助もある．→**生活保護給付要否意見書**，**生活保護医療要否意見書**を福祉事務所に提出し申請．

介護保険

▶65歳以上の高齢者および40歳以上65歳未満の特定疾病(初老期認知症など)の患者に，ヘルパー，デイサービス，施設入所，介護予防プログラム参加などのサービスを給付．→**介護保険主治医意見書**を市区町村の高齢福祉課に提出し申請．

傷病手当金

▶公的医療保険(健康保険，共済組合，国民健康保険など)の被保険者が傷病により仕事を休業する場合，休業1日につき，標準報酬日額の2/3が，休業4日目から通算1年6カ月まで支給(現金給付)．→**傷病手当金診断書**を健康保険組合に提出し申請．

障害者差別解消法

▶2014年の障害者権利条約締結を受けて，2016年に施行された障害者差別解消法により，障害者が不利益を受けることがないように，行政機関などは「合理的な配慮」を行わなければならないとされている．

(新村秀人)

知的障害者福祉法，発達障害者支援法

Legal Issues on Developmental Disorders

point

- 各障害者への福祉や支援には社会資源の利用が重要.
- 実際の支援内容は自治体ごとに異なるため，要確認.
- 知的機能のみならず，生活や社会上の適応機能を総合して，医学的判定・判断を行う.
- 精神保健福祉士(PSW)や，児童相談所，発達障害者支援センターなど各機関との情報共有，連携が重要.

知的障害者福祉法

▶**目的**：知的障害者の自立と社会経済活動への参加を促進．これに必要な援助，保護，福祉をはかる.

▶**実施機関**：市区町村が福祉事務所(社会福祉法)を設置し，知的障害者福祉の実情把握，情報提供，相談や調査，指導を行う．都道府県は，知的障害者更生相談所を設け，知的障害者福祉司が広域的見地からの実情把握，専門的相談や指導を行う.

◇知的障害

▶本法令上の定義はない．DSM-5では知的能力障害群(intellectual disabilities)と表記され，発達期(18歳未満)に発症し，頻度は約1%(▶p249)．知能指数(intelligence quotient：IQ)よりも適応機能を重視し，重症度や必要な支援レベルを決定.

◇療育手帳

▶知的障害者に一貫した指導，相談を行い，各種援助措置を受けやすくする．都道府県もしくは政令指定都市独自の制度であり，自治体によっては独自の名称を用いている(例：愛の手帳，愛護手帳)ほか，各自治体で障害程度区分が異なることに留意．本人および保護者との面接，知能検査などにより，医学的・心理学的・職能的見地から総合的に判定．判定は18歳以上が知的障害者更生相談所，18歳未満は児童相談所(児童福祉法)による.

発達障害者支援法

- **目的**：発達障害の早期発見，学校教育支援，就労支援など，発達障害者の自立や社会参加のため生活全般にわたる切れ目のない支援をはかる.
- 発達障害とは法令上「自閉症，アスペルガー症候群その他の広汎性発達障害(DSM-5 では概ね自閉スペクトラム症に相当)，学習障害，注意欠陥多動性障害(DSM-5 では注意欠如・多動症に相当)その他これに類する脳機能の障害で(中略)低年齢において発現」と定義され，法的には知的能力障害を含まないことに留意.
- 2016 年の改正で，発達障害者の支援は「社会的障壁(発達障害がある者にとって日常生活又は社会生活を営む上で壁となるような社会における事物，制度，ならわし，考え方その他一切のもの)」を除去することを目的とすることが明確化された.
- **早期発見**：保健所の乳幼児健診や学校での健康診査・診断.
- **保育・教育**：個別支援計画作成，適切な配慮や支援体制の整備.
- **就労支援**：公共職業安定所，地域障害者職業センター，障害者就業・生活支援センターなどの機関が連携し，適切な就労機会の確保および就労定着.
- **発達障害者支援センター**：上記支援や家族相談を専門的に行うため各都道府県に設置.
- **地域での生活支援**：社会生活適応訓練，共同生活の住居確保.
- **司法手続き**：発達特性に応じた意思疎通手段の確保.
- **発達障害者支援地域協議会**：本人および家族，医療，福祉，教育，労働など関連機関が情報共有し，連携の緊密化，体制整備を協議.

本人・家族への説明

- 本人の特性を，強み(strength)も併せて伝える．また本人の理解能力や認知特性にも配慮して説明.
- 家族は本人の一番身近な理解者であり，ケア提供者である．家族の障害理解や障害受容を助け，適切な社会支援につなげるため情報提供を行い，家族自身のサポート力を高めることが重要.

(野村健介・黒江美穂子)

触法患者への対応

Forensic Patients

point

- 精神障害者が不幸にして法に触れたとき，その精神症状と触法行為の関係は，精神科医以外には正確に把握し得ない．
- したがって精神科医には何らかの形で対応する責務がある．精神科医が対応しなければ，患者本人にとっても社会にとっても大きな不利益が生まれる．
- 関連法規として精神保健福祉法と医療観察法がある．

● 精神保健福祉法(▶p302)

▶ 正式名は「精神保健及び精神障害者福祉に関する法律」．

▶ 患者の医療及び保護，社会復帰を目的とし，さらには社会経済活動への参加を目指す．

▶ 措置入院は自傷他害のおそれのある者に対する非自発入院であるが，実務上は触法患者と密接に関係している．

▶ 措置入院に関する条文は第27条(申請等に基づき行われる指定医の診察等)および第29条(都道府県知事による入院措置)．

● 医療観察法

▶ 正式名は「心神喪失等の状態で重大な他害行為を行った者の医療及び観察等に関する法律」．

▶ 上記の者に適切な医療を提供し，社会復帰を促進することを目指す．

▶ 精神科医とこの法の接点は精神鑑定および医療(図10-1)．

（村松太郎）

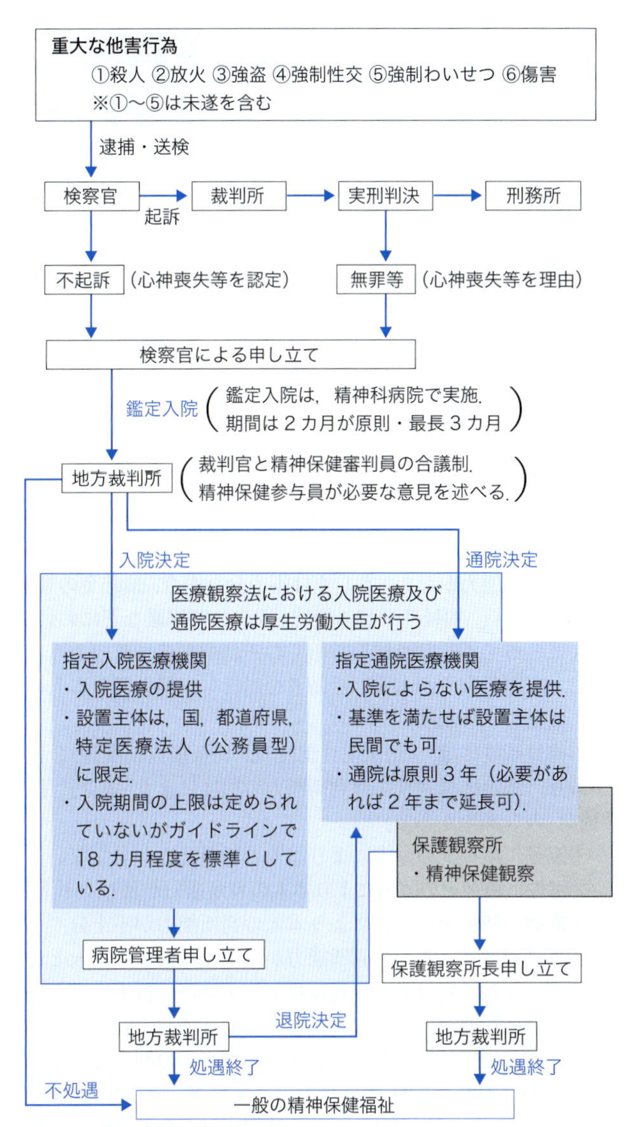

図 10-1　医療観察法の仕組み

出典：厚生労働省 Web サイト（https://www.mhlw.go.jp/stf/seisakunitsuite/bunya/hukushi_kaigo/shougaishahukushi/sinsin/gaiyo.html）をもとに作成

成年後見制度

Adult Guardian System

point

- 成年後見制度は精神上の障害により判断能力が不十分な者などを法的に保護し，支えるための制度である．
- 成年後見制度には法定後見制度と任意後見制度がある．
- わが国では高齢化が進み，今後，法定後見制度，任意後見制度ともにさらなる利用の増加が予測される．

成年後見制度とは

▶成年後見制度は精神上の障害により判断能力が不十分な者(認知症者，知的障害者，精神障害者など)を法的に保護し，支援するための制度で 2000 年 4 月より施行．

▶総利用者数は 232,287 人(2020 年)であり増加傾向であるが，いまだ利用は少ない．

▶本人の判断能力がない，もしくは不十分な場合，預貯金の管理，不動産の売買，福祉サービス契約，遺産分割協議などにおいて，本人にとって不利益な結果を招くおそれがある．そのような場合に，家庭裁判所が本人の援助者を選任し，援助者が本人のために活動をする制度．

▶成年後見制度には，「法定後見制度」と「任意後見制度」の 2 種類があり，法定後見制度には判断能力の程度により「後見」「保佐」「補助」の 3 類型がある．

①**後見**：精神上の障害により本人の判断能力が全くない．
②**保佐**：精神上の障害により本人の判断能力が著しく不十分．
③**補助**：精神上の障害により本人の判断能力が不十分．

▶任意後見制度は，本人の判断能力が低下する前に，本人と任意後見人になる予定の者が任意後見契約を結び，将来，本人が独力では金銭管理が困難となったときに備えておく制度．

▶今後，さらに高齢社会となるわが国では必須の制度であると思われるが，現時点で任意後見の申立て件数は非常に少なく，37,235 件中 738 件(2020 年)と，法定後見と合わせた申立て総数の 2%程度にとどまっている．

成年後見制度の申立て

- 成年後見制度の申立てをできるのは主に本人を含む四親等内の親族である.
- 親族がいない場合, いても協力が得られない場合は市区町村長や弁護士・司法書士・社会福祉士などの専門家, 市民後見人による申立てが可能.
- 成年後見の診断書は申立てに際し当事者が医師に依頼.
- 記載する医師は精神科医や精神保健指定医である必要はなく, 通常本人の病状や実情をよく把握している主治医が依頼を受ける.
- 後見, 保佐相当の申立ては, 診断書に加え原則として鑑定書が必要であり, 家庭裁判所から医師に依頼される. 親族からの情報や診断書の内容などを考慮して本人の判断能力が明らかな場合は, 鑑定が省略されることもある.
- 診断書・鑑定書とも, 手引き・書式・記入例が裁判所の Web サイトより入手可能.
- 成年後見人は付与された代理権を用いて, 本人の意思を尊重しながら, 本人の心身状態や生活状況に配慮し(身上配慮義務), 本人の財産を適正に管理し(財産管理義務), 代理行為を定期的に家庭裁判所に報告しなければならない(報告義務).

臨床におけるポイント

- 今後, 高齢化による認知症患者の増加とともに, 成年後見の診断書を依頼される機会も増加する. 判断能力が不十分となった患者の権利を適切に守るために, 臨床医は成年後見制度を正しく理解しておくことが重要.
- 患者の認知機能が低下する前の段階で, 家族とともに今後の生活環境や医療行為の希望を含め話し合う場をもつことも必要.

[Further Reading]

- 熊田　均：認知症患者への成年後見制度による支援と限界. 日老医誌 53：227-233, 2016
- 村松太郎：成年後見. 中島健二, 天野直二, 下濱　俊, 他(編)：認知症ハンドブック. pp448-450, 医学書院, 2013

(船木　桂)

第11章

多職種連携

チーム医療のポイント

Team Approach to Health Care

point

- チーム医療の目的は「医療の質の向上」である.
- チーム医療は, 病院における医療の提供だけでなく, 生活支援が中心となる療養への移行に重要な役割を果たす.
- 医療専門職の特徴と役割を理解する.
- 患者を取り巻くチームのメンバーとの相互共有・相互理解のためにカンファレンスを活用する.

定義

▸ 医療に従事する多種多様なスタッフが, 各々の高い専門性を前提に, 目的と情報を共有し, 業務を分担しつつもお互いに連携・補完しあい, 患者の状況に的確に対応した医療を提供すること.

チーム医療が求められる理由

▸ 近年, 精神科医療の分野では, 生物・心理・社会・倫理という4つの視点からの包括的な精神科医療が求められている.

▸ 患者は精神疾患に罹患後, 疾患とともに生活能力の障害や社会的・心理的なハンディキャップも同時にもつことになり, 疾患に対する治療と障害へのリハビリテーションも含め保健や福祉, 教育・労働分野など他の分野の専門職と幅広く連携し, 包括的な医療を実践することが求められる.

チーム医療を進める上で重要なこと

▸ 他職種の教育背景, 価値観, 考え方の違いを尊重しつつ, 相互理解を基盤とし, 協同でチームを形成し維持することが重要.

チーム医療を担う職種

◇看護師との連携

▸ 患者への直接的なケアだけでなく, 医療チーム内の橋渡しの役割もあり, 多職種カンファレンスでは, 中心的役割を担う.

▸ 看護師の観察から得た情報により治療計画を検討することも多

く，こまめに情報共有することが重要.

◇臨床心理技術者との連携

- 心理検査を依頼する際には，明確に目的を伝える.
- カウンセリングや集団精神療法など，医師と協同して治療を行うことも多く，目標や治療方針を十分共有する.

◇精神保健福祉士(PSW)との連携

- 患者が最大限その人らしく生活するための支援を目指して，病状や機能に関する情報共有を行う.

◇作業療法士との連携

- 患者の健康的な側面に焦点をあて，患者にとって生活しやすいレベルへの心身の回復についてともに情報共有し，検討する.

◇その他の職種との連携

- 薬剤師との連携については次項を参照(▶p316).
- 看護助手や事務職員なども欠くことのできない専門職である.

●チーム医療とコンフリクト

- 価値観の異なる専門職の集合体である医療チームにおいては，職種間でコンフリクトが発生することも自然な現象である.
- 適度なコンフリクトは，医療チームの成長の機会となる.
- コンフリクトの解決のために，職種がもつ異なる価値観を尊重し，カンファレンスなどを通して，創造的な解決策を見出す.

[Further Reading]

- チーム医療とは，精神科医療におけるチーム医療，チーム医療の目的，チーム医療の基本．山本賢司(編)：精神科領域のチーム医療実践マニュアル―精神科医療チームを理解し，最大限に活かすためのテキスト．pp10-14，新興医学出版社，2016
- 堀口　淳：チーム医療．山内俊雄，小島卓也，倉知正佳，他(編)：専門医をめざす人の精神医学，第3版．pp741-746，医学書院，2011

(河野佐代子)

薬剤師との連携

Collaboration with Pharmacists

point

- 精神疾患において服薬アドヒアランスは治療効果に影響を与える.
- 病識の欠如や向精神薬に対する偏見などから内服が正しく行われないことがある.
- 精神科専門薬剤師の精神科医療における活躍が期待されている.

精神科業務における薬剤師

- 薬剤師は,「調剤, 医薬品の供給その他薬事衛生をつかさどることによつて, 公衆衛生の向上及び増進に寄与し, もつて国民の健康な生活を確保する」職種であると薬剤師法で定義されている.
- 「医薬品の適正使用」とは, まず的確な診断に基づき患者の症状にかなった最適の薬剤, 剤形と適切な用法・用量が決定され, これに基づき調剤されること. 次いで患者に薬剤についての説明が十分に理解され, 正確に使用された後, その効果や副作用が評価され, 処方にフィードバックされるという, 一連のサイクルとされる. 薬剤師はこのサイクルに多職種の一員として参画して, 薬物療法の提供に寄与している.
- 薬剤師は自らベッドサイドに赴き, 患者へ正確な医薬品情報や薬物療法の必要性などを提供するとともに, 医薬品の服用状況や有効性, 副作用, 血中濃度をはじめとした臨床検査値の確認を行っている(服薬管理指導業務).
- 2008年度より日本病院薬剤師会による精神科専門薬剤師ならびに精神科薬物療法認定薬剤師制度が開始された.

精神疾患における内服継続の重要性

- 精神疾患は再発や再燃を繰り返し, 経過が長期にわたることも多く, 向精神薬の内服は精神疾患の長期予後において重要.
- しかし, 処方された薬物を患者が受け入れて内服を遵守し続けるとは限らない. また, 薬剤師の積極的な介入により, ポリファーマシーの改善, 服薬アドヒアランスの向上が期待できる.

SideMemo サイドメモ **SDM(shared decision making)**

- 精神科医療では治療が長期に及ぶことも多く，良好な医師-患者関係が治療上重要．患者の背景や希望などを考慮して，治療方針を決定することが求められる．しかし，医師がパターナリスティックに治療方針を決定することは珍しくはない．
- このような状況を改善するために，患者と医療者が共同して治療の内容を決めるSDMの取り組みが注目されている(shared decision makingは，「意思決定のあり方」や「共同意思決定」と訳されるが統一されていないため，原語のまま用いた)．

●コンプライアンスからアドヒアランスへ

- 「コンプライアンス」の定義は，患者が医学的指示に従うこと(内服指導の場合は，薬を正しく継続して服薬すること)．
- 「コンプライアンス」という言葉がもつ，医療者に応じる，従うといった含意に抵抗感が生まれ，患者や家族が病気や治療の意義を理解し，患者自身が治療に積極的に参加し患者も共同して治療に参画していく「アドヒアランス」という用語が用いられるようになってきている．

●服薬アドヒアランスの向上に向けて

- 薬物治療を成功させるためには，十分な服薬アドヒアランスが必須．
- 精神科では，病識の欠如，向精神薬の副作用ならびに向精神薬に対する偏見，医師-患者関係などが服薬アドヒアランスに影響を与えるとされる．
- ベッドサイドでの服薬指導などを通じて，薬剤師は多職種チームの一員として，精神疾患における服薬アドヒアランスの向上に寄与している．

●うつ病を例として

- 実際，うつ病を例にとると，抗うつ薬治療を開始してはじめの

1カ月で約1/3の患者が服薬を中断するという報告や，抗うつ薬の治療継続率は2年で約1/4と多くの患者が内服を中断しているとの報告も存在する．

▶ うつ病は再発が多く，生涯再発率は約50%とする報告も存在する．一方で，この高い再発率は服薬によって約70%抑制されるとされる．このように服薬アドヒアランスをいかに高めるかは，精神疾患の長期的予後を検討する上で極めて重要な問題である．

［Further Reading］

- 永井良三(シリーズ総監修)，笠井清登，三村　將，村井俊哉，他(編)：精神科研修ノート，改訂第2版．診断と治療社，2016
- Geddes JR, Carney SM, Davies C, et al：Relapse prevention with antidepressant drug treatment in depressive disorders：a systematic review. Lancet 361：653-661, 2003
- Bambauer KZ, Adams AS, Zhang F, et al：Physician alerts to increase antidepressant adherence：fax or fiction? Arch Intern Med 166：498-504, 2006

（平野仁一・磯上一成）

カンファレンスの進め方

Method for Conducting a Conference

point

- カンファレンスの目的を明確化し，構造を設定する．
- メンバーが積極的に参加し自由に発言できる場であることが重要．
- カンファレンスが想定通りに進まないときは，カンファレンスの質やチームの協働的関係をよりよいものにするチャンスでもある．

カンファレンスの概要

- カンファレンスとは，よりよい医療の実践を目指して関係者が集まり行う目的の設定された会合をいう．
- 目的は，各関係者の情報共有，患者の診断や治療方針の検討，治療目標や目標達成のための課題・対策の検討，実行状況の評価と必要に応じた計画修正の検討，地域生活支援の方法の検討など多岐にわたる．
- メンバーは医療職のみならず，相談支援員，福祉支援員，行政職員，ピアサポーター，本人やその家族など，カンファレンスの目的に応じて様々である．
- カンファレンスを通じ，各関係者の行動目標が明確化し，主体的で具体的な行動計画が策定されることを目指す．
- カンファレンスは想定通りには進まないこともあるが，結論そのものよりも結論に至るプロセスのほうがより重要である．

構造の設定

- 目的を明確にし，時間と場所を決め定期的に開催する．
- カンファレンスごとに，議論のテーマとゴールを設定する．
- 議論を効率的に進めるためにファシリテーターをおく．
- ファシリテーターは，メンバーが積極的に参加し自由に発言できるよう，適宜発言を促す．加えて時間管理や論点の整理を行い，最後に議論をまとめる．

想定通りに進まない状況

- 目的を定め構造を整えても，カンファレンスは想定通りに進まないことが多い．メンバーが時間通りに集まらない，議論が活発にならない，メンバーが自分で考えることを放棄し，指示待ち状態になる，などである．

- メンバーが対立したり，社会制度やチーム外の人物の批判など，チーム外の問題に議論が終始したりすることもある．
- この状況を否定的にとらえず，カンファレンスの質や，チームの協働的関係をよりよくする機会と考える姿勢が重要である．この状況には，技術的な要因と集団力動的な要因がある．

● 技術的な要因を解決する工夫

- 小さな改善を繰り返すことが大きな目的の達成に役立つとするマージナル・ゲインの考え方に基づき，わずかな行動変容でも，それは成果であることを共有する．
- 挑戦によって何か問題が生じた際には，個人の責任に帰するのではなく，改めてチームで改善策を模索することを保証する．
- カンファレンスでは，結論そのものよりも結論に至るプロセスのほうがより重要であることを共有する．
- ファシリテーターはメンバーの発言を引き出し，気持ちを受け止める．さらに，発言の内容を整理して議論を全体に展開する．そのためにコミュニケーション技術を学ぶ．

● 集団力動的理解とそれに基づく工夫

- 医療現場には心理的重圧が遍在している．
- チーム内に軋轢が生じたり「他人任せ」な役割分担の不明確化が生じたりすることで，チーム医療はしばしば機能不全に陥る．
- この機能不全はメンバーが心理的重圧に圧倒され不安に支配される結果生じるが，この不安を緩和するためにカンファレンスを活用することができる．
- そのためには，カンファレンスが安全で安心できる場所である必要がある．ファシリテーターはメンバー間の対等性を維持するよう努める．
- 具体的には，的外れな意見，少数意見，ネガティブな意見を無視したり否定したりせずに尊重する，またメンバーの苦しみや悲しみといった感情表出を認めることが大切である．

（澤田恭助・白波瀬丈一郎）

医療者のセルフケア
―陰性感情(逆転移含む)の扱い方，バーンアウト

Self-Care/Negative Counter Transference, Burnout

point

- 自分自身の，また同僚の心の安定は，医療者自身のためだけでなく，患者のために極めて大切.
- 自分の体験について聞いてくれる人，感情を共有できる場をもつことが重要.
- 医療者自身の特徴，性格を理解し，休息の確保，自分なりのコーピング，ストレス解消法の確保が大切.

定義

- 患者から激しい感情を向けられたり，患者の苦悩や死に向き合うときなどに，気持ちが動揺したり，無力感に陥ることがある.
- 不全感や罪責感はバーンアウト(燃え尽き)につながりうる.
- 医療者の心身の不調(特に，抑うつ)やバーンアウトは，医師-患者関係の悪化だけでなく，医療チーム機能の低下，さらには医療事故につながり，患者をリスクにさらすことになる.

◇陰性感情

- 相手に対する嫌悪感など否定的な感情を「陰性感情」という.
- 陰性感情を抱くこと自体は自然なことであるが，医療者として，陰性感情が行動に現れることは望ましくない.
- そのために，自分の感情を認め，対処することが大切である.
- 陰性感情には「逆転移(治療者の個人体験に起因する，患者に向けられる感情)」が含まれ，治療の進展に支障を来たしうる.
- 上級医師などにスーパービジョンを受けることが有効である.

◇バーンアウト(燃え尽き)

- バーンアウトとは，長期の対人援助の過程で心的エネルギーが消耗し，心身疲弊，感情の枯渇，自己卑下，職務への嫌悪感，思いやりの喪失，対人関係の変化(人間らしさの減退，機械的態度)などが生じることを指す.
- 時にうつ状態や自殺につながることもある.
- 要望に過剰に応えようとする姿勢，過重負担，役割の不明瞭さや葛藤，職務への制御困難感(裁量権がない)，適切な評価や達

成感の欠如，対人交流における情緒的負荷などがリスク．

●対応のポイント

◆患者との経験について聞いてくれる人をもつ

▶患者への対応で混乱したときは，チームで共有し対応する．

▶スーパービジョンを受ける．状況を客観視できる機会をもつことや，ねぎらいや助言を得る機会は重要な助けになる．

▶チームのスタッフや，同僚・友人と，患者に対する陰性感情も含めて自由に表出しあえる(愚痴る)関係をもつ．

◆自分自身の特徴，課題を認識しておく

▶自分の性格や不安定さ(傷つきやすさ)，直面している課題(苦手なことなど)が自らの言動にどう影響するかを認識し，あらかじめ対処を考えておく．

◆教育・学習機会の確保(必要な知識を増やす)

▶必要な技術の習得，難しい場面での対応方法，ストレス反応，セルフケア，について，カンファレンスや学習の機会をもつ．

▶知識は大きな防御となる．

◆仕事からすっかり解放される時間をもつこと(休暇をとる)

▶仕事後，患者や仕事のことから離れることは，決して薄情ではなく，そのつど新鮮な気持ちで患者に会うために必要．

▶バーンアウトしやすい人は自ら休暇をとることが難しい傾向があるため，同僚や上司から休養を促すことや，時に休養を命じるなど組織的なサポートも重要である．

▶休息確保は，自分自身のためにも患者のためにも必要な能力．

[Further Reading]

- 佐野信也：医療従事者のメンタルヘルスケア―医療者の「燃えつき」研究の動向と課題．日サイコセラピー会誌 10：17-28，2009
- 治療者のメンタル・ヘルス．成田善弘：精神療法家の仕事―面接と面接者．pp183-197，金剛出版，2003

（川原庸子）

第12章

医療分野以外との連携

保健所，児童相談所との関わり方

Cooperation with Public Health Centers and Child Consultation Centers

point

- 地域行政機関との連携は，不安定な治療や困難な支援の基盤を支える．
- 患者ないし支援対象者の居住地の行政機関と連携する．
- 連携に際して，患者の同意があることが望ましいが，判断が急がれる場合には，行政機関との連携を優先してよい．
- 行政機関には守秘義務が課せられており，医療情報の提供をためらう必要はないが，行政機関から情報を得ることはむしろ困難な場合があることは心得ておく．

保健所

●役割

◆依拠する法律

▶地域保健法により，全国に470カ所(都道府県保健所354，指定都市・中核市・政令市保健所93，23区保健所23)設置されている(2021年4月現在の設置数)．

◆保健所の業務

▶**対人保健分野**：感染症対策など(感染症法)，エイズ・難病対策，精神保健対策(精神保健福祉法)，母子保健対策(母子保健法，児童福祉法)．

▶**対物保健分野**：食品衛生関係(食品衛生法)，生活衛生関係，医療監視等関係(医療法など)．

▶**その他**：医薬品医療機器等法，狂犬病予防法，あん摩マッサージ指圧師，はり師，きゆう師等に関する法律に基づく業務．

●連携のポイント

◆精神保健

▶保健所では，主に精神保健に関する現状把握，精神保健福祉相談，精神保健訪問指導，医療・保護関連の事務などを行っている．

▶精神保健福祉法による医療保護入院，措置入院などの入退院の届出は，保健所を通して都道府県へ上げられる．

- 精神疾患患者の治療において，受診拒否・通院困難，単身生活などで日常生活への支援や病状把握が必要，家族は困っているが本人には病識が乏しい，地域生活における迷惑行為などの問題が生じている場合，保健所との連携を考慮．
- 外来診療では，本人からの情報が十分得られず，生活実態や病状を把握できないことなどから症状悪化の発見が遅れることもある．保健所の訪問指導を取り入れることで，その人の支援のポイントが把握できる．
- 保健所には患者本人・家族，その他関係者から相談することができるという利点もある．
- 精神疾患を有する人には，居住地を管轄とする保健所に属する担当保健師が対応．

◆母子保健

- 妊娠・出産は喜ばしいことである一方，重大なストレス因子でもある．特に精神的問題を抱えた母体が育児を行う場合，母体の精神症状悪化や育児困難，ひいては児童虐待に至る可能性に留意．
- **妊娠期からの母子支援**：精神障害者の妊娠・出産，妊娠後にうつ病や統合失調症などを発症するケースには，妊娠期から保健師に連絡して産後の連携をしやすくする(▶p269)．
- 若年出産やシングルマザー，貧困家庭，夫婦ともに知的能力障害や精神疾患を抱えている家庭などへは，育児の経過を通じて支援．
- **特定妊婦**：出産後の子どもの養育について出産前において支援を行うことが特に必要と認められる妊婦(児童福祉法第6条の3の⑤)であり，具体的には，若年，収入基盤が安定しない世帯や家族構成が複雑，知的・精神的障害などで育児困難が予測される妊婦などで，妊娠届未提出，妊婦健診が未受診の場合は要注意．地方公共団体(児童相談所など)は，要保護児童もしくは特定妊婦への適切な支援をはかるため，関係機関(保健所，医療機関，福祉事務所など)により構成される要保護児童対策地域協議会を置くように努めなければならない(児童福祉法第25条の2の①)．

児童相談所

役割

依拠する法律

- 児童福祉法により，都道府県，政令市に全国225カ所設置されている(2021年4月現在の設置数).

児童相談所(以下，児相)の業務

- **養護相談**：保護者がいなくなることによる養育困難児，棄児，被虐待児(その一時保護)，養子縁組などに関する相談.
- **保健相談**：未熟児，虚弱児，精神疾患を含む疾病を有する子どもに関する相談.
- **障害相談**：肢体不自由，視聴覚障害，言語発達障害，神経発達障害に関する相談.
- **その他**：重症心身障害相談，知的障害相談，自閉症などの相談，非行相談，育成相談(性格行動相談，不登校相談，適性相談，育児・しつけ相談)など.
- 近年，児童虐待が急増しており，虐待対応業務を市区町村が行い(各自治体に設置されている子ども家庭支援センターなどが実働)，児相は専門機関としてのマネジメントおよびスーパーバイズに移行していく(2016年児童福祉法改正，2017年4月施行).

連携のポイント

児童虐待(▶p292)

- 児童虐待には，身体的虐待，心理的虐待，性的虐待，ネグレクトの類型がある．患者が子どもであれば被害を受けている可能性について，患者が子育て中の親であれば加害をしている可能性について注意する.
- **被害児の特徴**：受傷機転のつじつまが合わない外傷，繰り返す原因不明の病気，身なり不整，飢え，多動・衝動性，対人関係の問題など．項目末尾のFurther Reading参照.
- **虐待している親**：社会的孤立，望まない妊娠，育児の無知など背景は様々．DV歴，物質使用障害，精神疾患，知的能力障害などはハイリスク.
- 児童虐待を発見した者は，速やかに通告する義務がある(児童

虐待防止法第 6 条の 1)．さらに医師は，学校教職員，保健師，弁護士などと並ぶ専門家として，児童虐待の早期発見に努めなければならない(同法第 5 条の 1)．

- 児童虐待通告の義務は，守秘義務違反にあたらないことが法に明記されている(同法第 6 条の 3)．
- **通告先**：市町村の設置する福祉事務所，児相．事件性がある場合は警察への通報も行う．
- ただし，保護者の中で子どもを守る立場に立てる者である場合，虐待者であっても自覚がある場合は，保護者自身が相談に行くことを勧める．
- いずれの場合も，主治医は単独で判断せず，看護師やソーシャルワーカーなどとの医療チームあるいは院内設置の委員会などの判断を得ること．

◆その他の相談

- 療育手帳や特別児童扶養手当の受給や施設入所に関しては，保護者自身から児相へ相談してもらう．手続きも困難な親の場合には，主治医から院内ソーシャルワーカーなどに支援を依頼．
- 非行や育成相談における医療情報提供には，できるだけ本人や保護者の了解を得た上で行うことが，その後の治療継続のためにも望ましい．

[Further Reading]

- 日本小児科学会こどもの生活環境改善委員会：子ども虐待診療の手引き，第 2 版．2014
https://www.jpeds.or.jp/uploads/files/abuse_all.pdf(last accessed 2021. 11. 19)

(笠原麻里)

司法との関わり方

Forensic Settings

point

- 司法との関わりが発生するのは主として，司法機関からの照会，鑑定依頼および，担当患者から他害の危険を察知したときである．
- いずれにおいても，対応に絶対的な正解は存在しない．多くの場合医師は，患者の利益と社会の利益の間に発生するジレンマにさらされることになる．どちらの利益についてもそれを保護する法律が存在するから，法的にどちらが正しいという正解も存在しない．
- したがって司法との関わりにおいては，医師として人間としての真の誠実さが問われることになる．

●照会への回答

▶警察，弁護士，裁判所からの照会はいずれも法的根拠に基づくものであり，回答にあたって患者の同意は必ずしも必要とされない．

▶一方，回答を拒否しても差し支えない．

▶回答した場合，個人情報保護法や刑法（医師の守秘義務）に基づき追及を受けるリスクがあることは否めない．

▶いかなるリスクも回避したいのであれば，回答はすべて拒否することになるが，それはリスクと同時に医師としての社会的義務をも回避していることになる．

▶したがって事案を慎重に判断した上で極力回答すべき．

◆警察

▶刑事訴訟法第197条第2項「捜査については，公務所又は公私の団体に照会して必要な事項の報告を求めることができる」に基づく照会．

▶しばしば事件時の責任能力についての意見が主治医などに求められるが，これに対しては「不明」と答えるべき．責任能力は医学概念でないことが理由の第一，犯行時とその前後の事実についての詳細な情報なしには誰にも判定できないことが理由の第二である．

▶責任能力についてもし判断するのであれば，それは鑑定を通してなされなければならない．照会のレベルで責任能力に言及するのは無責任である．

◆弁護士

- 弁護士法第23条の2第2項「弁護士会は，前項の規定による申出に基き，公務所又は公私の団体に照会して必要な事項の報告を求めることができる」に基づく照会.
- この「前項」とは第1項「弁護士は，受任している事件について，所属弁護士会に対し，公務所又は公私の団体に照会して必要な事項の報告を求めることを申し出ることができる(以下略)」を指している.

◆裁判所

- 民事訴訟法第226条「書証の申出は，第219条の規定にかかわらず，文書の所持者にその文書の送付を嘱託することを申し立てすることができる(以下略)」に基づく照会.

●鑑定依頼への対応

- 医学的意見を求められれば，それは鑑定依頼と解することができる.
- 鑑定は，依頼元がどこであれ，受任する義務まではないが，医師の社会的義務として，可能な限り受任すべき．精神疾患が関わる事件について正しい判断ができるのは精神科医だけだからである．精神科医が鑑定を受任しなければ，患者の不利益も社会の不利益もはかりしれないほど大きいものになる.
- 鑑定書を提出すると，後に出廷を求められることがある．出廷に応じる・応じないは鑑定医の自由であるが，極力応じるべき.
- 法廷での証言におけるポイントは以下の通り．①公正中立，②わからないことはわからないと答える，③事実と意見を明確に分ける.

◆鑑定実務の倫理

- 依頼元がどこであれ，公正中立な立場で行わなければならない.
- 鑑定が依頼されるということは，争いが発生しているということ．依頼を受けた時点では，依頼者こそが正しく，非は争いの相手側にありと思いがちであるが，それは多くの場合情報のバイアスに基づいていることに留意すべき.
- そもそも鑑定で求められるのは医学的判断であって，倫理的判断ではない.
- 倫理的判断を避けることが鑑定の倫理.

- 鑑定依頼事項には，法的事項が含まれることがある．本来それは医師が回答すべきものではないが，最終的に必要とされるのは医学的判断を前提とした法的判断であるところ，依頼者は医学的回答を真の意味では理解できないから，現実としては鑑定医に，医学的判断から法的判断への「翻訳」が求められるのが常である．
- この「翻訳」をどこまで行うかは鑑定医の哲学にかかっている．

●危険を察知したときの対応

- 担当患者から他害の危険を察知したとき，精神科医は深刻なジレンマに苦悩することになる．
- すなわち，危険を通報すれば守秘義務違反になりかねず，通報しなければ被害発生を知りながら放置したことになる．
- したがってここでも正解は存在しないが，「特定の対象者に深刻な危険が切迫している」と判断すれば通報すべき．逆に，そうでなければ通報は控えるべき．

（村松太郎）

教育現場との関わり方

Collaboration with Schools

point

- 精神疾患の早期発見，早期援助のために教育現場との連携は重要.
- 治療中の生徒の対応には，医療者と教育現場がチームとして関わる方法が有用.
- 情報共有の方法は，学校や家族とよく検討し，混乱のないようにする.
- 生徒本人も，治療の意味がわかった上で治療に参加できるような援助を心掛ける.

教育現場との連携の意味

▶中学生や高校生では，家族との接点が少なく，学校のほうが先に生徒の不調に気づくこともある．精神疾患の早期の診断と援助のために，学校との連携は重要.

▶精神科で治療中の生徒については，治療方針を学校と共有してチームとして連携することが必要になる場合も多い.

早期発見，早期治療

▶統合失調症や摂食障害など，発症早期あるいはいわゆる「アットリスク」状態で学校から紹介される場合がある．「軽症だから様子をみてよい」「もっと悪くなったら来るように」などのアドバイスは，その後の治療を遅らせる.

▶家族や養護教諭に対し，疾患に対する適切な情報提供を行い，経過観察のポイントを示すことが重要.

▶上記のような場合，次の受診日を決める．1カ月後，2カ月後，次の学期に1回など，間隔はあいてよいが，必ず再受診を促し，経過観察を確実に行う.

▶健診で発見される摂食障害などは校医との連携も適宜行う.

発達障害（神経発達症群）への対応

▶注意欠如・多動症（ADHD），自閉スペクトラム症については，教員の啓発が進んでおり，生徒の評価とアドバイスを求められることも多い．必要なケースには，知能検査や心理検査を実施.

- 教育現場では，最終的な診断は医師が行うべきものと理解されていることをふまえ，エビデンスに基づいて慎重に診断を下す．
- グレーゾーン例に関する相談には，発達障害の有無という二分法では対応しにくいことを説明し，心理検査などで明らかになった本人の苦手部分の援助を促す．
- 「白黒はっきりさせて，発達障害がないならば厳しく接するべき」と考える家族や教員もいるので丁寧に説明する．

●治療中の生徒への対応・連携

- 学校と病院の方針の矛盾などを理由に，本人が治療を中断することがしばしばある．「周囲の大人は一丸となって援助する」ことを意識し，援助目標を明確化する．
- 学校内では，担任，養護教諭，スクールカウンセラー，部活顧問など複数が関わっている．校内の情報共有のあり方は学校に一任し，医療機関との連絡担当を決めてもらうと混乱が少ない．
- 心理的援助を必要とすることも多いため，ケースによっては臨床心理士による治療も行う．治療者側が複数になるときは，学校との連絡方法について明確にする．
- 学校は，どの行事にはどのような条件で参加できるか，課題をこなせないときどうするかなど，日々の学校生活に関わる具体的なアドバイスを必要としている．
- 投薬に必要な情報だけでなく，学校生活の詳細を知り，具体的なアドバイスをすることが望ましい．
- 進級，卒業，系列校への推薦入学などに関わる出席日数や成績の条件は，早めに学校，家族と共有して治療計画を立てる．
- 小学校から中学校へ，中学校から高校へと進学する際，援助に必要な情報が進学先に伝えられるほうが援助しやすい．家族の同意なしに伝達できる情報には限りがあるため，家族と学校がよく話し合うことを勧める．

●家族との関わり・情報共有

- 受診に熱心で，医療側の治療方針を本人と家族がきちんと学校に伝えられる場合は，家族を治療のキーパーソンとして情報共有を行う．
- 適宜，連絡帳や診断書を活用すればよりスムーズ．学校との情報交換の同意書などを用意する場合もある.

- 問題に無関心あるいは虐待などが疑われる家族では，家族だけを問題の解決のキーパーソンとすることは困難．状況に応じて，児童相談所，子ども家庭支援センターなどと連携する.
- 家族に精神疾患が疑われる場合などは保健所，保健センターとも連携する.
- 精神科治療に誤解や偏見のある家族の場合もあり，また，学校から子どもに精神科受診を勧められることに抵抗のある家族もいる．このような場合，可能ならば家族との面接を行い，受診の意味や学校との情報共有の方法などについて，誤解を解くよう試みる.

●本人への関わり

- 可能な限り，本人が治療の意味を理解し，治療に積極的に参加できるよう心理教育的なアプローチも心掛ける．適宜，パンフレットや資料などを用い，理解を助けるようにする.
- 本人が治療について理解すると，学校との連携もスムーズになる.
- 可能な限り，保護者だけでなく，本人からも治療の同意を得る.

[Further Reading]

- 小児科医のための不登校診療ガイドライン．日本小児心身医学会(編)：小児心身医学会ガイドライン集―日常診療に活かす5つのガイドライン，改訂第2版．pp87-116，南江堂，2015
- 小児科医のための摂食障害診療ガイドライン．日本小児心身医学会(編)：小児心身医学会ガイドライン集―日常診療に活かす5つのガイドライン，改訂第2版．pp117-214，南江堂，2015
- 摂食障害全国支援センター(編)：学校と医療のより良い連携のための対応指針(小学校版，中学校版，高等学校版，大学版)．2016 https://www.edportal.jp/pro/material_01.html(last accessed 2021. 12. 2)

(西園マーハ　文)

職場(民間企業など)への関わり方
—産業メンタルヘルス

How to Communicate with a Work Place

point

- 医療では患者の症状の改善・寛解が治療のゴールになるが，産業保健では業務遂行能力などの社会機能の回復がゴールになる．
- 主治医として復職判定に関わる際は，症状が寛解しているかどうかに加えて，業務遂行能力などの社会機能が回復しているかどうかを判断する必要がある．
- 患者本人からの情報に加えて，家族，人事担当者，職場などから情報を収集することが，より客観的な状況把握につながる．

産業メンタルヘルスの特徴

- 医療では，患者の疾病を治療し，その結果，症状が改善，寛解，回復することがゴールとなるが，産業メンタルヘルスでは，業務遂行能力も含めた社会機能の維持，改善，回復がその活動のゴールになる．
- 医学的な症状の寛解が，必ずしも業務遂行能力などの社会機能の回復を意味しない．
- そのため，症状が寛解した後も，生活リズムの回復，業務に準じた作業の遂行などを通じて，業務遂行能力などの社会機能が一定程度回復するのを支援すること，およびそれを確認することが必要となる．
- うつ病をはじめとしてメンタルヘルス不調は，再発のリスクを伴う．
- そのため，症状の改善のみならず，「なぜ体調が悪化したのか」「再発を防ぐためには，どのような対応が必要になるか」といった再発予防策の検討も必要になる．
- こうした情報は，基本的には患者本人から聴取するが，情報が不十分な場合などは，患者本人の了解を得た上で，家族，職場の人事担当者，上司などから情報を得る．

職場との連携のとり方

- メンタルヘルス不調が発生した際の状況把握，業務遂行能力の改善の評価，復職時の職場の環境調整など，患者本人からの情報だけでは，判断が困難な事象も多い．

- 患者本人の了解を得た上で，職場の人事担当者や上長などと連携をとり，対応をはかることが重要．
- 連携のとり方としては，書面による方法，直接面談を行う方法などがあるが，いずれの場合も，主治医が職場側と共有する情報については，明示できる形で患者本人から同意を得ておく必要がある．
- メンタルヘルスに関する情報などは個人情報の中でも特に機微な情報であることから，共有する情報は復職支援のために必要最小限であるものに限定すべき．

復職に向けた取り組み

- 治療は，通常の患者の治療と同様，休養，薬物療法，精神療法などが中心になる．
- しかし，日常生活の中で症状が改善しただけでは，業務遂行能力などの社会機能が改善したとはいえない．復職後の生活を想定した生活リズムの改善，仕事に準じた作業(例：図書館での読書，レポートの作成，パソコンを使った作業など)を一定時間継続して実施するなどの取り組みを外来で指導するとよい．
- その結果を患者に報告してもらうことで，業務遂行能力などの社会機能の回復度合いをより客観的に判断することができる．
- さらには，うつ病をはじめとしたメンタルヘルス不調は，再発の多い疾患であることを鑑み，復職前に再発予防策を検討してもらうことも重要．
- その際には，環境的な要因と患者本人の思考や行動の特性の両方をバランスよく検討することが必要である．

外来医療以外の資源の利用

- 休職期間が長期に及ぶケースや，再発を繰り返しているケースなどでは，外来治療による休養と服薬だけでは，十分な回復が見込めないケースもある．
- そうした場合には，外来医療以外のプログラムを利用することも検討する．具体的には，「リワークプログラム」の利用である(▶p85)．

▶リワークプログラムとは，復職支援に特化したリハビリテーションプログラムのことで，医療機関で実施されている場合はデイケアの形態で実施されることが多い．
▶プログラムにもよるが，最終的には朝から夕方まで，毎日デイケアに出席し，仕事に準じた作業，再発予防の検討などを行う．また，リワークプログラムには医療機関が実施するもの以外に，地域障害者職業センターが実施するものもある．

〔Further Reading〕

- 厚生労働省，中央労働災害防止協会：心の健康問題により休業した労働者の職場復帰支援の手引き改訂—メンタルヘルス対策における職場復帰支援．2013
  http://www.mhlw.go.jp/new-info/kobetu/roudou/gyousei/anzen/dl/101004-1.pdf(last accessed 2021. 12. 2)
- 秋山　剛，うつ病リワーク研究会(監)：うつ病の人の職場復帰を成功させる本—支援のしくみ「リワーク・プログラム」活用術：イラスト版．講談社，2013

（佐渡充洋）

付録

代表的な評価尺度

Common Rating Scale

●ハミルトンうつ病評価尺度(17 項目)評価表(HAM-D)

1. **抑うつ気分**(悲しみ，絶望的，ふがいなさ，無価値感)

- □0 なし
- □1 質問をされた時のみ示される(一時的，軽度のうつ状態)
- □2 自ら言葉で訴える(持続的，軽度から中等度のうつ状態)
- □3 言葉を使わなくとも伝わる(例えば，表情・姿勢・声・涙もろさ)(持続的，中等度から重度のうつ状態)
- □4 言語的にも，非言語的にも，事実上こうした気分の状態のみが，自然に表現される(持続的，極めて重度のうつ状態，希望のなさや涙もろさが顕著)

2. **罪責感**

- □0 なし
- □1 自己非難，他人をがっかりさせたという思い(生産性の低下に対する自責感のみ)
- □2 過去の過ちや罪深い行為に対する，罪責観念や思考の反復(罪責，後悔，あるいは恥の感情)
- □3 現在の病気は自分への罰であると考える，罪責妄想(重度で広範な罪責感)
- □4 非難や弾劾するような声が聞こえ，そして(あるいは)脅されるような幻視を体験する

3. **自殺**

- □0 なし
- □1 生きる価値がないと感じる
- □2 死ねたらという願望，または自己の死の可能性を考える
- □3 自殺念慮，自殺をほのめかす行動をとる
- □4 自殺を企図する

4. **入眠障害**(睡眠初期の障害)

- □0 入眠困難はない
- □1 時々寝つけない，と訴える(すなわち，30 分以上，週に 2〜3 日)
- □2 夜ごと寝つけない，と訴える(すなわち，30 分以上，週に 4 日以上)

5. **熟眠障害**

- □0 熟眠困難はない
- □1 夜間，睡眠が不安定で，

妨げられると訴える(または，時々，すなわち週に2〜3日，夜中に30分以上覚醒している)

□$_2$ 夜中に目が覚めてしまう—トイレ以外で，寝床から出てしまういかなる場合も含む(しばしば，すなわち週に4日以上，夜中に30分以上覚醒している)

6. 早朝睡眠障害(睡眠末期の障害)

□$_0$ 早朝睡眠に困難はない

□$_1$ 早朝に目が覚めるが，再び寝つける(時々，すなわち，週に2〜3日，早朝に30分以上目が覚める)

□$_2$ 一度起き出すと，再び寝つくことはできない(しばしば，すなわち，週に4日以上，早朝に30分以上目が覚める)

7. 仕事と活動

□$_0$ 困難なくできる

□$_1$ 活動，仕事，あるいは趣味に関連して，それができない，疲れる，弱気であるといった思いがある(興味や喜びは軽度減退しているが，機能障害は明らかではない)

□$_2$ 活動・趣味・仕事に対する興味の喪失—患者が直接訴える，あるいは，気乗りのなさ，優柔不断，気迷いから間接的に判断される(仕事や活動をするのに無理せざるを得ないと感じる；興味や喜び，機能は明らかに減退している)

□$_3$ 活動に費やす実時間の減少，あるいは生産性の低下(興味や喜び，機能の深刻な減退)

□$_4$ 現在の病気のために，働くことをやめた(病気のために仕事あるいは主要な役割を果たすことができない，そして興味も完全に喪失している)

8. 精神運動抑制(思考・発話の遅鈍；集中困難；運動機能の低下)

□$_0$ 発話・思考は正常である

□$_1$ 面接時に軽度の遅滞が認められる(または，軽度の精神運動抑制)

□$_2$ 面接時に明らかな遅滞が認められる(すなわち，中等度，面接はいくらか困難；話は途切れがちで，思考速度は遅い)

□$_3$ 面接は困難である(重度の精神運動抑制，話はかなり長く途切れてしまい，面接は非常に困難)

□$_4$ 完全な昏迷(極めて重度の精神運動抑制；昏迷；面接はほとんど不可能)

9. 精神運動激越

- □$_0$ なし（正常範囲内の動作）
- □$_1$ そわそわする
- □$_2$ 手や髪などをいじくる
- □$_3$ 動き回る，じっと座っていられない
- □$_4$ 手を握りしめる，爪を噛む，髪を引っ張る，唇を噛む（面接は不可能）

10. 不安，精神症状

- □$_0$ 問題なし
- □$_1$ 主観的な緊張とイライラ感（軽度，一時的）
- □$_2$ 些細な事柄について悩む（中等度，多少の苦痛をもたらす；あるいは実在する問題に過度に悩んでいる）
- □$_3$ 心配な態度が顔つきや話し方から明らかである（重度；不安のために機能障害が生じている）
- □$_4$ 疑問の余地なく恐怖が表出されている（何もできない程の症状）

11. 不安，身体症状

- □$_0$ なし
- □$_1$ 軽度（症状は時々出現するのみ，機能の障害はない，わずかな苦痛）
- □$_2$ 中等度（症状はより持続する，普段の活動に多少の支障をきたす，中等度の苦痛）
- □$_3$ 重度（顕著な機能の障害）
- □$_4$ 何もできなくなる

12. 身体症状，消化器系

- □$_0$ なし
- □$_1$ 食欲はないが，促されなくても食べている（普段より食欲はいくらか低下）
- □$_2$ 促されないと食事摂取が困難（あるいは，無理して食べなければならないかどうかに関わらず，食欲は顕著に低下している）

13. 身体症状，一般的

- □$_0$ なし
- □$_1$ 手足や背中，あるいは頭の重苦しさ．背部痛，頭痛，筋肉痛．元気のなさや易疲労性（普段より気力はいくらか低下；軽度で一時的な，気力の喪失や筋肉の痛み/重苦しさ）
- □$_2$ 何らかの明白な症状（持続的で顕著な，気力の喪失や筋肉の痛み/重苦しさ）

14. 生殖器症状（性欲の減退，月経障害など）

- □$_0$ なし
- □$_1$ 軽度（普段よりいくらか関心が低下）
- □$_2$ 重度（普段よりかなり関心が低下）

15. 心気症

- □$_0$ なし（不適切な心配はない，あるいは完全に安心できる）
- □$_1$ 体のことが気がかりである（自分の健康に関する多少の不適切な心配，または大

丈夫だと言われているにも関わらず，わずかに心配している）

□$_2$ 健康にこだわっている（しばしば自身の健康に対し過剰に心配する，あるいは医学的に大丈夫だと明言されているにも関わらず，特別な病気があると思い込んでいる）

□$_3$ 訴えや助けを求めること等が頻繁にみられる（医師が確認できていない身体的問題があると確信している；身体的な健康についての誇張された，現実的でない心配）

□$_4$ 心気妄想（例えば，体の一部が衰え，腐ってしまうと感じる，など；外来患者ではまれである）

16. この1週間の体重減少（現病歴による評価の場合）

□$_0$ 体重減少なし，あるいは今回の病気による減少ではない

□$_1$ 今回のうつ病により，おそらく体重が減少している

□$_2$ （患者によると）うつ病により，明らかに体重が減少している

17. 病識

□$_0$ うつ状態であり病気であることを認める，または現在うつ状態でない

□$_1$ 病気であることを認めるが，原因を粗食，働き過ぎ，ウイルス，休息の必要性などのせいにする（病気を否定するが，病気である可能性は認める，例えば「私はどこも悪いところはないと思います，でも他の人には悪く見えるようです」）

□$_2$ 病気であることを全く認めない（病気であることを完全に否定する，例えば「私はうつ病ではありません；私は元気です」）

17項目版ハミルトンうつ病評価尺度の合計得点：

______

〔Williams JBW：A Structured interview guide for the Hamilton Depression Rating Scale. Arch Gen Psychiatry 45：742-747, 1988 および稲田俊也（編）：HAMDを使いこなす―ハミルトンうつ病評価尺度（HAMD）の解説と利用の手引き．Appendix pp12-13，星和書店，2014 をもとに作成〕

付録

●改訂長谷川式簡易知能評価スケール(HDS-R)

1	お歳はいくつですか？ (2年までの誤差は正解)		0 1
2	今日は何年の何月何日ですか？ 何曜日ですか？ (年月日，曜日が正解でそれぞれ1点ずつ)	年 月 日 曜日	0 1 0 1 0 1 0 1
3	私たちがいまいるところはどこですか？ (自発的にでれば2点，5秒おいて家ですか？ 病院ですか？ 施設ですか？ のなかから正しい選択をすれば1点)		0 1 2
4	これから言う3つの言葉を言ってみてください．あとでまた聞きますのでよく覚えておいてください． (以下の系列のいずれか1つで，採用した系列に○印をつけておく) 1：a)桜 b)猫 c)電車 2：a)梅 b)犬 c)自動車		0 1 0 1 0 1
5	100から7を順番に引いてください． (100−7は？ それからまた7を引くと？ と質問する．最初の答えが不正解の場合，打ち切る)	(93) (86)	0 1 0 1
6	私がこれから言う数字を逆から言ってください． (6−8−2, 3−5−2−9を逆に言ってもらう，3桁逆唱に失敗したら，打ち切る)	2−8−6 9−2−5−3	0 1 0 1
7	先ほど覚えてもらった言葉をもう一度言ってみてください． (自発的に回答があれば各2点，もし回答がない場合以下のヒントを与え正解であれば1点) a)植物 b)動物 c)乗り物		a：0 1 2 b：0 1 2 c：0 1 2
8	これから5つの品物を見せます．それを隠しますのでなにがあったか言ってください． (時計，鍵，タバコ，ペン，硬貨など必ず相互に無関係なもの)		0 1 2 3 4 5
9	知っている野菜の名前をできるだけ多く言ってください． (答えた野菜の名前を右欄に記入する．途中で詰まり，約10秒間待っても答えない場合にはそこで打ち切る) 0〜5=0点，6=1点，7=2点，8=3点，9=4点，10=5点		0 1 2 3 4 5
		合計得点	

〔加藤伸司，下垣 光，小野寺敦志，他：改訂長谷川式簡易知能評価スケール(HDS-R)の作成．老年精医誌 2：1339-1347，1991より〕

モントリオール認知アセスメント(MOCA)

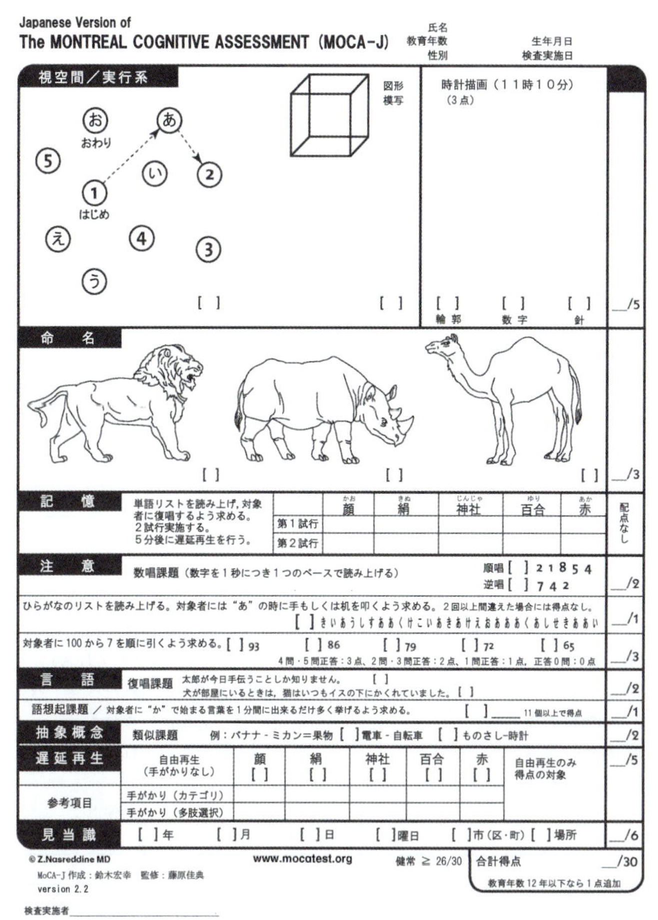

Japanese Version of
The MONTREAL COGNITIVE ASSESSMENT (MOCA-J)

氏名
教育年数　　　生年月日
性別　　　　　検査実施日

視空間／実行系

お おわり　あ　5　い　2　1 はじめ　え　4　3　う

[ ]

図形模写 [ ]

時計描画（11時10分）（3点）
[ ] 輪郭　[ ] 数字　[ ] 針

__/5

命名

[ ]　[ ]　[ ]

__/3

記憶

単語リストを読み上げ，対象者に復唱するよう求める。2試行実施する。5分後に遅延再生を行う。

	顔（かお）	絹（きぬ）	神社（じんじゃ）	百合（ゆり）	赤（あか）
第1試行					
第2試行					

配点なし

注意

数唱課題（数字を1秒につき1つのペースで読み上げる）　順唱 [ ] 2 1 8 5 4　逆唱 [ ] 7 4 2　__/2

ひらがなのリストを読み上げる。対象者には“あ”の時に手もしくは机を叩くよう求める。2回以上間違えた場合には得点なし。
[ ] きいあうしすああくけこいあきあけえおあああくあしせきああい　__/1

対象者に100から7を順に引くよう求める。[ ] 93　[ ] 86　[ ] 79　[ ] 72　[ ] 65
4問・5問正答：3点、2問・3問正答：2点、1問正答：1点，正答0問：0点　__/3

言語

復唱課題　太郎が今日手伝うことしか知りません。[ ]
犬が部屋にいるときは，猫はいつもイスの下にかくれていました。[ ]　__/2

語想起課題 ／ 対象者に“か”で始まる言葉を1分間に出来るだけ多く挙げるよう求める。[ ] ____ 11個以上で得点　__/1

抽象概念

類似課題　例：バナナ - ミカン=果物 [ ] 電車 - 自転車 [ ] ものさし-時計　__/2

遅延再生

	顔	絹	神社	百合	赤	
自由再生（手がかりなし）	[ ]	[ ]	[ ]	[ ]	[ ]	自由再生のみ得点の対象
参考項目　手がかり（カテゴリ）						
参考項目　手がかり（多肢選択）						

__/5

見当識

[ ] 年　[ ] 月　[ ] 日　[ ] 曜日　[ ] 市（区・町）[ ] 場所　__/6

© Z.Nasreddine MD　www.mocatest.org　健常 ≧ 26/30　合計得点 __/30
教育年数12年以下なら1点追加
MoCA-J 作成：鈴木宏幸　監修：藤原佳典
version 2.2

検査実施者____________

〔鈴木宏幸，藤原佳典：Montreal Cognitive Assessment(MoCA)の日本語版作成とその有効性について．老年精医誌 21：198-202，2010 より〕

●臨床的全般改善度(CGI)

評価者：＿＿＿＿＿＿＿＿＿＿＿＿＿＿＿ 評価日：＿＿＿＿＿＿

患者の個人情報詳細

氏名：＿＿＿＿＿＿＿＿＿＿＿＿＿＿＿ 年齢：＿＿＿ 性別：男／女

1. 全般的な重症度

評価基準：

あなたの総合的な臨床経験を考慮し，この時点における該当患者の精神疾患の重症度はどの程度ですか(1つの□欄にだけチェックマークを入れる).

1. 正常.	□	5. 顕著な精神疾患.	□
2. 精神疾患の境界線上.	□	6. 重度の精神疾患.	□
3. 軽度の精神疾患.	□	7. 非常に重度の精神疾患.	□
4. 中等度の精神疾患.	□		

評点：＿＿＿

メモ：＿＿＿＿＿＿＿＿＿＿＿＿＿＿＿＿＿＿＿＿＿＿＿＿＿＿＿＿＿

2. 全般的な改善状況

評価基準：

該当患者の状態を治療前と比較し，患者の精神疾患の重症度が経時的にどの程度の変化が認められましたか(1つの□欄にだけチェックマークを入れる).

1. 大きな改善があった.	□	5. 軽度の悪化がみられた.	□
2. 中等度の改善があった.	□	6. 中等度の悪化がみられた.	□
3. 軽度の改善があった.	□	7. 大きな悪化がみられた.	□
4. 変化なし.	□		

評点：＿＿＿

メモ：＿＿＿＿＿＿＿＿＿＿＿＿＿＿＿＿＿＿＿＿＿＿＿＿＿＿＿＿＿

〔Clinical Global Impressions(CGI). In：Guy W(ed)：ECDEU Assessment Manual for Psychopharmacology(revised). US Department of Health, Education, and Welfare, NIMH, Rockville, MD 1976；染矢俊幸(監訳)：統合失調症評価尺度の手引き. p7-b-1, SCIENCE PRESS, 2002より一部改変〕

(岸本泰士郎)

診断書，紹介状の書き方

Documents

point

- 医学的事実を正確に記載する．たとえ患者の利益のためであっても，事実を歪曲してはならない．
- 記入漏れを避ける．法で定められた書式がある文書では，1カ所でも記入漏れがあると手続きが遅れ，患者の大きな不利益になる．
- 控えを保管する．将来診療を引き継ぐ医師のためにも，発行した文書のすべてについて控えを保管しなければならない．
- 本人への開示が原則．仮に封緘した場合でも，本人が読むことを想定すべきである．

精神科臨床で作成する頻度の高い文書

◆普通診断書（いわゆる「診断書」）

❶ 目的

▶ 休業の根拠，訴訟の根拠など多彩．

❷ 書式

▶ 医療機関ごとに定められているのが普通．病名，付記，診療科，日付，病院名，医師署名押印の形をとるのが通例．

❸ 関連法規

▶ **医師法第19条2**：診察若しくは検案をし，又は出産に立ち会つた医師は，診断書若しくは検案書又は出生証明書若しくは死産証書の交付の求があつた場合には，正当の事由がなければ，これを拒んではならない．

▶ **医師法第20条**：医師は，自ら診察しないで治療をし，若しくは診断書若しくは処方せんを交付し，自ら出産に立ち会わないで出生証明書若しくは死産証書を交付し，又は自ら検案しないで検案書を交付してはならない．（以下略）

❹ 発行後の流れ

▶ どう利用するかは患者の自由．

❺ 留意点

▶ 発行は患者の要請に応じなければならないが，記述内容には医師が全責任をもたなければならない．すなわち，患者の要請通りに安易に記述してはならない．診断書は休業，復職，さらに

付録

は訴訟の根拠として使用されうるものであり，患者以外の社会の利害に大いに関わる可能性を有している．ひとたび発行された診断書は法的に絶大な偉力をもっていることを忘れてはならない．

◆診療情報提供書

❶ 目的

▶適切な継続診療．

❷ 書式

▶医療機関ごとに定められているのが普通．

❸ 関連法規

▶厚生労働省告示第 57 号に基づき，紹介先保険医療機関ごとに患者 1 人につき月 1 回に限り診療情報提供料が算定できる．

❹ 発行後の流れ

▶当該患者の診療を行う医療機関へ患者が持参，または医師が送付する．

❺ 留意点

▶継続診療のために必要な情報の量・質は患者ごとに異なるので，必要に応じて書式を変更することが望ましい．なお，情報を提供された医療機関は，速やかに返書を作成し送付するのがマナー．

◆精神障害者保健福祉手帳診断書

❶ 目的

▶精神障害者の自立と社会参加の促進を支援する．

❷ 書式

▶法に定められた書式がある．区市町村に準備されている．

❸ 関連法規

▶**精神保健及び精神障害者福祉に関する法律第 45 条**：精神障害者(知的障害者を除く．以下この章及び次章において同じ．)は，厚生労働省令で定める書類を添えて，その居住地(居住地を有しないときは，その現在地)の都道府県知事に精神障害者保健福祉手帳の交付を申請することができる．

❹ 発行後の流れ

▶各都道府県・政令指定都市の精神保健福祉センターで審査され，認められると手帳が交付される．

❺ 留意点

- 2 年ごとに更新が必要.

◆自立支援医療診断書

❶ 目的

- 精神障害および当該精神障害の治療に関連して生じた病態や当該精神障害の症状に起因して生じた病態に対して入院しないで行われる医療費を公的に支援する.

❷ 書式

- 法に定められた書式がある．区市町村に準備されている.

❸ 関連法規

- 障害者総合支援法第 54 条.

❹ 発行後の流れ

- 地方精神保健福祉審議会で審査され，認定されると医療費の自己負担額が軽減される.
- 精神障害者保健福祉手帳を取得すると税金の減免，障害者雇用の対象者となるなどの措置が得られる.

❺ 留意点

- 精神障害者保健福祉手帳と同時に申請する場合は，前述の手帳用の診断書 1 枚で申請することができる.
- 診断名によっては，精神保健指定医または 3 年以上精神医療に従事した医師でなければ作成できない.

付録

◆傷病手当金支給申請書

❶ 目的

- 労働者が「一般傷病」(業務または通勤災害によらない傷病) による療養のための休業中の経済生活の補償.

❷ 書式

- 記載事項は法で定められているが，書式は各社会保険事務所によって若干異なっている.

❸ 関連法規

- 健康保険法施行規則第 84 条に記載事項が，雇用保険法施行規則第 66 条に手続きが定められている.

❹ 発行後の流れ

- 保険組合または社会保険事務所での審査を経て，患者に傷病手当金が支払われる.

❺ 留意点

▸ 本書が提出されないと審査が開始されず，患者の経済生活に多大な支障をもたらすので，速やかな作成が必要.

◆障害年金診断書

❶ 目的

▸ 病気により長期にわたって障害が残り日常生活や仕事に大きな支障を来たしてしまった場合の経済生活の公的援助.

❷ 書式

▸ 法で定められた書式がある. 精神の障害は様式120号の4を使用.

❸ 関連法規

▸ 国民年金法第30条，厚生年金保険法第47条など.

❹ 発行後の流れ

▸ 日本年金機構での審査を経て，障害の状態(障害年金制度で定められた1〜3級の障害等級)別に定められた金額の年金が支払われる.

❺ 留意点

▸ 障害年金制度で定められた「障害認定日」の時点で，「障害等級」の何級かに当事者の障害の状態が該当していること，また，その障害の状態が今後少なくとも1年以上継続する見込みがあること，そして，その状態によって日常生活や仕事に支障が出ていることが認定の必須条件.

（村松太郎）

索引 index

主要な説明頁は太字で示した.

和文索引

あ

い

う

え

お

く

け

こ

さ

し

す

せ

そ

た

ち

つ

て

と

な

に

の

は

ひ

ふ

へ

ほ

ま・み

む

め

も

や

よ

欧文索引

T

V